SANGRE FRÍA

SERIE
PENDERGAST

PRESTON & CHILD

SANGRE FRÍA

Traducción de
Fernando Garí Puig

PLAZA  JANÉS

El papel utilizado para la impresión de este libro ha sido fabricado a partir de madera procedente de bosques y plantaciones gestionadas con los más altos estándares ambientales, lo que garantiza una explotación de los recursos sostenible con el medio ambiente y beneficiosa para las personas.

Por este motivo, Greenpeace acredita que este libro cumple con los requisitos ambientales y sociales necesarios para ser considerado un libro «amigo de los bosques». El proyecto Libros Amigos de los Bosques promueve la conservación y el uso sostenible de los bosques, en especial de los bosques primarios, los últimos bosques vírgenes del planeta.

Título original: *Cold Vengeance*

Primera edición: junio, 2012

© 2011, Splendide Mendax, Inc. y Lincoln Child
Publicado por acuerdo con Grand Central Publishing,
Nueva York, Estados Unidos.
Todos los derechos reservados.
© 2012, Random House Mondadori, S. A.
Travessera de Gràcia, 47-49. 08021 Barcelona
© 2012, Fernando Garí Puig, por la traducción

Printed in Spain – Impreso en España

ISBN: 978-84-01-35264-5
Depósito legal: B-16115-2012

Compuesto en Comptex & Ass., S. L.

Impreso y encuadernado en Unigraf
Pol. Ind. Arroyomolinos, 14
28938 Móstoles

L 352645

Lincoln Child dedica este libro
a su hija, Veronica

Douglas Preston dedica este libro a
Marguerite, Laura y Oliver Preston

1

Cairn Barrow, Escocia

A medida que ascendían por la desolada loma del Beinn Dearg, la gran hostería de piedra de Kilchurn Lodge se desvaneció en la oscuridad; solo el cálido resplandor de sus ventanas titilaba en la bruma. Cuando alcanzaron el risco, Judson Esterhazy y el agente especial Aloysius Pendergast se detuvieron, apagaron las linternas y aguzaron el oído. Eran las cinco de la mañana, faltaba poco para las primeras luces del amanecer; era casi la hora a la que los ciervos empiezan la berrea.

Ninguno de los dos habló. Mientras esperaban, el viento susurró entre la hierba y las rocas agrietadas por las heladas. Pero nada se movió.

—Hemos llegado muy temprano —dijo por fin Esterhazy.

—Puede —murmuró Pendergast.

Sin embargo, aguardaron mientras la luz gris del amanecer se alzaba por el horizonte de levante silueteando los pelados picos de los montes Grampianos y envolviendo los alrededores con su monótono manto. Lentamente, el paisaje que los rodeaba fue surgiendo de la oscuridad. La hostería de caza, torres y muros de piedra rezumantes de humedad, quedaba lejos, detrás de ellos, entre abetos, maciza y silenciosa. Enfrente se alzaban los terraplenes de granito del Beinn Dearg, que se perdían en la negrura. Un arroyo se derramaba por sus flancos y caía en una serie de cascadas a medida que se abría paso hasta las oscuras aguas del Loch Duin, trescientos metros más abajo y apenas visible en la penumbra. Un poco por debajo de ellos, a su derecha, comenzaba la vasta extensión de páramos conocida como el Foulmire, sembrada de hilillos de bruma con los que ascendía el ligero olor a descomposición y a metano de las aguas estancadas entremezclado con el empalagoso aroma del brezo.

Sin decir palabra, Pendergast se echó nuevamente el rifle al hombro y continuó su camino hacia la cresta. Esterhazy, con rostro sombrío e inescrutable bajo su gorra de cazador, lo siguió. Más arriba tuvieron una vista completa del Foulmire, el traicionero páramo que se perdía en el horizonte, delimitado al oeste por las extensas y negras aguas de las grandes Insh Marshes.

Al cabo de unos minutos, Pendergast levantó la mano y se detuvo.

—¿Qué pasa? —preguntó Esterhazy.

La respuesta no llegó del agente especial sino en forma de un extraño sonido, terrible e inhumano, que surgió de un valle oculto a la vista: el berrido de un ciervo en celo. Su eco resonó en las montañas y marismas como el alarido de un condenado. Era un sonido lleno de rabia y agresividad que se repetía mientras los ciervos recorrían los brezales y los páramos luchando —a menudo hasta la muerte— para hacerse con el harén de hembras.

El berrido fue respondido por otro, más próximo, que llegó de las orillas del lago, y después por un tercero, más lejano, proveniente de unas lomas distantes. Los berridos se superponían unos a otros y estremecían el paisaje. Los dos hombres escucharon en silencio, fijándose en cada sonido y tomando nota de su dirección, timbre y fuerza.

Esterhazy habló por fin; su voz apenas se oía con el sonido del viento.

—El del valle es un monstruo.

Pendergast no dijo nada.

—Propongo que vayamos tras él.

—El del páramo es aún mayor —susurró Pendergast.

Se hizo un breve silencio.

—Ya conoces las normas de la hostería en cuanto a adentrarse en el páramo.

Pendergast hizo un gesto despectivo con su blanca mano.

—Yo no soy de esos a los que les preocupan las normas, ¿y tú?

Esterhazy apretó los labios y no dijo nada.

Esperaron mientras el gris amanecer teñía de rojo el cielo de levante y la luz empezaba a abrirse paso por el duro paisaje de las Highlands.

Más abajo, el Foulmire era un páramo de negras lagunas unidas por surcos de agua estancada, ciénagas y lodazales repartidos entre engañosos prados y cañadas rocosas. Pendergast sacó del bolsillo un pequeño catalejo, lo extendió y examinó el paisaje. Al cabo de un rato se lo pasó a Esterhazy.

—Está entre la segunda y la tercera quebrada, a unos ochocientos metros al interior. Un macho solitario. No hay hembras cerca.

Esterhazy observó con gran concentración.

—Parece que tiene una cornamenta de doce puntas.

—Trece —susurró Pendergast.

—El del valle sería mucho más fácil de seguir. Podríamos cubrirnos mejor. Dudo que tengamos la menor oportunidad de dar caza al de los páramos. Aparte del riesgo de adentrarse en ese terreno, nos vería desde kilómetros de distancia.

—Nos acercaremos siguiendo una línea de visión que pasa a través de la segunda quebrada y la mantendremos entre ella y el ciervo. El viento está a nuestro favor.

—Aun así, ese terreno es muy traicionero.

Pendergast se volvió hacia su compañero y, durante unos incómodos segundos, contempló en silencio su rostro distinguido y de pómulos marcados.

—¿Tienes miedo, Judson?

Esterhazy, momentáneamente sorprendido, descartó el comentario con una risita forzada.

—Claro que no. Simplemente pienso en nuestras posibilidades de éxito. ¿Por qué perder el tiempo en una caza infructuosa por el páramo cuando tenemos un ciervo igual de magnífico esperándonos en ese otro valle?

Sin responder, Pendergast metió la mano en el bolsillo y sacó una moneda de una libra.

—Escoge —dijo.

—Cara —repuso Esterhazy a regañadientes.

Pendergast lanzó la moneda al aire y la recogió en la palma de la mano.

—Cruz. El primer disparo es mío.

Pendergast empezó a descender por la ladera del Beinn Dearg. No había sendero, solo piedras sueltas, hierba, liquen y pequeñas flores silvestres. A medida que la noche cedía al alba, las capas de bruma se tornaron más espesas y se acumularon en la parte baja del páramo, arremolinándose alrededor de los riachuelos y las quebradas.

Caminaron silenciosa y sigilosamente hacia el límite del páramo. Cuando llegaron a una pequeña hondonada en la base del Beinn, Pendergast alzó la mano y se detuvieron. Los ciervos tienen los sentidos muy desarrollados; si no querían que ese los oliera, viera u oyera, debían ser muy cautos.

Pendergast se arrastró hasta el borde de la hondonada y se asomó. El ciervo se hallaba a unos mil metros; caminaba lentamente por el páramo. Como si respondiera a una señal, el animal levantó de pronto la cabeza, olfateó el aire y soltó un nuevo y atronador berrido que resonó entre las rocas antes de apagarse. A continuación, agitó la cornamenta y siguió paciendo entre la hierba.

—¡Dios mío! —susurró Esterhazy—. ¡Es un monstruo!

—Tenemos que movernos rápido —dijo Pendergast—. Se está adentrando en el páramo.

Bordearon la hondonada cuidando de mantenerse ocultos

hasta que el animal quedó tapado por una pequeña quebrada. Entonces giraron y se aproximaron utilizando el montecillo como cobertura. Los bordes del páramo se habían endurecido tras el largo verano, por lo que pudieron avanzar rápida y silenciosamente, utilizando los blandos montículos de hierba como escalones. Llegaron al socaire de la colina y se agacharon. El viento seguía soplando a su favor; oyeron un nuevo berrido, señal de que el ciervo no había detectado su presencia. Pendergast se estremeció: aquel sonido se asemejaba inquietantemente al rugido de un león. Tras indicar con un gesto a Esterhazy que no se moviera de allí, trepó hasta el borde de la colina y se asomó con cautela entre un montón de piedras.

El ciervo se mantenía a la misma distancia, con el hocico al viento, moviéndose inquieto. Agitó la cabeza, sus astas brillaron, y soltó otro berrido. Trece puntas y al menos un metro y pico de cornamenta. Era extraño que, estando la temporada tan avanzada, aquel animal no hubiera reunido un numeroso harén. Algunos ciervos nacían y morían solitarios.

Se hallaban demasiado lejos para disparar. Un buen tiro no era suficiente; no se podía malherir a un animal de semejante talla. Tenía que ser un disparo certero.

Retrocedió hasta donde se encontraba Esterhazy.

—Está a unos mil metros. Demasiado lejos.

—Eso es exactamente lo que me temía.

—Parece muy seguro de sí mismo —dijo Pendergast—. Como nadie caza en el páramo, no está todo lo alerta que debería. Tenemos el viento de cara, él se está alejando..., creo que podríamos intentar acercarnos a campo abierto.

Esterhazy meneó la cabeza.

—Ese terreno parece condenadamente traicionero.

Pendergast señaló una zona arenosa cercana, donde se veían algunas huellas del ciervo.

—Seguiremos su rastro. Si alguien conoce el camino en el páramo, es él.

Esterhazy se dio por vencido.

—Tú primero.

Descolgaron sus rifles y, agachados, se encaminaron hacia el ciervo. Ciertamente, el animal estaba distraído: olfateaba el aire que soplaba del norte y no prestaba atención a lo que sucedía a su espalda. Sus constantes berridos ahogaban cualquier ruido que los dos cazadores pudieran hacer en su aproximación.

Avanzaron con las mayores precauciones, deteniéndose cada vez que el animal vacilaba o se volvía. Lentamente, la distancia que los separaba se fue reduciendo. El ciervo seguía adentrándose en el páramo, guiándose al parecer por su olfato. Continuaron avanzando en el más completo silencio, sin poder hablar, agazapados, con su ropa de camuflaje perfectamente adaptada al entorno. El rastro del animal recorría ondulaciones de terreno firme y serpenteaba entre viscosos lodazales y zonas herbosas. Ya fuera por lo traicionero del terreno, por los nervios de la persecución o por cualquier otro motivo, la tensión en el ambiente crecía por momentos.

Poco a poco consiguieron situarse a distancia de tiro: doscientos cincuenta metros. El ciervo se detuvo una vez más, se colocó de lado y olfateó el aire. Con un gesto mínimo, Pendergast indicó que se detuvieran, se tumbó en el suelo, boca abajo, y apuntó a través de la mira telescópica de su rifle H&H .300. Esterhazy permaneció detrás, a unos diez pasos, en cuclillas, quieto como una estatua.

Pendergast situó el punto de mira justo en la base del cuello del animal y acarició lentamente el gatillo.

Estaba haciendo eso cuando notó el frío contacto del acero en la nuca.

—Lo siento, viejo amigo —dijo Esterhazy—. Coge el rifle con una sola mano y déjalo a un lado. Sin brusquedades.

Pendergast obedeció.

—Ahora, levántate. Despacio.

Pendergast lo hizo.

Esterhazy, sin dejar de apuntar al agente del FBI con su fusil de caza, dio un paso atrás. De repente se echó a reír y sus carcajadas resonaron en el páramo. Con el rabillo del ojo, Pendergast vio que el ciervo, sobresaltado, salía corriendo con grandes saltos y desaparecía en la bruma.

—Había confiado en no tener que llegar hasta este punto —dijo Esterhazy—. Después de tantos años, es una lástima que no lo dejaras correr.

Pendergast no dijo nada.

—Seguramente te estarás preguntando de qué va esto.

—La verdad es que no —repuso Pendergast con voz neutra.

—Soy el hombre al que andabas buscando: el desconocido del Proyecto Aves. La persona de quien Charles Slade no quiso decirte el nombre.

No hubo reacción.

—Te daría una explicación más detallada, pero ¿para qué? Lamento tener que hacer esto. Comprenderás que no es nada personal.

Pendergast seguía sin reaccionar.

—Reza lo que sepas, hermano.

Esterhazy alzó el rifle, apuntó y apretó el gatillo.

2

Un débil clic sonó en el húmedo aire.

—¡Mierda! —exclamó Esterhazy apretando los dientes.

Abrió el cerrojo del rifle, hizo saltar la bala defectuosa y lo cerró rápidamente para cargar una nueva.

Clic.

Pendergast recogió su arma de un salto y apuntó con ella a Esterhazy.

—Tu estúpida estratagema ha fallado. Sospeché de ti desde que me enviaste aquella torpe carta preguntándome qué armas llevaría. Me temo que la munición de tu rifle ha sido manipulada. Y así se cierra el círculo: desde las balas de fogueo que metiste en el rifle de Helen, hasta las balas de fogueo que hay en el tuyo.

Esterhazy seguía manipulando desesperadamente el cerrojo; con una mano expulsaba las balas de fogueo y con la otra buscaba munición de recambio en su morral.

—Estate quieto o te mato —dijo Pendergast.

El otro hizo caso omiso, extrajo la última bala, puso una nueva y cerró la escopeta.

—Muy bien. Esto va por Helen. —Pendergast apretó el gatillo.

Se oyó un ruido hueco.

Pendergast comprendió de inmediato lo que pasaba y retrocedió rápidamente; consiguió refugiarse tras unos peñascos justo cuando Esterhazy abría fuego. El proyectil rebotó en la piedra y levantó esquirlas. Pendergast retrocedió aún más, arrojó su rifle y desenfundó el Colt .32 que había cogido por si acaso. Se levantó, apuntó y disparó, pero Esterhazy ya se había puesto a cubierto al otro lado de la colina. Sus disparos de contraataque se estrellaron contra las piedras que Pendergast tenía delante.

Los dos se hallaban a cubierto, cada uno a un lado de la loma. La risa de Esterhazy sonó de nuevo.

—Parece que tu estúpida estratagema también ha fallado. ¿De verdad creías que te dejaría salir con un rifle en condiciones? Lo siento, viejo amigo, pero desmonté el percutor.

Pendergast estaba tumbado de costado, pegado a la roca, respirando pesadamente. Habían llegado a un punto muerto. Cada uno se encontraba a un lado de la pequeña colina. Eso significaba que quien llegara arriba primero...

Se puso en pie ágilmente y empezó a trepar a cuatro patas por la ladera. Alcanzó la cima en el mismo momento que Esterhazy: se enzarzaron en una lucha feroz y cayeron rodando pendiente abajo, en un desesperado abrazo. El agente del FBI apartó de un golpe a Esterhazy y apuntó la pistola hacia él, pero este la desvió con el cañón de su rifle. Ambas armas entrechocaron cual espadas y se dispararon a la vez. Pendergast agarró el cañón del rifle con una mano y después con la otra, para lo cual tuvo que soltar la pistola. Forcejearon.

La lucha continuó. Cuatro manos aferrando el mismo rifle, tirando y empujando, intentando hacerse con él. Pendergast inclinó la cabeza, clavó los dientes en la mano de su rival y le desgarró la carne. Con un aullido, Esterhazy le dio un fuerte cabezazo, obligándolo a retroceder, y le asestó una patada en el costado. Rodaron entre las piedras, su ropa de camuflaje se desgarró.

Pendergast logró meter el dedo en el gatillo del rifle y disparar hasta vaciar la recámara. Luego soltó el arma y lanzó un puñetazo contra la cabeza de Esterhazy en el mismo momento en que este le golpeaba en el pecho con la culata. Pendergast agarró el rifle con ambas manos e intentó arrebatárselo, pero Esterhazy, en un movimiento sorpresa, tiró del agente y le propinó una patada en la cara; faltó poco para que le partiera la nariz. La sangre salpicó en todas direcciones; Pendergast cayó hacia atrás y sacudió la cabeza para recobrar el sentido. Esterhazy se lanzó sobre él y lo golpeó nuevamente en el rostro con la culata. A través del aturdimiento y la sangre, Pendergast vio que sacaba más balas del morral y que cargaba el rifle con ellas.

Apartó el cañón de una patada y el disparo salió desviado. Rodó a un lado para recoger la pistola que había dejado caer y disparó, pero Esterhazy ya se había refugiado tras la loma.

Aprovechando la momentánea tregua, Pendergast se puso en pie de un salto y corrió colina abajo; cada poco se daba la vuelta y disparaba, obligando a Esterhazy a mantenerse a cubierto mientras él seguía corriendo. Cuando llegó a la base de la loma, se dirigió hacia una hondonada y la densa niebla lo envolvió al instante.

Entonces se detuvo. Estaba rodeado de lodazales. El terreno bajo sus pies parecía temblar cual gelatina. Tanteó con el pie hasta que halló tierra firme y siguió adentrándose en el páramo, saltando de montículo en montículo y de roca en roca, intentando esquivar las charcas de arenas movedizas al tiempo que ponía la mayor distancia posible entre él y su perseguidor. Mientras corría y saltaba oyó varios disparos provenientes de la colina, pero ninguno le pasó cerca. Esterhazy disparaba al azar.

Hizo un giro de treinta grados y aminoró el paso. En el páramo, aparte de algunos esporádicos montones de piedras, había pocos lugares con los que cubrirse. La niebla iba a ser su única protección. Eso significaba permanecer agachado.

Siguió caminando todo lo rápidamente que la prudencia le aconsejaba; a menudo se detenía para tantear el terreno con el pie. Sabía que Esterhazy lo estaba siguiendo; no tenía elección. Y era un rastreador formidable, tal vez mejor incluso que él. Mientras avanzaba, sacó un pañuelo del morral y se lo llevó a la nariz para cortar el goteo de sangre. Notaba que tenía una costilla rota, fruto de la pelea. Se maldijo por no haber comprobado su rifle antes de salir. Las armas habían estado cerradas con llave en el armero de la hostería, como exigían las reglas; Esterhazy tenía que haber recurrido a alguna treta para sabotearle el rifle. Bastaban un par de minutos para desmontar un percutor. Había subestimado a su adversario; no volvería a hacerlo.

De pronto se detuvo y examinó el terreno. Allí, en una pequeña extensión arenosa, vio las huellas del ciervo cuyo rastro habían seguido. Aguzó el oído y se volvió para mirar por donde había llegado. La niebla se alzaba en el páramo formando volutas ascendentes que dejaban entrever el interminable y yermo paisaje con las montañas al fondo. La loma donde habían luchado estaba envuelta en bruma; no vio a su perseguidor por ninguna parte. Una penumbra grisácea lo invadía todo, pero hacia el norte reinaba una extraña oscuridad surcada ocasionalmente por algún relámpago. Se avecinaba tormenta.

Recargó el Colt y se adentró en el páramo siguiendo el leve rastro del ciervo. El animal recorría un camino solo conocido por él, esquivando ingeniosamente los lodazales y las charcas de arenas movedizas.

Aquello no había terminado. Esterhazy le pisaba los talones. Solo había un desenlace posible: uno de ellos no saldría de allí con vida.

3

Pendergast siguió las débiles huellas del ciervo, que serpenteaban entre las temblorosas aguas encharcadas del páramo, siempre en terreno firme. A medida que la tormenta se aproximaba, el cielo se oscureció y un trueno distante retumbó en la planicie. Pendergast avivó el paso, solo se detenía para examinar el terreno en busca de indicios de que el ciervo hubiera pasado por allí. El páramo era especialmente traicionero en esa época del año, pues los calores del largo verano habían propiciado que creciera una capa de hierba sobre muchos lodazales, una superficie engañosa que se hundiría bajo el peso de un hombre.

Un relámpago centelleó, y grandes gotas de lluvia empezaron a caer del plomizo cielo. El viento se alzó sobre los brezales arrastrando consigo el hedor de las Insh Marshes, en el oeste, una vasta llanura de agua cubierta de juncales y plantas acuáticas que oscilaban con las rachas de viento. Pendergast siguió el rastro del ciervo durante más de un kilómetro. El terreno que pisaba era cada vez más firme, y entonces, a través de una repentina brecha en la niebla, divisó unas ruinas a lo lejos. Recortados contra el cielo, en lo alto de un montículo, se alzaban un antiguo corral de piedra y la cabaña de un pastor, intermitentemente iluminados por los relámpagos. Más allá del altozano se hallaban los irregulares márgenes de las marismas. Tras examinar unas ramas de tojo pisoteadas, Pendergast comprendió que el ciervo había atravesado las ruinas y había continuado hacia las vastas marismas del otro lado.

Subió al montículo y exploró rápidamente las ruinas. La cabaña carecía de techumbre y sus paredes de piedra estaban desmoronadas y cubiertas de liquen. El viento silbaba y gemía entre las piedras caídas. Más allá, la pendiente descendía hacia una ciénaga que se escondía tras una lóbrega cortina de vapores.

Las ruinas, situadas en un terreno elevado, ofrecían una posición defensiva ideal, con una vista panorámica en todas direcciones: el lugar perfecto para tender una emboscada a un perseguidor o resistir un ataque. Pero por esa misma razón Pendergast las descartó y siguió colina abajo, hacia las Insh Marshes. No tardó en localizar el rastro del ciervo, pero lo que vio lo desconcertó: el animal parecía dirigirse a un callejón sin salida. La persecución de Pendergast debía de haberle puesto nervioso

El agente rodeó el borde de las marismas y llegó a una zona de densos juncales donde una lengua de terreno cubierto de guijarros se adentraba en el agua. Una hilera de rocas de origen glacial proporcionaban un pequeño pero evidente abrigo. Se detuvo, sacó un pañuelo blanco, lo ató a una piedra y la colocó en un lugar concreto entre las rocas grandes. Siguió adelante. Más allá de la zona de guijarros encontró lo que esperaba, una roca plana justo bajo la superficie del agua y rodeada de juncos. Vio que el ciervo había seguido esa misma ruta, rumbo hacia las marismas.

Aquel callejón sin salida natural no era ni un escondite ideal ni mucho menos un lugar idóneo para plantar cara a un posible agresor. Por todo ello sería perfectamente adecuado.

Pendergast se metió en el agua, fue hasta la losa, teniendo cuidado de evitar el fango de los lados, y se apostó entre los juncos, oculto a la vista. Allí aguardó, agachado e inmóvil. Un relámpago rasgó el cielo y acto seguido se oyó el retumbar de un trueno. Un manto de niebla oscureció temporalmente las ruinas de lo alto de la colina. Sin duda Esterhazy no tardaría en llegar. El final se acercaba.

Judson Esterhazy se detuvo para examinar el terreno. Se agachó y palpó la gravilla que el ciervo había apartado a su paso. Las huellas de Pendergast eran mucho menos evidentes, pero pudo verlas en la hierba y en la tierra aplastadas. Estaba claro que su presa había decidido no correr riesgos y seguir el rastro del ciervo en su serpenteante camino entre las marismas. Astuto. Nadie se aventuraría en semejante terreno sin contar con un guía, y el ciervo era un guía tan bueno o mejor que cualquiera. A medida que la tormenta se acercaba, la bruma se hizo más densa. Se alegró de llevar una linterna, debidamente apantallada, con la que examinar el camino.

Sin duda Pendergast pretendía que Esterhazy se adentrara en las marismas para así poder matarlo. A pesar de sus aires de caballerosidad sureña, era el hombre más implacable que había conocido... y un sucio cabrón cuando se trataba de luchar.

Un relámpago iluminó el desolado páramo, y a través de un hueco en la niebla, Esterhazy divisó unas ruinas recortándose contra el cielo a unos trescientos metros de distancia. Se detuvo. Ese era el lugar lógico donde Pendergast podría haberse apostado para esperarlo. Decidió acercarse a las ruinas y sorprender al emboscado... Sin embargo, mientras sus ojos expertos observaban el lugar, se dijo que Pendergast era un tipo demasiado sutil para tomar una decisión tan obvia.

Esterhazy no podía dar nada por sentado.

El pelado paisaje proporcionaba escaso cobijo, pero si medía bien sus movimientos podría utilizar la espesa niebla que emergía de las marismas para ocultarse. Como obedeciendo a sus deseos, un banco de bruma lo envolvió en un manto desprovisto de color. Se levantó y echó a correr hacia la colina; el terreno era firme y le permitió moverse rápidamente. A unos cien metros de la cima, la rodeó para acercarse desde un ángulo inesperado. La lluvia caía con más fuerza, y los truenos retumbaban sin cesar.

Se agachó y se puso a cubierto cuando la niebla se alzó brevemente y le permitió echar un rápido vistazo a las ruinas. No vio rastro de Pendergast. Cuando el manto de bruma se cerró de nuevo, subió deprisa por la pendiente, con el rifle en la mano, y llegó al corral de piedra. Lo recorrió agachado hasta que un nuevo claro en la niebla le permitió atisbar por una grieta entre las piedras.

El corral estaba vacío, pero más allá se levantaba una cabaña sin techo.

Se aproximó a la estructura desde el perímetro del corral y pegó la espalda al muro de piedra. Se deslizó hasta una ventana rota y esperó a que la bruma se abriera un instante. El viento sopló y su silbido entre las piedras cubrió el sonido de sus movimientos al prepararse. Cuando el aire se despejó un poco, golpeó la ventana y barrió con el rifle el interior de la cabaña de lado a lado.

Vacía.

Saltó por encima del alféizar y entró en el interior. Estaba furioso. Tal como había sospechado, Pendergast había evitado lo obvio. No se había apostado en el estratégico terreno elevado. Pero ¿dónde se había metido? Masculló una maldición. Tratándose de Pendergast, solo cabía esperar lo inesperado.

Otro banco de niebla envolvió las ruinas, y Esterhazy lo aprovechó para examinar los alrededores en busca de huellas de su presa. Le costó, pero al final las encontró. La lluvia había empezado a borrarlas. Continuaban pendiente abajo, en dirección a las marismas. A través de la niebla divisó la lengua de terreno que se adentraba en las ciénagas y que constituía una especie de callejón sin salida. A partir de ahí se extendían las Insh Marshes. Así pues, Pendergast tenía que haberse escondido en algún lugar junto a las aguas estancadas. A través de una brecha en la niebla observó la zona mientras sentía una punzada de miedo. No le pareció probable que se hubiera ocultado entre los juncales, pero aquella lengua de terreno... Sacó el catalejo y vio unas cuantas rocas de origen glacial lo bastante grandes para que un hombre se parapetara tras ellas. Y, por Dios, ¡ahí estaba! Una mancha blanca apenas visible detrás de las rocas.

O sea, que era eso. Pendergast se había atrincherado en el único lugar que proporcionaba refugio y desde allí aguardaba a que Esterhazy se acercara al borde de las ciénagas mientras seguía el rastro de su presa.

Una vez más: la elección menos obvia; Esterhazy creía saber cómo burlarlo.

La niebla lo envolvió todo nuevamente; Esterhazy empezó a descender hacia el traicionero linde de las marismas siguiendo el doble rastro del ciervo y de Pendergast. A medida que se aproximaba, tuvo que saltar de un montículo de hierba a otro para evitar las ciénagas. Llegó a terreno firme y, alejándose del rastro, buscó una buena línea de tiro hacia las rocas tras las que Pendergast se había escondido. Tomó posición detrás de un montículo y esperó a que la bruma se disipara un poco para poder disparar.

Pasó un minuto; un claro se abrió en la bruma y vio la mancha blanca que delataba el escondite de Pendergast; seguramente era su camisa. En cualquier caso era lo bastante grande para que pudiera encajarle una bala. Levantó el rifle y...

—Ponte de pie muy despacio —dijo una voz a su espalda, tan fantasmagórica como si hubiera hablado la mismísima ciénaga.

4

Esterhazy se quedó muy quieto.

—Sostén el rifle con la mano izquierda y el brazo extendido y levántate.

Sin embargo, Esterhazy era incapaz de reaccionar. ¿Cómo podía haber ocurrido?

¡Bang! La bala se hundió en el suelo y removió un puñado de tierra entre sus piernas.

—No lo repetiré.

Sosteniendo el rifle alejado del cuerpo, Esterhazy se puso en pie.

—Suelta el arma y date la vuelta.

Dejó caer el rifle y se volvió. Allí estaba Pendergast, a menos de veinte metros de distancia, empuñando una pistola mientras se alzaba entre los juncos, aparentemente dentro del agua. En ese momento Esterhazy vio que bajo los pies del agente había una losa granítica rodeada de fango.

—Solo tengo una pregunta —dijo Pendergast con una voz apenas audible sobre el gemido del viento—. ¿Cómo pudiste asesinar a tu propia hermana?

Esterhazy lo miró fijamente.

—Exijo una respuesta.

El otro apenas era capaz de articular palabra. Contemplando el rostro de su adversario, sabía que era hombre muerto. Sintió que el miedo a la muerte lo envolvía como un frío sudario y, con él, una mezcla de espanto, alivio y remordimiento. No podía hacer nada, pero al menos no concedería a Pendergast la satisfacción de una muerte indigna. Él iba a morir, pero en los meses venideros de la vida de Pendergast habría dolor más que suficiente.

—Acaba de una vez —dijo.

—¿Sin explicaciones? —preguntó Pendergast—. ¿Sin lacrimógenas justificaciones ni abyectas súplicas de comprensión? Qué decepción...

El dedo del agente acarició el gatillo. Esterhazy cerró los ojos.

Entonces, algo ocurrió de repente: un ruido ensordecedor, acompañado de una explosión de piel rojiza y el centelleo de una gran cornamenta. El ciervo surgió inesperadamente entre los juncos y derribó a Pendergast de una cornada, la pistola voló por los aires y cayó en el agua. El agente trastabilló y agitó brazos y piernas mientras el animal se alejaba a grandes saltos. Esterhazy se dio cuenta de que lo había arrojado a una poza de barro cuya superficie estaba apenas cubierta de agua. Recogió rápidamente el rifle, apuntó y disparó. El balazo acertó a Pendergast en el pecho y lo lanzó de espaldas a la poza. Esterhazy cargó otra bala y se dispuso a disparar de nuevo, pero se contuvo. Un segundo disparo, una segunda bala, resultaría imposible de explicar... en el caso de que hallaran el cuerpo.

Bajó el rifle. Pendergast, atascado en el lodazal, se debatía, pero sus fuerzas menguaban rápidamente. Una mancha oscura se extendía por su torso. El disparo lo había alcanzado en el costado, pero bastaba para causarle daños irreparables. El agente ofrecía un aspecto lastimoso: la ropa sucia y desgarrada, el rubio cabello salpicado de barro y oscurecido por la lluvia. Tosió y un borbotón de sangre le manchó los labios.

Estaba acabado. Como médico que era, Esterhazy sabía que la herida era mortal. La bala le había perforado un pulmón, creando un herida succionante. Además, por su posición, había muchas posibilidades de que le hubiera seccionado la arteria subclavia, y en ese caso esta le llenaría rápidamente de sangre el pulmón. Aunque no se estuviera hundiendo irremisiblemente en aquel lodazal de arenas movedizas, Pendergast sería hombre muerto en cuestión de minutos.

Hundido hasta la cintura en la temblorosa ciénaga, Pendergast dejó de debatirse y miró fijamente a su asesino. El gélido destello de sus ojos grises habló con mayor elocuencia de su odio y desesperación que cualquier palabra que hubiera podido pronunciar. Esterhazy se sintió profundamente impresionado.

—Quieres una respuesta a tu pregunta, ¿verdad? —dijo—. Pues aquí la tienes: yo no asesiné a Helen. Ella sigue viva.

Era incapaz de quedarse para ver el final. Dio media vuelta y se marchó.

5

La hostería surgió entre la oscuridad. Sus ventanas arrojaban una luz borrosa y amarillenta bajo la arreciante lluvia. Judson Esterhazy agarró el pesado picaporte de hierro, abrió la puerta, y, arrastrando los pies, entró en el vestíbulo decorado con numerosas armaduras y cornamentas.

—¡Socorro! —gritó—. ¡Ayuda!

Los huéspedes, sentados alrededor de la chimenea en el salón principal, tomando café, té o whisky de malta, se volvieron y lo miraron con expresión de asombro.

—¡Mi amigo ha recibido un tiro!

El retumbar de un trueno ahogó momentáneamente sus palabras, los cristales emplomados de las ventanas temblaron.

—¡Un tiro! —repitió Esterhazy desplomándose en el suelo—. ¡Necesito ayuda!

Tras unos segundos de mudo espanto, varios huéspedes corrieron junto a él. Tumbado en el suelo, con los ojos cerrados, Esterhazy notó que se apelotonaban a su alrededor y oyó el rumor de sus conversaciones en voz baja.

—¡Apártense! —dijo con su característico acento escocés la recia voz de Cromarty, el propietario de la hostería—. Dejen sitio para que pueda respirar.

Esterhazy notó que alguien le acercaba un vaso de whisky a los labios. Bebió un trago, abrió los ojos y se esforzó por incorporarse.

—¿Qué ha dicho que ha ocurrido?

El rostro de Cromarty lo observaba desde lo alto: barba pulcramente recortada, gafas de montura metálica, cabello claro y mandíbula angulosa. El engaño había sido fácil. Esterhazy parecía genuinamente horrorizado, helado hasta los huesos e incapaz de dar un paso. Tomó otro sorbo y el whisky ahumado le abrasó el gaznate y lo reanimó.

—Mi cuñado... Estábamos siguiendo a un ciervo por las marismas...

—¿Por las marismas? —lo cortó Cromarty.

—Era un ciervo enorme... —Esterhazy tragó saliva e intentó sobreponerse.

—Será mejor que venga junto al fuego. —Cromarty le agarró del brazo y le ayudó a levantarse. Robbie Grant, el viejo guardabosques, se abrió paso y cogió a Esterhazy por el otro brazo. Entre los dos lo ayudaron a quitarse la empapada chaqueta de camuflaje y lo llevaron hasta un sillón, junto a la chimenea.

Esterhazy se dejó caer en él.

—Explíquese —pidió el dueño de la hostería mientras los huéspedes lo observaban con rostro demudado.

—Fue en el Beinn Dearg. Localizamos un ciervo. En el Foulmire.

—¡Pero conocen las reglas! —protestó Cromarty.

Esterhazy meneó la cabeza.

—Lo sé, pero era gigantesco. Un trece puntas. Mi cuñado insistió. Lo seguimos un buen rato y nos adentramos en las marismas. Luego nos separamos...

—¿Cómo que se separaron? —exclamó el guardabosques con su voz aguda—. ¿Está loco, señor?

—Queríamos acorralarlo, empujarlo hacia las ciénagas. Entonces apareció la niebla. No se veía casi nada. Mi cuñado debió de levantarse de su puesto de tiro. Yo vi que algo se movía y disparé... —Se interrumpió para recobrar el aliento—. Le di en todo el pecho —concluyó con un sollozo y hundiendo el rostro entre las manos.

—¿Ha abandonado en el páramo a un hombre herido? —inquirió Cromarty, furioso.

—Oh, Dios mío. —Esterhazy sollozaba sin levantar el rostro—. Cayó en un lodazal... Las arenas movedizas se lo tragaron...

—Un momento. —El tono de Cromarty era frío como el hielo. Hablaba despacio, midiendo sus palabras—. ¿Me está diciendo, señor, que se adentró en las marismas, que disparó accidentalmente contra su cuñado y que este cayó en un lodazal? ¿Es eso lo que me está contando?

Esterhazy asintió en silencio, con el rostro entre las manos.

—¡Santo cielo! ¿Hay alguna posibilidad de que siga vivo? —preguntó Cromarty.

Esterhazy negó con la cabeza.

—¿Está completamente seguro?

—Estoy seguro —repuso Esterhazy con voz ahogada—. Lo vi desaparecer. Lo siento..., ¡lo siento tanto...! ¡He matado a mi cuñado! —gimió con voz llorosa—. ¡Que Dios me perdone!

Se produjo un silencio de perplejidad.

—Este hombre está fuera de juicio —dijo el guardabosques—. Es el caso más claro de fiebre de los páramos que he visto en mi vida.

—Escuche, Robbie, saque a esta gente de aquí —dijo Cromarty señalando a los huéspedes—. Luego, llame a la policía. —Se volvió hacia Esterhazy—. ¿Este es el rifle con el que disparó a su cuñado? —Señalaba el arma que yacía en el suelo.

El otro asintió, angustiado.

—Que nadie lo toque —ordenó Cromarty.

Los huéspedes salieron en grupos, hablando en susurros y meneando la cabeza. Un relámpago destelló; le siguió un trueno. La lluvia golpeaba con fuerza los cristales. Esterhazy, sentado junto a la chimenea, apartó lentamente las manos de su rostro y notó que el reconfortante calor del fuego traspasaba sus empapadas ropas. Al mismo tiempo, otra sensación igualmente reconfortante iba desplazando en su interior el horror vivido. Experimentó una corriente de liberación, casi de euforia. Se había acabado, acabado del todo. Ya no tenía nada que temer de Pendergast. El genio había vuelto a la lámpara. El hombre estaba muerto. En cuanto a su colega, D'Agosta, y a aquella otra policía de Nueva York, Hayward..., al matar a Pendergast había cortado la cabeza de la serpiente. Aquello suponía realmente el final. Además, esos atontados escoceses se habían tragado su historia de cabo a rabo. No había nada que pudiera salir a la luz y contradecir su relato. Había vuelto sobre sus pasos y recogido todos los casquillos salvo el que deseaba que encontraran. Luego los había arrojado a las ciénagas junto con el rifle de Pendergast. Nunca los encontrarían. Ese sería el único misterio: el rifle desaparecido. Sin embargo, no habría nada extraño en eso: un rifle podía perderse para siempre una vez succionado por un lodazal. Nadie sabía nada de la pistola de Pendergast, y Esterhazy también la había hecho desaparecer. En cuanto a las huellas del ciervo, suponiendo que sobrevivieran a la tormenta, no harían sino confirmar su declaración.

—¡Maldita sea! —masculló Cromarty mientras iba hasta el aparador y se servía un vaso de whisky.

Se lo bebió a pequeños tragos, caminando arriba y abajo, ante la chimenea, haciendo caso omiso de la presencia de Esterhazy.

Grant regresó al poco rato.

—La policía está en camino desde Inverness, señor. También vendrá un equipo de los Servicios Especiales del Northern Constabulary. Han dicho que van a traer rezones.

Cromarty se volvió, apuró el licor, se sirvió un poco más y fulminó a Esterhazy con la mirada.

—Usted, maldito loco, no se mueva de aquí hasta que lleguen.

Otro trueno hizo retumbar las paredes de la vieja hostería mientras el viento aullaba en los páramos.

6

La policía llegó más de una hora después, sus centelleantes luces brillaron en la gravilla del camino de entrada. La tormenta había pasado, nubes plomizas corrían por el cielo empujadas por el viento. Los agentes, vestidos con uniforme azul, botas de agua y fundas impermeables en sus gorras, se paseaban ante la entrada de piedra dándose aires de importancia. Esterhazy los observó a través de la ventana, desde su sillón, y su aparente falta de imaginación y torpeza lo reconfortó.

El último en entrar fue el que estaba al frente de todos, el único que no iba de uniforme. Esterhazy lo examinó discretamente. Medía alrededor de metro noventa, lucía una gran calva solo interrumpida por unos escasos cabellos rubios y caminaba un poco encorvado, como si se abriera paso a través de la vida. Tenía la nariz lo bastante enrojecida como para poner en entredicho su apariencia de seriedad y de vez en cuando se daba unos toques en ella con un pañuelo. Iba vestido con ropa vieja de caza: pantalón de pana, jersey grueso y una gastada chaqueta Barbour que llevaba sin abrochar.

—Hola, Cromarty —saludó al propietario de la hostería tendiéndole la mano.

Los dos se quedaron en un extremo del salón, hablando en voz baja y lanzando ocasionales miradas a Esterhazy.

Al rato, el policía se acercó, se sentó en el butacón contiguo a Esterhazy y se presentó.

—Soy el inspector jefe Balfour, del Northern Constabulary —dijo tranquilamente, sin tenderle la mano pero inclinándose hacia delante y apoyando los codos en las rodillas—. ¿Es usted el señor Judson Esterhazy?

—En efecto.

Balfour sacó una libreta y un bolígrafo.

—Muy bien, doctor Esterhazy, cuénteme qué ha sucedido.

Esterhazy relató su historia de principio a fin, haciendo frecuentes pausas para contener las lágrimas y sobreponerse, mientras Balfour tomaba notas. Cuando acabó, el inspector cerró su libreta.

—Ahora iremos a la escena del accidente, y usted nos acompañará.

—No estoy seguro de si... —Esterhazy tragó saliva— seré capaz de soportarlo.

—Naturalmente que sí —repuso Balfour con sequedad—. Tenemos un par de sabuesos rastreadores, y el señor Grant vendrá con nosotros. Conoce estas marismas como la palma de su mano. —Se levantó y miró la hora en su reloj de submarinista—. Todavía nos quedan cinco horas largas de luz.

Esterhazy se levantó sin disimular su disgusto y con expresión apesadumbrada. En el exterior, el grupo de policías se estaba equipando con mochilas, cuerdas y otros artilugios. Un poco más allá un adiestrador de perros sujetaba las correas de un par de sabuesos.

Una hora más tarde habían dejado atrás el Beinn Dearg y habían llegado al extremo del Foulmire, el terreno pantanoso que empezaba más allá de una irregular línea de piedras grandes. Un ligero manto de niebla cubría el páramo. El sol empezaba a declinar en el cielo y el monótono paisaje parecía perderse en la grisura. La negra superficie de las charcas brillaba como un espejo, y en el aire se notaba un ligero olor a descomposición vegetal.

Balfour se volvió hacia Esterhazy con los brazos en jarras.

—¿Por dónde, doctor?

Esterhazy contempló con rostro inexpresivo el paisaje que lo rodeaba.

—No lo sé, todo me parece igual —repuso.

No tenía intención de facilitarles la tarea.

Balfour meneó la cabeza, contrariado.

—¡Inspector! —La aguda voz del guardabosques se oyó en el silencio del páramo—. Los perros han encontrado una pista, y creo que yo también he visto algo.

—¿Fue por ahí por donde se adentró en las marismas, doctor? —preguntó Balfour.

—Creo que sí.

—De acuerdo. Los perros irán delante. Señor Grant, usted abrirá la marcha con ellos. Los demás los seguiremos. Doctor Esterhazy, usted y yo cerraremos el grupo. El señor Grant conoce bien el terreno, de modo que sigan sus pasos en todo momento. —El inspector sacó una pipa cargada y la encendió—. Si alguien queda atrapado en el fango, no corran como tontos a salvarlo y queden también atascados. Hemos traído ganchos y cuerdas para sacar a cualquiera que pueda caer en las arenas movedizas. —Dio un par de caladas y miró a su alrededor—. ¿Quiere añadir algo más, señor Grant?

—Sí —dijo el hombre de atezado rostro apoyándose en su bastón—. Si caen en un lodazal, no empiecen a agitar como locos brazos y piernas. Es mejor tumbarse de espaldas, quedarse quieto y procurar flotar. —Miró a Esterhazy con sus ojos de pobladas cejas y expresión de pocos amigos—. Hay algo que quisiera preguntar al doctor: cuando se internó en las marismas, ¿no vio ninguna marca o señal en el terreno?

—¿Como qué? —preguntó Esterhazy en tono dubitativo—. A mí me parecía un paisaje terriblemente desierto.

—Esto está lleno de ruinas y de rocas con formas curiosas.

—Ruinas... Ahora que lo dice, creo que pasamos cerca de unas.

—¿Qué aspecto tenían?

—Si no recuerdo mal —Esterhazy frunció el entrecejo, como

si le costara recordar—, me parece que había un corral de piedra y un refugio en lo alto de una loma. Creo recordar que las marismas se extendían a partir de allí.

—Sí. La vieja Cabaña de Coombe.

Sin añadir más, el viejo guardabosques dio media vuelta y echó a caminar a paso vivo entre la hierba y el brezo mientras el adiestrador de perros se esforzaba por seguirle el paso con los sabuesos. Grant caminaba deprisa, con la cabeza agachada y moviendo sus cortas piernas a buen ritmo mientras balanceaba el bastón. Bajo su gorra de tweed su abundante cabello blanco parecía formar un halo.

Caminaron durante un cuarto de hora en silencio, solo interrumpido por los olfateos y ocasionales ladridos de los perros y las órdenes del adiestrador. Las nubes se espesaron de nuevo y una prematura penumbra se posó sobre el páramo. Algunos policías sacaron sus linternas y las encendieron. Los haces de luz penetraron la fría bruma. Esterhazy, que no dejaba de fingir ignorancia y confusión, empezó a preguntarse si no se habrían perdido de verdad. Todo le parecía extraño y desconocido.

Cuando descendieron hacia otra solitaria hondonada, los perros se detuvieron bruscamente y empezaron a olfatear el suelo en círculos, tirando de sus correas.

—Tranquilos —dijo el adiestrador, pero los animales estaban demasiado nerviosos y empezaron a ladrar con unos aullidos guturales que resonaron en el páramo.

—¿Qué les pasa? —preguntó Balfour.

—No lo sé —contestó el adiestrador tirando de las correas—. ¡Atrás! ¡Atrás!

—¡Por el amor de Dios, tire de ellos! —gritó Grant con su voz aguda.

—¡Maldita sea! —El adiestrador tiró de las correas, pero los sabuesos respondieron lanzándose hacia delante con todas sus fuerzas.

—¡Cuidado! —gritó Grant.

Con un grito de puro terror, el adiestrador se vio lanzado a una ciénaga de arenas movedizas y cayó en el lodo con uno de sus animales. El hombre se debatió, moviendo los brazos, mientras el perro agitaba las patas delanteras en el fango para mantener la cabeza sobre la superficie.

—¡Deje de moverse! —le gritó Grant por encima de los gemidos del perro—. ¡Póngase de espaldas!

Pero el hombre estaba demasiado aterrorizado para prestar atención.

—¡Ayúdenme! —gritaba, agitando los brazos y salpicando barro en todas direcciones.

—¡Traigan el gancho! —ordenó Balfour.

Un miembro del equipo de Servicios Especiales ya se había quitado la mochila y estaba desatando un palo telescópico que tenía un mango redondo en un extremo y un lazo de cuerda en el otro. Lo extendió tanto como pudo, se ató el lazo a la muñeca y, arrodillándose en el suelo, tendió hacia el adiestrador el extremo con el mango.

El perro aullaba y pateaba.

—¡Ayúdenme! —gritó el hombre.

—¡Cójalo, maldito idiota! —exclamó Grant.

La aguda voz del guardabosques traspasó el pánico del hombre, y este alargó los brazos y aferró el extremo del palo.

—¡Tiren! —ordenó Balfour.

El agente se echó hacia atrás haciendo fuerza con todo su cuerpo para sacar al adiestrador. Este se agarraba con desesperación y poco a poco fue saliendo entre ruidos de succión hasta quedar tumbado en el suelo, cubierto de pegajoso lodo, temblando y jadeando.

Entretanto, el perro seguía aullando como un poseso y moviendo frenéticamente las patas delanteras.

—¡Atrápenlo por las patas con el lazo! —gritó Grant.

Uno de los agentes había hecho un lazo con su cuerda y lo lanzó hacia el animal, pero se quedó corto. El perro se debatía como un loco, con los ojos desorbitados.

—¡Otra vez!

El agente volvió a intentarlo, y esa vez el lazo cayó encima del animal.

—¡Tense y tire!

El hombre tiró de la cuerda, pero el perro, al notar que el lazo se cerraba a su alrededor, agitó la cabeza para esquivarlo y la cuerda resbaló.

Esterhazy contemplaba la escena con una mezcla de horror y fascinación.

—¡Se está hundiendo! —exclamó el adiestrador, que se recuperaba lentamente del susto.

Otro agente preparó un lazo con un nudo corredizo, se tumbó junto a la ciénaga y lo lanzó con suavidad. Falló. Recuperó la cuerda y volvió a intentarlo, pero el animal se hundía rápidamente. Solo asomaba del cuello para arriba, con todos los tendones en tensión. De la rosada cavidad de su boca salían unos aullidos que parecían de ultratumba.

—¡Hagan algo, por el amor de Dios! —gritó el adiestrador.

Los terribles aullidos se intensificaron.

—¡Otra vez! ¡Lance el lazo otra vez!

El agente lo lanzó y falló de nuevo.

De repente, sin el menor gorgoteo, se hizo el silencio. El postrero aullido del perro resonó en el páramo y se extinguió. En la ciénaga se formó un pequeño remolino que desapareció enseguida; la superficie quedó quieta y lisa.

El adiestrador, que se había puesto en pie, cayó de rodillas.

—¡Mi perro! ¡Oh, Dios mío!

Balfour lo miró fijamente y habló en tono tranquilo pero tajante.

—Lo siento mucho, pero debemos continuar.

—¡No podemos dejarlo aquí!

El inspector se volvió hacia el guardabosques.

—Señor Grant, llévenos hasta la Cabaña de Coombe. Y usted —dijo al adiestrador—, sígalo con el otro sabueso. Todavía lo necesitamos.

Sin añadir nada más, prosiguieron. El adiestrador, cubierto

de barro y chapoteando dentro de sus botas, llevaba al perro superviviente de la correa, pero el animal estaba muy asustado y era inútil para el trabajo. Grant caminaba rápido con sus cortas piernas y balanceando el bastón; de vez en cuando lo hundía con fuerza en el suelo y lanzaba un gruñido de disgusto.

Para sorpresa de Esterhazy, resultó que no se habían extraviado. El terreno empezó a elevarse y no tardó en divisar las ruinas en la penumbra que envolvía la loma.

—¿Por dónde? —le preguntó Grant.

—Subimos la colina y bajamos por el otro lado.

Ascendieron y dejaron atrás las ruinas.

—Creo que fue aquí donde nos separamos —dijo Esterhazy señalando el lugar donde se había alejado de las huellas de Pendergast para sorprenderlo por un costado.

Tras examinar el terreno, el guardabosques masculló algo ininteligible y asintió.

—Guíenos —dijo Balfour a Esterhazy.

Este se puso a la cabeza del grupo, le seguía Grant con una potente linterna. El haz de luz atravesaba la bruma e iluminaba los juncales que bordeaban las marismas.

—Aquí —dijo Esterhazy deteniéndose—. Aquí fue donde... se hundió. —Señaló la charca grande y quieta. Su voz se quebró, se tapó la cara con las manos y dejó escapar un sollozo—. ¡Fue como una pesadilla, que Dios me perdone!

—Todo el mundo atrás —ordenó Balfour haciendo un gesto a los miembros de su equipo—. Vamos a instalar unas luces. Usted, doctor Esterhazy, nos explicará exactamente qué ocurrió. Luego el forense examinará el terreno y a continuación dragaremos la charca.

—¿Dragar la charca? —repitió Esterhazy.

Balfour lo miró fijamente.

—Eso he dicho. Para sacar el cuerpo.

7

Esterhazy aguardaba tras la cinta amarilla tendida en el suelo mientras, bajo una batería de focos que arrojaban una luz fantasmagórica sobre el desolado paisaje, los miembros del equipo forense, encorvados como viejas, acababan de peinar la zona en busca de pruebas.

Había observado el proceso de recogida de pruebas con creciente satisfacción. Todo estaba en orden. Habían encontrado el casquillo que había dejado deliberadamente a la vista y, a pesar de la fuerte lluvia, habían hallado huellas del ciervo y algunas pisadas dejadas por él y por Pendergast entre el brezo. Además, habían determinado el punto por donde el ciervo había irrumpido a través de los juncales. Todo encajaba con la historia que él había contado.

—Muy bien, señores —dijo Balfour—, ya pueden recoger sus cosas. Vamos a dragar la charca.

Esterhazy sintió un escalofrío mezcla de expectación y de repulsión. Por macabro que pudiera resultar, sería un alivio ver surgir del barro el cadáver de su enemigo. Equivaldría a bajar definitivamente el telón, el epílogo perfecto a una titánica lucha.

En un papel cuadriculado, Balfour había dibujado un boceto de la charca con sus dimensiones, unos cuatro metros por seis, y había trazado el esquema del dragado. Bajo el resplandor de los focos, los hombres ataron una especie de gancho múltiple a una cuerda y le añadieron un peso. Las puntas del garfio brillaron siniestramente. Dos hombres se colocaron a un lado, sosteniendo el rollo de cuerda, mientras un tercero se acercaba al borde con el garfio. Balfour consultó su esquema y le dio unas breves instrucciones. El agente lanzó el aparejo en el punto indicado de la charca. Este se hundió cerca de la orilla opuesta y, arrastrado por el peso, desapareció bajo la viscosa superficie. Cuando llegó al fondo, los dos agentes que sujetaban la cuerda empezaron a tirar de ella. La cuerda se fue tensando a medida que el rezón rastrillaba el fondo. Esterhazy se puso involuntariamente en guardia.

Un minuto después, el garfio salió a la superficie llevando con él restos de maleza y porquería. Balfour los examinó, con las manos enfundadas en unos guantes de látex, y meneó la cabeza.

El grupo se desplazó lateralmente cincuenta centímetros a lo largo de la orilla y repitió la operación. Más maleza. Volvieron a desplazarse y arrojaron de nuevo el aparejo.

Esterhazy contemplaba las sucesivas apariciones del rezón con un nudo en el estómago. Le dolía todo el cuerpo, pero el mordisco de la mano le escocía a rabiar. Los agentes se acercaban al punto donde Pendergast había caído. Por fin arrojaron el garfio en el lugar exacto y empezaron a tirar.

De repente, el rezón se inmovilizó. Se había quedado enganchado en un objeto sumergido.

—Tenemos algo —dijo uno de los agentes.

Esterhazy contuvo el aliento.

—Ahora con suavidad —indicó Balfour—. Tiren despacio y sin brusquedades.

Otro agente se sumó a los que tiraban y empezaron a recoger la cuerda poco a poco, mientras el inspector los instaba a proceder sin prisa.

—Está saliendo —masculló alguien.

La superficie de la charca pareció hincharse y el lodo se deslizó hacia los lados a medida que emergía una forma alargada y cubierta de fango.

—Despacio —advirtió Balfour.

Como si estuvieran sacando un pez enorme, mantuvieron el cadáver a ras de la superficie mientras otros agentes colocaban debajo una red de nailon.

—Muy bien, sáquenlo —ordenó Balfour.

Haciendo un último esfuerzo, los hombres levantaron el cuerpo y lo depositaron en una gran lona de plástico tendida en el suelo. El fango se desprendió en gruesos goterones y un insoportable hedor a carne descompuesta invadió la nariz de Esterhazy y lo obligó a dar un paso atrás.

—Pero qué diantre... —murmuró Balfour inclinándose sobre el cuerpo y tocándolo con sus manos enguantadas. Luego miró a los miembros del equipo forense y dijo—: Límpienlo.

Los hombres se acercaron, se agacharon junto a la cabeza y empezaron a rociarle agua con botellas exprimibles.

El hedor era espantoso; Esterhazy notó que la bilis le subía a la garganta. La mayoría de los agentes habían encendido cigarrillos y puros.

Balfour se puso en pie bruscamente.

—Es una oveja —anunció sin darle mayor importancia—. Déjenla a un lado y sigamos.

Los hombres trabajaron en silencio, y el garfio no tardó en rastrillar de nuevo el fondo de la charca. Una y otra vez repitieron el proceso, y una y otra vez el rezón salió cargado con nada más que maleza. El hedor de la oveja putrefacta invadía la escena. La tensión empezó a resultar insoportable para Esterhazy. ¿Por qué no encontraban el cuerpo?

Cuando los agentes llegaron al otro extremo de la charca, Balfour los llamó a un aparte y conversó un momento con ellos. Luego se volvió hacia Esterhazy.

—¿Está seguro de que fue aquí donde se hundió su cuñado?

—Claro que estoy seguro —respondió Esterhazy, intentando controlar su voz, que estaba a punto de quebrarse.

—Pues parece que no hay nada.

—¡Se hundió ahí! —dijo Esterhazy alzando la voz—. Usted

mismo ha encontrado el casquillo y ha visto las pisadas en la hierba. Usted sabe que este es el lugar.

El detective lo miró con curiosidad.

—Sin duda lo parece, pero...

—¡Tiene que encontrarlo! ¡Vuelvan a dragar, por el amor de Dios!

—Lo haremos, pero ya ha visto lo meticulosos que hemos sido. Si ahí abajo hubiera un cuerpo...

—Las corrientes —lo interrumpió Esterhazy—. Quizá lo hayan arrastrado las corrientes...

—Aquí no hay corrientes.

Esterhazy respiró hondo e hizo un supremo esfuerzo por no perder los nervios. Intentó hablar con calma, pero fue incapaz de borrar el temblor de su voz.

—Escuche, señor Balfour, sé que el cuerpo está ahí abajo. Lo vi hundirse.

El inspector asintió y se volvió hacia sus hombres.

—Vamos a dragar otra vez, pero ahora lo haremos perpendicularmente.

Se oyó un murmullo de protestas, pero la tarea de dragado se reanudó enseguida, esta vez desde la orilla más corta. El garfio fue lanzado una y otra vez bajo la mirada de Esterhazy, que se consumía por dentro. A medida que el cielo se iba oscureciendo, la niebla se fue haciendo más densa y las lámparas de sodio empezaron a arrojar inquietantes sombras que parecían cobrar vida propia. Aquello no podía ser, se dijo. Era imposible que Pendergast hubiera sobrevivido y hubiera escapado de allí. Imposible.

Tendría que haberse quedado. Tendría que haber presenciado el amargo final. Se volvió hacia Balfour y le preguntó:

—¿Cree que alguien podría salir de una ciénaga como esta?

El policía lo miró con su afilado rostro.

—Pero usted lo vio hundirse, ¿no es cierto?

—¡Sí, sí! Pero estaba tan alterado, y la niebla era tan densa... Quizá logró salir.

—Es poco probable —repuso Balfour mirándolo con los ojos entrecerrados—. A menos, claro está, que lo dejara aquí mientras seguía debatiéndose.

—No, no, intenté ayudarlo, ya se lo dije. Pero la cuestión es que mi cuñado es una persona de grandes recursos. Tal vez... —Intentó dar a su voz un tono esperanzado que camuflara el pánico que sentía—. Tal vez logró salir. Quiero pensar que logró salir.

—Doctor Esterhazy —dijo Balfour en tono compasivo—, me temo que no hay demasiadas esperanzas. Pero tiene usted razón: debemos considerar seriamente esa posibilidad. Por desgracia el único sabueso que nos queda está demasiado traumatizado para servirnos de algo, pero contamos con dos expertos que pueden ayudarnos. —Se volvió—. Señor Grant, señor Chase...

El guardabosques se acercó con otro individuo al que Esterhazy reconoció como el jefe del equipo forense.

—¿Sí, señor?

—Me gustaría que examinaran los alrededores de esta ciénaga. Quiero que busquen indicios, lo que sea que pueda indicar que la víctima consiguió salir de ella por sus propios medios.

—Sí, señor.

Desaparecieron en la oscuridad, solo se veía la luz de sus linternas en la niebla.

Esterhazy aguardó en silencio. Al cabo de un rato, ambos hombres regresaron.

—No hemos encontrado el menor rastro, señor —dijo Chase—. Claro que la fuerte lluvia puede haber borrado las huellas. Pero un hombre con una herida de bala, quizá arrastrándose, sangrando profusamente, cubierto de barro..., tendría que haber dejado algún rastro. No es posible que escapara de las marismas.

Balfour se volvió hacia Esterhazy.

—Aquí tiene su respuesta. —Luego añadió—: Creo que debemos dar por finalizado nuestro trabajo aquí. Doctor Esterhazy, debo pedirle que se quede por los alrededores hasta que haya concluido la investigación. —Sacó el pañuelo y se sonó la nariz—. ¿Me ha comprendido?

—No se preocupe —se apresuró a responder Esterhazy—. No tengo la menor intención de moverme de aquí hasta que sepa exactamente qué ha sido de mi... de mi querido cuñado.

8

Nueva York

El doctor John Felder siguió la furgoneta de la policía mientras esta realizaba su trayecto por la carretera que atravesaba Little Governor's Island. Hacía calor para una tarde de principios de octubre, y las marismas que flanqueaban ambos lados del camino estaban salpicadas de bancos de niebla. El trayecto en dirección sur desde Bedford Hills apenas había durado una hora, y en esos momentos su destino lo esperaba justo delante.

La furgoneta se internó por una carretera bordeada de nogales muertos tiempo atrás, y Felder la siguió. A través de los árboles divisaba el East River y el perfil de los incontables edificios del East Side de Manhattan, tan cerca y a la vez tan, tan lejos.

La furgoneta aminoró y se detuvo frente a una alta verja de hierro. Un guardia salió de la garita de entrada y se acercó al conductor. Este le entregó unos papeles. El guardia los examinó, asintió y regresó a la garita, desde donde abrió la verja apretando un botón. Los dos vehículos entraron en el recinto. Al pasar, Felder contempló la placa de bronce de la verja: HOSPITAL MOUNT MERCY PARA CRIMINALES DEMENTES. En los últimos tiempos se habían hecho algunos intentos para cambiar aquel nombre por otro menos conspicuo y estigmatizante, pero aquella gran placa de bronce parecía inamovible.

El vehículo entró en la pequeña zona adoquinada del aparcamiento y Felder estacionó su Volvo junto a ella. Se apeó y contempló el imponente edificio de estilo gótico, con sus grandes y antiguas ventanas cubiertas por barrotes. Sin duda era el sanatorio más pintoresco —por no decir insólito— de Estados Unidos. El traslado de aquel día le había supuesto mucho tiempo y papeleo, y el hecho de que el hombre que le había prometido revelárselo todo acerca de la prisionera a cambio de ese favor pareciera haber desaparecido de la faz de la tierra lo irritaba sobremanera.

Su mirada pasó rápidamente del edificio a la furgoneta de policía. Un celador salió del lado del pasajero, se dirigió a las puertas traseras y las abrió con una llave sujeta al extremo de una cadena. Un centinela uniformado y armado con una escopeta saltó al suelo desde el interior. Esperó con el arma preparada mientras el celador tendía el brazo para ayudar a salir al otro ocupante del furgón.

Felder vio que una mujer de unos veintitantos años salía al aire del atardecer. Tenía el cabello castaño oscuro y lo llevaba corto y peinado a la moda. Su voz, cuando dio las gracias al celador, sonó tranquila y grave, con una cadencia antigua y reservada. Iba vestida con el uniforme de la cárcel y tenía las manos esposadas ante ella, pero cuando la condujeron hacia la entrada, caminó erguida, con un porte elegante y digno.

Felder se unió al grupo cuando este pasó junto a él.

—Doctor Felder... —dijo la mujer, saludándolo con un gesto de la cabeza—. Es un placer verlo de nuevo.

—Lo mismo digo, Constance —contestó él.

Cuando se acercaron a la puerta principal, un hombre de aspecto atildado, vestido con una bata blanca encima de un caro traje, la abrió desde dentro.

—Buenas tardes, señorita Greene —dijo con voz serena y pausada, como si se dirigiera a un niño—. La estábamos esperando.

Constance le correspondió con una leve inclinación de cabeza.

—Soy el doctor Ostrom, seré su médico aquí, en Mount Mercy.

—Es un placer conocerlo, doctor. Por favor, llámeme Constance.

Entraron en el vestíbulo. Hacía calor y olía ligeramente a desinfectante.

—Conozco a su... tutor, Aloysius Pendergast —prosiguió el doctor Ostrom—. Lamento de veras no haber conseguido que la trasladaran aquí antes, pero completar el papeleo llevó más tiempo de lo previsto.

Cuando Ostrom dijo aquello, cruzó una breve mirada con Felder. Este sabía que la habitación que Constance tenía asignada en Mount Mercy había sido meticulosamente limpiada, primero con lejía y después con antiséptico, antes de que le aplicaran tres capas de esmalte. Aquellas medidas se habían considerado necesarias debido a la conocida afición a los venenos de su anterior ocupante.

—Le agradezco enormemente sus atenciones, doctor Ostrom —dijo Constance de manera melindrosa.

Esperaron un momento mientras Ostrom firmaba los impresos que le entregó el celador.

—Ahora ya puede quitarle las esposas —dijo el médico devolviéndole el sujetapapeles.

El celador obedeció. Un ordenanza acompañó a la salida al centinela y al celador y cerró la puerta tras ellos.

—Muy bien —dijo Ostrom, frotándose las manos como si acabara de concluir una provechosa operación comercial—. Ahora el doctor Felder y yo le mostraremos su habitación. Creo que le parecerá bastante agradable.

—No tengo la menor duda de que así será, doctor Ostrom —repuso Constance—. Es usted muy amable.

Se adentraron por un largo y resonante pasillo mientras el doctor Ostrom explicaba las normas de Mount Mercy y expresaba su deseo de que Constance se encontrara cómoda. Felder lanzó una discreta mirada a la joven. Sin duda, cualquiera habría pensado que era una mujer poco corriente: su dicción anticuada, sus inexpresivos ojos que parecían mucho más viejos que el cuerpo que los albergaba... Sin embargo, no había nada en su aspecto ni en sus modales que hiciera sospechar la verdad: Constance Greene estaba loca de remate. Su presentación, hasta donde llegaba la experiencia de Felder, era única. Constance aseguraba haber nacido en la década de los setenta del siglo XIX, en el seno de una familia desaparecida y olvidada tiempo atrás, salvo por los escasos datos que todavía figuraban en los registros. Recientemente había regresado en barco desde Inglaterra y, durante el trayecto, según su propia confesión, había arrojado por la borda a su bebé porque, según insistía, era la encarnación del diablo.

En los dos meses que Felder llevaba implicado en el caso, había tratado a Constance, primero en Bellevue y después en el correccional de Bedford Hills. Y aunque a lo largo de ese tiempo su fascinación por el caso no había dejado de aumentar, debía reconocer que no había hecho progresos en la comprensión de Constance ni de su enfermedad.

Aguardaron mientras un ordenanza abría una pesada puerta de hierro y luego recorrieron otro pasillo hasta que por fin se detuvieron ante una puerta sin distintivo alguno. El ordenanza la abrió, y el doctor Ostrom los invitó a pasar con un gesto. Se trataba de una habitación pequeña, sin ventanas y amueblada de forma espartana. Los únicos muebles que había —una mesa, una silla y una cama— estaban firmemente atornillados al suelo. En la pared colgaba una estantería con una docena de libros. Un jarrón de plástico con unos narcisos del jardín del sanatorio descansaba en la mesa.

—Bueno —dijo Ostrom—. ¿Qué le parece, Constance?

La joven miró en derredor, fijándose en todo con detalle.

—Perfectamente satisfactorio, muchas gracias.

—Me alegra oírlo. El doctor Felder y yo le daremos un poco de tiempo para que se instale. Enviaré una asistenta para que le traiga ropa adecuada.

—Le estoy muy agradecida. —Su mirada se posó en los libros del estante—. Dios mío... *Magnalia Christi Americana*, de Cotton Mather. *Autobiografía*, de Benjamin Franklin. *Clarissa*, de Richardson. ¿Acaso son los libros de mi tía abuela Cornelia?

El doctor Ostrom asintió.

—Son nuevos ejemplares. Esta solía ser su habitación, ¿sabe? Su supervisor nos pidió que compráramos estos libros para usted.

—Ah... —Por un momento Constance se ruborizó, parecía contenta—. Es casi como volver a casa. —Se volvió hacia Felder—. Resulta agradable seguir con la tradición familiar.

A pesar del calor que reinaba en la habitación, Felder sintió un escalofrío.

9

El teniente Vincent D'Agosta miraba con la cabeza baja su escritorio y hacía esfuerzos para no deprimirse. Desde que había regresado de su baja por enfermedad, su jefe, el capitán Singleton, le había asignado trabajos de rutina. Todo lo que parecía tener que hacer era pasar papeles de un lado del escritorio al otro. Echó una mirada a través de la puerta hacia la sala de mandos. Allí todo el mundo estaba muy atareado yendo de un lado para otro; los teléfonos no dejaban de sonar; los delincuentes eran perseguidos. Allí ocurrían cosas. Suspiró y contempló nuevamente su mesa. Odiaba el papeleo, pero lo cierto era que Singleton lo había hecho por su bien. Al fin y al cabo, seis meses atrás se encontraba en la cama de un hospital de Baton Rouge luchando entre la vida y la muerte después de que una bala le hubiera pasado rozando el corazón. Tenía suerte de seguir con vida, y aún más de poder ponerse en pie e ir a trabajar. Por otra parte, aquel trabajo de despacho no duraría siempre. Solo tenía que recobrar sus anteriores fuerzas.

En cualquier caso, se dijo, debía mirar el lado bueno. Su relación con Laura Hayward nunca había ido tan bien como en esos momentos. El hecho de que hubiera estado a punto de perderlo la había cambiado de algún modo, la había ablandado, la había hecho más afectuosa y efusiva. Lo cierto era que pensaba proponerle matrimonio tan pronto como se hubiera recuperado al cien por cien. No creía que ningún asesor matrimonial recomendara recibir un tiro en el corazón para mejorar una relación, pero desde luego que en su caso había funcionado.

Se dio cuenta de que había alguien de pie en la puerta de su despacho, alzó la vista y vio a una joven que lo miraba. Tendría unos diecinueve o veinte años, era menuda e iba vestida con vaqueros y una camiseta descolorida de los Ramones. Un bolso de cuero negro con tachuelas le colgaba del brazo. Llevaba el cabello teñido de negro azabache, y de la manga de la camiseta asomaba un tatuaje que reproducía un diseño de M. C. Escher.

Un godo.

—¿En qué puedo ayudarla, señora? —le dijo mientras se preguntaba dónde estaban las secretarias que se ocupaban de filtrar las visitas.

—¿Le parezco una señora? —fue la respuesta.

D'Agosta suspiró.

—¿Qué puedo hacer por usted?

—Usted es Vincent D'Agosta, ¿verdad?

Asintió.

Ella entró en el despacho.

—Él lo mencionó en varias ocasiones. Normalmente no me acuerdo de los nombres, pero del suyo sí porque es muy italiano.

—Muy italiano —repitió el detective.

—No lo digo en sentido peyorativo. Es solo que en Kansas, de donde vengo, nadie tiene un nombre así.

—Los italianos nunca llegamos a adentrarnos tanto en el territorio —replicó D'Agosta, secamente—. Y ahora dígame, ¿quién es ese «él» que ha mencionado?

—El agente Pendergast.

—¿Pendergast? —D'Agosta no pudo ocultar la sorpresa en su voz.

—Sí, fui su ayudante en Medicine Creek, en Kansas. El caso de los asesinatos en serie de Naturaleza Muerta.

D'Agosta la miró fijamente. ¿La ayudante de Pendergast?

—Seguro que me ha mencionado en alguna ocasión —dijo la joven—. Me llamo Corrie Swanson.

D'Agosta frunció el entrecejo.

—Estoy bastante familiarizado con ese caso, pero no recuerdo que Pendergast mencionara su nombre.

—Él nunca habla de sus casos. Le hice de chófer, lo ayudé a investigar por los alrededores de la ciudad. Con su traje negro y todo lo demás destacaba como un pulpo en un garaje. Necesitaba alguien de dentro, como yo.

A D'Agosta le sorprendió oír aquello, pero se dio cuenta de que la chica seguramente estaba diciendo la verdad... aunque exagerada. ¿Ayudante? Su irritación dio paso a un sentimiento más sombrío.

—Pase y siéntese —dijo con retraso.

Ella tomó asiento entre un tintineo metálico y al apartarse su negro cabello reveló un mechón púrpura y otro amarillo. D'Agosta se recostó en su asiento y puso cuidado en disimular su reacción.

—Estoy en Nueva York por un año —explicó la joven—. Acabo de empezar la universidad y me han trasladado a la Facultad John Jay de Derecho Penal.

—Siga —dijo D'Agosta. La mención de la Facultad John Jay lo había impresionado. Aquella chica no era ninguna idiota, por mucho que se esforzara en aparentarlo.

—Tengo una asignatura que se llama Estudios de Casos Prácticos de Perversión y Control Social.

—Estudios de Casos Prácticos de Perversión y Control Social —repitió D'Agosta. Le sonaba a un curso al que Laura había asistido... Laura era buena en sociología.

—Como parte de la asignatura, debemos estudiar un caso por nuestra cuenta y hacer un trabajo. Yo he escogido los asesinatos en serie de Naturaleza Muerta.

—No sé si Pendergast le habría dado su aprobación —dijo D'Agosta con prudencia.

—Me la dio, y ahí está el problema. Lo primero que hice al llegar fue llamarlo y quedar con él para comer. Se suponía que nuestra cita tenía que haber sido ayer, pero no se presentó. Entonces fui a su piso, al Dakota, y nada. Lo único que conseguí fueron las evasivas del portero. Pendergast tiene mi móvil, pero no he recibido ninguna llamada suya para cancelar la comida. Es como si hubiera desaparecido.

—Eso me parecería extraño. ¿No se habrá equivocado usted de día?

Ella rebuscó en su bolso, sacó un sobre y se lo entregó. D'Agosta extrajo una carta de su interior y la leyó.

Edificio Dakota

Calle Setenta y dos Oeste, número 1

Nueva York, NY 10023

5 de septiempre

Srta. Corrie Swanson

884 Amsterdam Avenue. Apto. 30B

Nueva York, NY 10025

Mi querida Corrie:

Me alegra saber que los estudios te van bien. Apruebo las asignaturas que has elegido. Creo que Introducción a la Química Forense te parecerá de lo más interesante. He estado dando vueltas a lo de tu proyecto y acepto tomar parte siempre y cuando pueda tener la última palabra en cuanto al resultado final y que tú aceptes no revelar según qué detalles en tu trabajo.

Desde luego, me encantará que quedemos para comer. Estaré fuera del país a final de mes, pero a mediados de octubre debería hallarme de regreso. El 19 de octubre sería una buena fecha para mí. Permíteme que te sugiera Le Bernardin, en la Cincuenta y uno Oeste, a las 13.00 h. La reserva estará a mi nombre.

Tengo ganas de verte.

Un abrazo,

A. PENDERGAST

D'Agosta leyó la carta dos veces. Era cierto que hacía un par de meses que no tenía noticias de Pendergast, pero eso no era algo demasiado raro. El agente desaparecía con frecuencia durante largos períodos de tiempo. Sin embargo, Pendergast era muy puntilloso cuando se trataba de su palabra. No aparecer en una cita para almorzar habiéndose comprometido a ello no encajaba con su forma de ser.

Devolvió la carta a Corrie.

—¿Hizo la reserva?

—Sí, la hizo al día siguiente de enviar la carta, pero nunca llamó para anularla.

D'Agosta asintió procurando disimular su creciente preocupación.

—Confiaba en que usted supiera algo de su paradero —prosiguió la joven—. Estoy preocupada. Esto no es propio de él.

D'Agosta carraspeó.

—Hace tiempo que no hablo con Pendergast, pero estoy seguro de que hay una explicación. Seguramente está metido en algún caso. —Le lanzó una sonrisa reconfortante—. Lo comprobaré y me pondré en contacto con usted.

—Le dejo mi número de móvil —repuso ella, al tiempo que sacaba un trozo de papel; escribió un número en él y se lo tendió.

—La avisaré en cuanto sepa algo, señorita Swanson.

—Gracias, y llámeme Corrie.

—Muy bien, Corrie.

Cuanto más pensaba en ello D'Agosta, más preocupado estaba. Apenas se dio cuenta de que ella recogía su bolso, se levantaba y salía por la puerta.

10

Cairn Barrow, Escocia

La calle mayor cruzaba el centro del pueblo, giraba ligeramente hacia el este en la plaza y descendía entre las verdes y onduladas colinas que rodeaban Loch Lanark. Las casas y las tiendas eran todas de la misma piedra pardusca, con tejados a dos aguas de gastada pizarra. Narcisos y primaveras daban un toque de color en las macetas de las ventanas. Las campanas de la rechoncha torre de Wee Kirk o' the Loch dieron las diez de la mañana.

Incluso para los encallecidos ojos del inspector Balfour, la escena no podía ser más agradablemente pintoresca.

Caminó a paso vivo por la calle. Había una docena de coches aparcados ante la taberna The Old Thistle, muchos para aquella época del año, cuando hacía ya tiempo que se habían marchado los excursionistas veraniegos y los turistas extranjeros. Entró, saludó con un gesto de la cabeza a Phillip, el propietario, cruzó la puerta junto a la cabina telefónica y subió por la escalera de madera que conducía a la sala comunal. La estancia, el espacio público más amplio en treinta kilómetros a la redonda, se hallaba en esos momentos a rebosar de hombres y mujeres —testigos y curiosos— sentados en largos bancos encarados hacia la pared del fondo, donde habían instalado una gran mesa de roble. Tras ella se sentaba el doctor Ainslie, el forense local, vestido de un sombrío negro; su atezado rostro estaba surcado de arrugas que delataban su permanente decepción por el mundo y su devenir. Junto a él, en una mesa mucho más pequeña, se encontraba Judson Esterhazy.

Ainslie saludó con la cabeza al inspector Balfour cuando este tomó asiento; a continuación miró en derredor y se aclaró la garganta.

—Esta comisión de investigación ha sido convocada para determinar los hechos relacionados con la desaparición y posible muerte del señor Aloysius Pendergast. Y digo «posible» porque el hecho es que el cuerpo no ha sido encontrado. El único testigo de su fallecimiento es precisamente la persona que tal vez lo mató: Judson Esterhazy, su cuñado. —La seca expresión de Ainslie se hizo aún más adusta—. Dado que el señor Pendergast carece de familiares y parientes vivos, podemos decir que el señor Esterhazy se halla aquí no solo por ser el responsable del accidente sufrido por el señor Pendergast, sino también porque es su único representante familiar. El resultado de todo ello es que este procedimiento no puede ser y no es una investigación estándar porque no tenemos un cadáver y el hecho de la muerte sigue pendiente de confirmación. No obstante, nos atendremos al protocolo de una investigación. Nuestro propósito será aclarar los hechos relacionados con la desaparición así como sus circunstancias cercanas y determinar, si los hechos lo permiten, si la muerte se produjo o no. Oiremos los testimonios de todos los implicados y llegaremos a una conclusión.

El forense se volvió hacia Esterhazy.

—Doctor Esterhazy, ¿está de acuerdo con que usted es persona interesada en este asunto?

Esterhazy asintió.

—Lo estoy.

—¿Y reconoce que ha renunciado por propia voluntad a la asistencia de un abogado?

—Así es.

—Muy bien. Antes de que empecemos, déjenme que recuerde a todos los presentes la Norma Treinta y Seis del forense: una

investigación es una reunión en la que no se pueden atribuir res-
ponsabilidades civiles o penales, aunque podamos concluir que
algunas circunstancias reúnen las características de la definición
legal de culpabilidad. La determinación de culpabilidad corres-
ponde a los tribunales, si procede. ¿Alguna pregunta?

La sala permaneció en silencio. Ainslie asintió.

—En ese caso, procedamos con las pruebas. Comenzaremos
con la declaración de Ian Cromarty.

El inspector Balfour escuchó hablar al propietario de la hostería sobre Pendergast y Esterhazy, la primera impresión que
le causaron, cómo habían compartido la cena la noche antes y el
modo en que Esterhazy había irrumpido a la mañana siguiente
gritando que había disparado a su cuñado. A continuación, el
forense interrogó a algunos huéspedes de Kilchurn Lodge que
habían presenciado el regreso de Esterhazy, destrozado y fuera
de sí. Luego le tocó a Grant, el guardabosques. Durante todo el
interrogatorio, el rostro del forense fue una máscara imperturbable de suspicacia y desaprobación.

—Usted es Robert Grant, ¿correcto?

—Sí, señor —contestó el arrugado anciano.

—¿Cuánto tiempo hace que trabaja de guardabosques en
Kilchurn?

—Dentro de poco hará treinta y cinco años, señor.

A petición del Ainslie, Grant relató con detalle la caminata
hasta el lugar del accidente y la muerte de uno de los sabuesos
rastreadores.

—¿Es frecuente que los huéspedes de la hostería se aventu-
ren en el Foulmire?

—¿Frecuente? No es nada frecuente. De hecho, las normas
lo prohíben.

—Así pues, Pendergast y el doctor Esterhazy violaron las
normas.

—Desde luego que sí.

Balfour vio que Esterhazy se removía en su asiento, nervioso.

—Semejante conducta revela una falta total de sentido común. ¿Por qué les permitió que salieran solos?

—Porque los recordaba de una ocasión anterior.

—Explíquese.

—Ya habían estado en Kilchurn anteriormente, hace unos diez o doce años. Yo los acompañé entonces y debo decir que eran unos cazadores excelentes. Sabían perfectamente lo que hacían, en especial el doctor Esterhazy, aquí presente. —Grant lo señaló con un gesto de la cabeza—. De no haber sabido eso, jamás les habría dejado salir sin guía.

Balfour se irguió en su asiento. Sabía que Pendcrgast y Esterhazy habían cazado en Kilchurn anteriormente —Esterhazy lo había mencionado durante uno de los interrogatorios—, pero el hecho de que Grant los hubiera acompañado y afirmara que Esterhazy era un excelente tirador constituía una novedad. El propio Esterhazy siempre había minusvalorado sus habilidades, y Balfour se maldijo por no haber descubierto ese detalle.

Acto seguido le tocó a él declarar: describió su llegada a la hostería, el estado emocional de Esterhazy, la búsqueda del cuerpo, el dragado de la charca y la posterior e infructuosa búsqueda del cadáver por las marismas y aledaños. Ainslie escuchó con interés, solo lo interrumpió ocasionalmente con alguna pregunta.

—Durante los diez días posteriores a la denuncia del tiroteo, ¿la policía siguió con sus pesquisas? —inquirió cuando Balfour hubo terminado.

—Así es —contestó el inspector—. Dragamos la charca no una sino dos veces, y después una tercera y una cuarta. Luego hicimos lo mismo con las de los alrededores y utilizamos sabuesos para que buscaran algún rastro a partir de la escena del suceso. Ninguno encontró nada, aunque debo decir que había llovido intensamente.

—Así pues —dijo Ainslie—, no encontraron evidencias de que Pendergast hubiera muerto ni de que pudiera encontrarse con vida, ¿no es cierto?

—Exacto. No recuperamos su cuerpo ni ninguno de sus efectos personales, ni siquiera su rifle.

—Dígame, inspector —dijo el forense—, ¿le pareció que el señor Esterhazy se mostraba dispuesto a colaborar en la investigación?

—En general, sí; aunque él describe sus dotes de cazador de una manera muy diferente a la del señor Grant.

—¿Cómo describe el señor Esterhazy sus habilidades como tirador?

—Se define como inexperto.

—¿Sus actos y su comportamiento se correspondían con los de una persona responsable de tan atroz accidente?

—Hasta donde yo vi, sí.

A pesar de todo, Balfour no había logrado encontrar nada en la conducta de Esterhazy que no fuera arrepentimiento, desdicha y autoinculpación.

—¿Diría usted que se trata de un testigo fiable y competente en el caso que nos concierne?

Balfour dudó.

—Yo diría que, hasta la fecha, nada de lo que hemos encontrado difiere de sus declaraciones.

El forense pareció sopesar un instante aquellas palabras.

—Gracias, inspector —dijo al fin.

El siguiente en declarar fue el propio Esterhazy. A lo largo de los diez días transcurridos desde el tiroteo, había recobrado en buena parte la compostura, aunque en sus ojos parecía haberse instalado permanentemente una leve expresión de aturdimiento y ansiedad. Su tono fue firme, grave y pausado. Habló de su amistad con Pendergast, que comenzó cuando su hermana se casó con el agente del FBI. Mencionó brevemente su espantosa muerte entre las fauces de un león devorador de hombres, relato que provocó murmullos y respingos entre los presentes. Después, azuzado amablemente por el forense, relató los acontecimientos que condujeron a la supuesta muerte de Pendergast: la cacería por los páramos, la discusión sobre si perseguir al ciervo por las marismas, la aparición de la niebla, su propia desorientación, la repentina irrupción del ciervo y su disparo instintivo, sus frenéticos intentos por rescatar a su cuñado y cómo lo había visto desaparecer bajo las arenas movedizas de la charca. A medida que relataba aquellos episodios y su desesperado regreso a Kilchurn Lodge, su aparente calma se resquebrajó, se fue poniendo nervioso y su voz se quebró. Los presentes menearon la cabeza, visiblemente impresionados, pero Balfour vio con satisfacción que la expresión de Ainslie seguía siendo tan escéptica como al principio. El forense formuló unas pocas preguntas, como el momento preciso de ciertos hechos y la opinión médica de Esterhazy sobre las heridas de Pendergast. Quince minutos después la declaración de Esterhazy había terminado. En conjunto constituyó una brillante interpretación.

Interpretación. ¿Por qué había escogido aquella palabra? Porque, a pesar de todo, Balfour seguía sospechando de Esterhazy. No tenía nada en qué apoyarse, y las pruebas no parecían darle la razón; sin embargo, si él mismo hubiera planeado matar a alguien haciendo que pareciera un accidente, habría obrado exactamente igual que lo había hecho Esterhazy.

Su mente se entretuvo en esos pensamientos mientras desfilaban una serie de testigos secundarios. Contempló a Esterhazy. Aquel hombre se había esforzado enormemente por presentarse como una persona candorosa, franca y sencilla, el típico estadounidense aturullado. Pero no se aturullaba en absoluto, y de tonto no tenía nada. Según había averiguado, además de ser licenciado en medicina tenía un doctorado.

Ainslie seguía hablando con su voz áspera.

—Como he mencionado anteriormente, el propósito de esta investigación es determinar si se ha producido una muerte. Las pruebas nos dicen lo siguiente: en su declaración, el doctor Esterhazy ha afirmado que disparó accidentalmente contra Aloysius Pendergast; que según su experta opinión médica la herida fue mortal; y que vio con sus propios ojos cómo Pendergast se hundía en las arenas movedizas. Según la declaración del inspector Balfour y los demás, la escena del suceso fue investigada a fondo y las escasas pruebas que se encontraron encajan con el testimonio del doctor Esterhazy. Asimismo, el inspector ha declarado que ni en la ciénaga en cuestión ni en las circundantes se hallaron ni recuperaron efectos personales del desaparecido y que las pesquisas realizadas posteriormente en las aldeas y los pueblos de la zona no han permitido hallar rastro alguno del señor Pendergast ni tampoco testigos que lo vieran, vivo o muerto.

Antes de proseguir, recorrió con la mirada a los reunidos en la sala comunal.

—En estas circunstancias solo hay dos veredictos posibles que concuerden con los hechos presentados aquí: uno, culpable de homicidio involuntario; dos, veredicto abierto. El primero constituye un caso de homicidio salvo por el hecho de que el *corpus delicti* no está presente. Un veredicto abierto es aquel en el que las causas y circunstancias de la muerte, o en este caso la muerte en sí, no pueden determinarse con rotundidad.

Hizo una pausa y volvió a examinar la sala con expresión adusta.

—Basándome en las declaraciones y pruebas aportadas hoy aquí, declaro en este caso un veredicto abierto.

Balfour se puso rápidamente en pie.

—Disculpe, señor, pero disiento de este veredicto.

Ainslie lo miró ceñudo.

—Usted dirá, inspector.

—Bueno... —Balfour vaciló, intentaba poner orden en sus pensamientos—. Aunque el acto en cuestión tal vez no fue un asesinato, sí fue ocasionado por una conducta inadecuada, y ese es un argumento a favor del homicidio involuntario. Además, la propia declaración del doctor Esterhazy refuerza el argumento. Está claro que la negligencia constituyó el elemento determinante de la muerte. No tenemos el menor indicio de que la víctima sobreviviera al tiroteo, pero sí muchas pruebas de que no lo hizo.

—Es cierto que contamos con dicho testimonio —repuso

Ainslie—, pero permítame recordarle, inspector, que no hay cadáver. No hemos hallado pruebas que corroboren la existencia de un cadáver. Lo único que tenemos es la declaración de un testigo y, por lo tanto, no podemos confirmar que se produjera una muerte. Por todo ello, esta comisión investigadora no tiene más alternativa que pronunciar un veredicto abierto.

Balfour permaneció de pie.

—Señor, con un veredicto abierto no tendré forma legal de retener al doctor Esterhazy en Escocia.

—Si tiene objeciones, puede solicitar una revisión del caso por los tribunales.

Un murmullo recorrió la sala. Balfour lanzó una mirada a Esterhazy. No podía hacer nada.

—Si eso es todo —dijo Ainslie con expresión severa—, declaro concluida la investigación.

11

Inverkirkton, Escocia

El solitario ciclista pedaleaba con visible esfuerzo por la estrecha y serpenteante carretera. La negra bicicleta de tres marchas estaba equipada con un soporte especial sobre la rueda trasera en el que cargaba con un par de alforjas sujetas con unos pulpos. El ciclista llevaba un cortavientos de color gris oscuro y un pantalón de loneta gris claro; con su bicicleta negra formaba una curiosa figura monocromática que se recortaba contra el brezo y el tojo de las colinas escocesas.

En lo alto de la loma, cerca de unas rocas que surgían como colmillos entre los tojos, la carretera se bifurcaba en un cruce en forma de «T». El ciclista se detuvo en aquel punto, desmontó y, aliviado sin duda por poder descansar, sacó del bolsillo un mapa. Lo extendió sobre el sillín y lo examinó sin prisa.

Sin embargo, por dentro, Judson Esterhazy se sentía cualquier cosa menos relajado. Había perdido el apetito; ingerir alimento le suponía un verdadero esfuerzo. Tenía que reprimir el constante deseo de mirar por encima del hombro. Por las noches no podía conciliar el sueño: cada vez que cerraba los ojos, veía a Pendergast herido de muerte mirándolo fijamente desde el lodazal con unos ojos que brillaban con implacable intensidad.

Por enésima vez se reprochó haber dejado al agente del FBI en las marismas. Tendría que haberse quedado hasta que las arenas movedizas lo hubieran engullido. ¿Por qué no lo había hecho? Por aquellos ojos. No había sido capaz de mirar ni un segundo más aquellos ojos grises entrecerrados que lo atravesaban con la agudeza de un bisturí. Una patética e inexcusable debilidad se había adueñado de él en el momento de la verdad. Sabía que Pendergast era un hombre de infinitos recursos. «No tiene ni idea, pero ni idea, de lo peligroso que es Pendergast.» ¿Acaso no habían sido esas sus palabras apenas un año atrás? «Es tenaz y astuto, y esta vez lo mueve la motivación adecuada.» Después de tantos planes como había hecho, seguía sin haber dado carpetazo al asunto.

Maldición no haberlo sabido.

Mientras permanecía junto a la bicicleta fingiendo leer el mapa, con las perneras del pantalón ondeando en la húmeda brisa, se recordó que la herida era mortal. Tenía que serlo. Y aunque Pendergast hubiera logrado salir de las arenas movedizas, tendrían que haber descubierto su cuerpo durante los días y las noches que la policía estuvo examinando minuciosamente la zona. La razón más probable del fracaso en el dragado de la ciénaga era que Pendergast había logrado salir de alguna manera y habría muerto en otro lodazal, lejos de allí.

Pero Esterhazy no lo sabía a ciencia cierta, no podía estar seguro, y eso lo estaba volviendo loco. La alternativa —una vida sumida en el miedo y la paranoia— no era aceptable, de ningún modo.

Una vez concluida la investigación, se había marchado de Escocia de la manera más llamativa posible: incluso había logrado que el contrariado inspector Balfour lo llevara personalmente en su coche hasta Glasgow. Y en esos momentos, una semana después, estaba de vuelta. Se había cortado el pelo muy corto y se lo había teñido de negro, llevaba gafas de montura de concha y había comprado un bigote postizo de buena calidad. En la improbable circunstancia de que se topara con Balfour o alguno de sus hombres, las posibilidades de que lo reconocieran eran prácticamente nulas. No era más que otro turista estadounidense disfrutando de unas tardías vacaciones en bicicleta por las Highlands.

Habían pasado casi tres semanas desde el tiroteo. El rastro, si había habido alguno, habría desaparecido. Pero no tenía alternativa. Durante la investigación lo habían sometido a una estrecha vigilancia que le había impedido investigar por su cuenta. Iba a tener que moverse tan rápidamente como pudiera y no perder el tiempo. Debía demostrar para su propia tranquilidad que Pendergast no había sobrevivido, que no había conseguido salir de las marismas. Si lo lograba, quizá hallara un poco de paz.

Volvió su atención al mapa. Localizó su posición, la del Beinn Dearg y el Foulmire, luego Cairn Barrow, el pueblo más grande de la zona. Señalando con un dedo el punto donde había abatido a Pendergast, examinó atentamente el terreno circundante. El pueblo más cercano era Inverkirkton, a unos cuatro kilómetros y medio del lugar del tiroteo. Aparte de Kilchurn Lodge, no había un lugar habitado más próximo. Si Pendergast había sobrevivido —y si había conseguido llegar a alguna parte—, tenía que haber ido a Inverkirkton. Por allí empezaría.

Dobló el mapa y miró hacia el otro lado de la colina. Desde aquel punto elevado casi podía divisar Inverkirkton. Carraspeó y volvió a montar en la bicicleta. Momentos después pedaleaba colina abajo, en dirección este, con el sol de la tarde a su espalda, sin reparar en el dulzón aroma del brezo que flotaba en el aire.

Inverkirkton era un puñado de casas arracimadas en una curva de la carretera, pero tenía las dos cosas que cualquier pueblo escocés que se precie debe tener: una taberna y una posada. Se detuvo junto a esta última, se apeó de la bicicleta y la dejó apoyada contra la pared de piedra. Luego, sacó un pañuelo del bolsillo y entró.

El pequeño vestíbulo estaba alegremente decorado con fotos de Inverness y del Mull of Kintyre, telas de cuadros escocesas y un mapa de la región. No había nadie más que un hombre de unos sesenta años leyendo el periódico tras un mostrador de reluciente madera. Sin duda se trataba del posadero. Miró al recién llegado con ojos azules e inquisitivos. Esterhazy fingió que se enjugaba el sudor de la cara con el pañuelo y resopló ruidosamente. Estaba seguro de que la noticia del tiroteo había corrido como la pólvora en aquella pequeña aldea, y le agradó comprobar que el hombre no daba señales de reconocerlo.

—Buenas tardes, señor —dijo el posadero, con marcado acento escocés.

—Buenas —repuso Esterhazy fingiendo recuperar el aliento.

El posadero miró por encima del hombro de Esterhazy; la rueda delantera de la bicicleta resultaba visible a través de la puerta.

—¿De vacaciones?

Esterhazy asintió.

—Me gustaría una habitación, si le queda alguna.

—Una me queda. ¿Su nombre, señor?

—Edmund Draper. —Respiró hondo un par de veces más y se enjugó nuevamente el rostro con el pañuelo.

El posadero sacó un libro de registro de una estantería situada a su espalda.

—Parece fatigado, amigo.

Esterhazy asintió otra vez.

—He venido en bicicleta desde Fraserburgh.

La mano del posadero se detuvo con el libro a medio abrir.

—¿Fraserburgh? Pero si está casi a sesenta kilómetros de aquí... y encima hay que atravesar las montañas...

—Sí, ahora ya lo sé. Es solo mi segundo día de vacaciones, y me temo que me he excedido. Típico de mí.

El posadero meneó la cabeza.

—Bueno, lo único que puedo decirle es que esta noche dormirá como un tronco. Más vale que mañana se lo tome con calma.

—No creo que tenga elección. —Hizo una pausa y respiró hondo—. Dígame, ¿en la taberna de al lado dan de cenar?

—Desde luego, y muy bien. Y si no le importa aceptar un consejo, le recomiendo nuestro malta local, que se llama Glen...

El hombre se interrumpió. En el rostro de Esterhazy aparecía una expresión de preocupación y después de dolor.

—¿Se encuentra bien? —le preguntó.

—No lo sé —contestó Esterhazy con un tono de angustia—. Noto una presión, un dolor en el pecho...

El posadero salió rápidamente de detrás del mostrador y acompañó al recién llegado hasta el salón contiguo, donde lo sentó en un mullido butacón.

—Ahora me baja por el brazo..., oh, Dios mío, duele. —Esterhazy apretó los dientes y se llevó la mano al pecho.

—¿Quiere que le traiga un trago? —se ofreció el posadero, solícito.

—No..., llame a un médico. Rápido... —dijo; luego dejó caer la cabeza y cerró los ojos.

12

Nueva York

El camino de acceso que conducía hasta el pórtico del 891 de Riverside Drive tenía mucho mejor aspecto que cuando D'Agosta lo había visto por primera vez. En aquel entonces el suelo estaba lleno de basura; los arbustos que lo rodeaban estaban secos o moribundos; y la mansión modernista, tapiada y cubierta de pintadas. En esos momentos la propiedad estaba limpia y pulcra. Los cuatro pisos de su estructura de piedra, junto con su tejado de mansardas y torreones, habían sido completamente restaurados conforme al estilo de la época. Sin embargo, mientras D'Agosta la contemplaba desde el camino, el lugar le pareció extrañamente frío y vacío.

No estaba seguro de por qué había ido hasta allí. En más de una ocasión se había dicho que se había acabado el ser paranoico y el comportarse como una vieja supersticiosa. No obstante, la visita de Corrie Swanson no había cesado de reconcomerlo. Y esa vez, cuando sintió nuevamente el impulso de visitar la mansión de Pendergast, decidió hacerle caso.

Permaneció de pie un minuto, recobrando el aliento. Había tomado el tren número 1 hasta la calle Ciento treinta y siete y caminado en dirección al río, un breve paseo que lo había dejado agotado. Odiaba aquella larga convalecencia, odiaba cómo la herida de bala, la válvula de cerdo que le habían implantado y la lenta recuperación le habían robado todas sus energías. Lo único bueno era que había perdido peso. Pero por desgracia, estaba recuperándolo a marchas forzadas y por el momento no podía combatirlo haciendo ejercicio.

Enfiló el camino de acceso y subió hasta la puerta de roble macizo. Cogió la aldaba y llamó.

Silencio.

Esperó un momento y volvió a llamar. Nada. Se apoyó contra la puerta y aguzó el oído, pero la casa estaba demasiado bien construida para dejar escapar sonido alguno. Cabía la posibilidad de que, con Constance Greene en el sanatorio, el lugar estuviera realmente tan desierto como aparentaba. Pero eso no tenía sentido: Pendergast contaba con ayuda tanto allí como en el Dakota.

Oyó el ruido de una llave al girar en una cerradura bien engrasada, luego la recia puerta se abrió lentamente. La entrada estaba débilmente iluminada, pero D'Agosta pudo ver las facciones de Proctor, chófer y ocasional mayordomo de Pendergast. Por lo general impasible e imperturbable, en ese momento Proctor tenía un aspecto severo, casi intimidatorio.

—Señor D'Agosta... ¿Quiere pasar?

D'Agosta entró, y Proctor cerró la puerta tras él.

—Haga el favor de seguirme a la biblioteca —dijo.

D'Agosta tuvo la inquietante sensación de que lo estaban esperando. Lo siguió por un largo pasillo hasta un vestíbulo, con una alta bóveda decorada con azul Wedgwood, donde unos apliques iluminaban discretamente los numerosos aparadores de cristal y su curioso contenido.

—¿Está Pendergast en casa? —preguntó.

Proctor se detuvo y dio media vuelta.

—Lamento mucho tener que decir que no, señor.

—¿Dónde está?

La imperturbabilidad del chófer pareció resquebrajarse.

—Ha muerto, señor.

D'Agosta tuvo la sensación de que el suelo se hundía bajo sus pies.

—¿Muerto? ¿Cómo?

—Estaba de caza, en Escocia, con el doctor Esterhazy.

—¿Con Judson Esterhazy, su cuñado?

—Fue un accidente. En el páramo, mientras perseguían un ciervo. El doctor Esterhazy disparó al señor, y este se hundió en una ciénaga.

Aquello no podía ser verdad. Desde luego que tenía que haber oído mal.

—¿Se puede saber qué demonios me está contando?

—Ocurrió hace unas tres semanas.

—¿Y qué hay de los preparativos para el funeral? ¿Dónde está Esterhazy? ¿Por qué nadie me ha avisado?

—No hay cadáver, señor. Y el doctor Esterhazy no ha aparecido.

—¡Dios mío! ¿Me está diciendo que Esterhazy disparó accidentalmente a Pendergast, que no hay cadáver y que Esterhazy ha desaparecido? —D'Agosta se daba cuenta de que estaba gritando, pero no le importó.

El rostro de Proctor permaneció inescrutable.

—La policía local buscó durante días, dragó la ciénaga y registró los alrededores, pero no encontraron el cuerpo.

—Entonces, ¿por qué dice que está muerto?

—Por las declaraciones del propio doctor Esterhazy durante la investigación. Declaró que le disparó accidentalmente en el pecho y que lo vio hundirse en las arenas movedizas.

D'Agosta sintió que se quedaba sin aliento.

—¿Esterhazy le dijo a usted eso personalmente?

—Yo me enteré por una llamada telefónica del inspector encargado de la investigación. Quería hacerme algunas preguntas sobre el señor.

—¿Y alguien más se lo ha dicho?

—No, señor, nadie más.

—¿Dónde ocurrió exactamente?

—En Kilchurn Lodge, en las Highlands, en Escocia.

D'Agosta apretó los dientes.

—La gente no desaparece así como así. En esta historia hay algo que apesta.

—Lo siento, señor. Es todo lo que sé.

D'Agosta respiró hondo un par de veces.

—Está bien, Proctor. Lamento haberle hablado con brusquedad. Esto me ha alterado.

—Lo entiendo. ¿Desea pasar a la biblioteca y tomar una copa de jerez antes de marcharse?

—¿Bromea? Tengo que hacer algo respecto a esta historia.

Proctor lo miró fijamente.

—¿Y qué podría hacer?

—Todavía no lo sé, pero puede estar seguro de que voy a hacer algo.

13

Inverkirkton, Escocia

Judson Esterhazy estaba sentado ante la gastada barra de la taberna Half Moon con una pinta de Guinness en la mano. El local era pequeño, como correspondía al tamaño de la aldea: tres taburetes en la barra y cuatro reservados, dos en una pared y dos en la pared de enfrente. No había nadie más que él y el viejo MacFlecknoe, el dueño, pero eran casi las cinco y la situación no tardaría en cambiar.

Apuró su cerveza y MacFlecknoe se acercó.

—¿Le apetece otra, señor? —preguntó.

Esterhazy fingió pensárselo.

—¿Por qué no? —respondió al cabo de un momento—. No creo que al doctor Roscommon le importe.

El tabernero soltó una risita ahogada.

—Claro que no, además será nuestro secreto.

En ese momento Esterhazy vio al doctor a través de la gran ventana redonda de la fachada. Roscommon caminaba a paso vivo. Se detuvo ante la puerta de su consulta y abrió la cerradura con un decidido giro de muñeca. Esterhazy lo vio desaparecer en el interior del edificio y cerrar la puerta.

El día anterior, mientras fingía sufrir un ataque al corazón, había imaginado cómo sería el médico local: un tipo corpulento y rubicundo, mayor pero fuerte, acostumbrado a habérselas tanto con vacas y caballos como con personas enfermas. Sin embargo, Roscommon había constituido una sorpresa. Era delgado, rondaba los cuarenta años, tenía unos ojos chispeantes y despiertos y parecía inteligente. Había examinado a su nuevo paciente con una profesionalidad de lo más serena, y Esterhazy lo admiró por ello. Enseguida dictaminó que los dolores en el pecho no eran nada grave. No obstante, le había recomendado unos días de descanso. Esterhazy ya lo esperaba, y de hecho lo agradecía: ahora tenía una excusa para deambular tranquilamente alrededor del pueblo. Ya había conseguido lo principal: conocer al médico. Su intención había sido trabar amistad con él y sonsacarle información, pero Roscommon era la encarnación de la discreción escocesa y no había dicho nada más aparte de los consejos médicos. Quizá ese fuera su carácter..., o quizá tuviera algo que ocultar.

Mientras bebía su segunda Guinness, se preguntó nuevamente qué hacía un hombre como Roscommon en una aldea insignificante como Inverkirkton. Estaba claro que tenía el talento suficiente para abrir una consulta privada en cualquier ciudad importante. Si, contra todo pronóstico, Pendergast había logrado sobrevivir en las marismas, Roscommon era la persona a la que sin duda habría acudido. Él era la única opción en el pueblo.

La puerta de la taberna se abrió y entró una mujer, Jennie Prothero. Esterhazy tenía la sensación de conocer ya a todos los habitantes de la localidad. La señora Prothero era la propietaria de la tienda de souvenirs y, dado que el negocio no resultaba especialmente lucrativo, también hacía trabajos de lavandería. Era gorda y alegre y tenía el rostro casi tan colorado como una langosta. A pesar de la agradable temperatura de octubre, llevaba una gruesa bufanda enrollada al cuello.

—Hola, Paulie —saludó al tabernero y se sentó en uno de los taburetes de la barra con la agilidad que le permitían sus más de cien kilos.

—Buenas tardes, Jennie —respondió MacFlecknoe; pasó el

trapo por la vieja barra, delante de la mujer, y luego le sirvió una pinta y la dejó encima de un posavasos.

La mujer se volvió hacia Esterhazy.

—¿Qué tal se encuentra hoy, señor Draper?

Él sonrió.

—Mucho mejor, gracias. Según parece, no ha sido más que un problema muscular.

—Me alegro —repuso ella asintiendo.

—Debo agradecérselo a su doctor Roscommon.

—Es bueno, créame —terció el tabernero—. Somos afortunados de tenerlo entre nosotros.

—Sí, parece un médico excelente.

MacFlecknoe asintió.

—Estudió en Londres y todo eso.

—Francamente, me sorprende que aquí haya trabajo suficiente para mantenerlo ocupado.

—Bueno, es el único médico en treinta kilómetros a la redonda —comentó la señora Prothero—, por lo menos desde que el viejo Crastner pasó a mejor vida la última primavera.

—Entonces, ¿está muy ocupado? —preguntó Esterhazy tomando un trago de cerveza despreocupadamente.

—Sí que lo está —respondió MacFlecknoe—. Recibe llamadas a todas horas.

—¿A todas horas? Me sorprende oír eso, quiero decir, tratándose de una consulta rural.

—Bueno, aquí tenemos emergencias como en cualquier otra parte —dijo el tabernero, que señaló la casa del médico con la cabeza—. A veces las luces de las ventanas permanecen encendidas hasta altas horas de la noche.

—No me diga —repuso Esterhazy—. ¿Y cuándo fue la última vez que ocurrió algo así?

El tabernero lo pensó.

—Hará unas tres semanas, puede que más. No estoy seguro. Lo recuerdo porque vi su coche ir y volver un par de veces. Además, era tarde, pasadas las nueve.

—Debió de ser la pobre señora Bloor —comentó Jennie Prothero—. Estos últimos meses ha estado bastante pachucha.

—No, no fue hacia Hithe —dijo MacFlecknoe—. Oí que su coche se dirigía al oeste.

—¿El oeste? —preguntó la mujer—. Allí no hay nada salvo las marismas.

—Puede que fuera a ver a algún huésped de la hostería —dijo el tabernero.

—Ahora que lo dices, esos días llegó a la lavandería un montón de ropa de la consulta del doctor manchada de sangre. Y bien manchada que estaba, te lo aseguro.

—¿De verdad? —El corazón de Esterhazy se aceleró—. ¿Qué clase de ropa?

—Lo de costumbre. Vendas, sábanas.

—Bueno, Jennie —intervino el tabernero—, eso no es demasiado inusual. Los granjeros que viven por los alrededores sufren continuamente todo tipo de accidentes.

—Sí —dijo Esterhazy hablando más consigo mismo que con los otros—, pero no en plena noche.

—¿Y qué fue lo suyo, señor Draper? —le preguntó la señora Prothero.

—Oh, nada —repuso él, apurando su cerveza.

—¿Le apetece otra? —preguntó el tabernero.

—No, gracias, pero permítame invitarles a una ronda a usted y a la señora Prothero.

—Lo aceptaré con gusto, señor. Es usted muy amable.

Esterhazy asintió, pero no miró a MacFlecknoe. Sus ojos estaban fijos en la ventana circular de la fachada y en la casa color crema donde el doctor Roscommon tenía su consulta, al otro lado de la calle.

14

Malfourche, Mississippi

Ned Betterton aparcó ante la sucia fachada de cristal del Ideal Café, entró en el local, que olía a beicon y cebolla, y pidió un café poco cargado y con azúcar. El Ideal no era gran cosa como café, pero Malfourche tampoco era gran cosa como ciudad: pobre, sucia y medio deshabitada, se venía abajo lentamente. Los jóvenes con un mínimo de talento se marchaban corriendo a la primera ocasión en busca de ciudades mayores y con mejores oportunidades, dejando atrás a los perdedores. Tras cuatro generaciones así, ¿cuál era el resultado? Malfourche. Betterton había crecido en un sitio como ese. El problema era que no había corrido lo bastante. Mentira: seguía corriendo, corriendo como alma que lleva el diablo, pero no llegaba a ninguna parte.

Al menos el café era decente y una vez dentro se sintió como en casa. Tenía que admitirlo, le gustaban los antros como aquel, con sus recias camareras, camioneros vociferando en el mostrador, grasientas hamburguesas, pedidos a cocina reclamados a gritos y fuerte olor a café.

Había sido el primer miembro de su familia en graduarse en el instituto, por no hablar de la universidad. Siendo niño, un niño pobre y raquítico, había crecido con su madre, mientras su padre cumplía condena por haber robado en una planta embotelladora de Coca-Cola: veinte años, gracias a un fiscal ambicioso y a un juez implacable. Su padre había muerto de cáncer en la trena, pero Betterton sabía que el cáncer se lo había provocado la desesperación de verse encerrado. Y a su vez, la muerte de su padre había llevado a su madre a la tumba.

El resultado de todo ello era que Betterton tendía a considerar que todo aquel que disfrutaba de una posición de autoridad era un hijo de puta, mentiroso y egoísta. Por esa razón se había inclinado hacia el periodismo, donde suponía que podría luchar contra esa clase de gente con armas de verdad. El problema era que, con su licenciatura en comunicación de la universidad estatal, el único empleo que había encontrado era en el *Ezerville Bee* y allí llevaba los últimos cinco años, intentando saltar a un periódico más importante. El *Bee* era basura, una simple excusa para colocar anuncios que se distribuía gratuitamente y se amontonaba en gasolineras y supermercados. Su propietario y editor, Zeke Kranston, tenía un miedo atroz a ofender a cualquiera que tuviera la más remota posibilidad de insertar un anuncio en el diario; de modo que nada de reportajes de investigación ni artículos comprometedores. «El trabajo del *Ezerville Bee* es vender anuncios», solía decir Kranston después de quitarse el palillo que parecía pegado a su labio inferior. «No trates de destapar otro Watergate. Solo conseguirás fastidiar a los lectores y cargarte el negocio.» Como resultado, el libro de recortes de Betterton parecía sacado de *Woman's World*: anuncios de perros rescatados, avisos de las ventas de pasteles de la iglesia, resúmenes de los partidos de fútbol del colegio y de las reuniones de amas de casa. Con un currículo así, no era de extrañar que no lo contrataran en ningún periódico de verdad.

Betterton meneó la cabeza. Estaba convencido de que no iba a quedarse el resto de su vida en Ezerville, y la única manera de salir de Ezerville era encontrar una exclusiva. Poco importaba si se trataba de un crimen, de una historia de interés social o de alienígenas con armas que lanzaban rayos. Una historia como Dios manda. Eso era lo único que necesitaba.

Apuró el café, pagó y salió al sol de la mañana. Soplaba una brisa proveniente de las marismas de Black Brake especialmente cálida y maloliente. Subió al coche, puso en marcha el motor y conectó el aire acondicionado a toda potencia. Pero no fue a ninguna parte. Todavía no. Primero debía sumergirse en aquella historia, darle vueltas. Tras muchas promesas y dificultades, había logrado convencer a Kranston para que le dejara cubrirla. Se trataba de un curioso asunto de interés humano y podía convertirse en el primer trabajo de auténtico periodismo de su currículo. Estaba decidido a aprovechar la ocasión cuanto diera de sí.

Se quedó un rato en el frescor del coche repasando lo que iba a decir y las preguntas que iba a formular e intentando anticipar las objeciones que sin duda iba a oír. Cinco minutos después, estaba preparado. Se peinó el lacio cabello y se enjugó el sudor de la frente. Echó un vistazo al mapa que había sacado de internet, arrancó, hizo un giro de ciento ochenta grados y puso rumbo a las afueras de la ciudad.

A pesar de no cubrir más que asuntos triviales, había aprendido a prestar atención a los rumores y cuchicheos más insignificantes; a cualquier cosa, por trivial que fuera. Y así se había enterado de la historia de la misteriosa pareja, de su desaparición, años atrás, y de su repentina reaparición, hacía unos pocos meses, con un fingido suicidio de por medio. Una visita a la comisaría local aquella mañana le había confirmado la veracidad de los rumores; y el informe de la policía, completamente rutinario, más que darle respuestas, le había suscitado aún más preguntas.

Miró el mapa y luego las hileras de patéticas casas de madera que bordeaban ambos lados de la carretera llena de baches. Allí estaba: un pequeño bungalow, pintado de blanco y rodeado de magnolias.

Detuvo el coche en la cuneta, paró el motor y dedicó otro minuto a prepararse mentalmente. Luego salió, se alisó la americana sport y caminó con paso decidido hasta la puerta. No había timbre, solo una aldaba. La cogió y llamó con un golpe firme.

Oyó como resonaba en el interior de la vivienda. Por un

momento, nada. Al cabo de poco, ruido de pasos que se acercaban. La puerta se abrió y una mujer alta y esbelta apareció en la entrada.

—¿Sí?

Betterton no había supuesto nada, pero lo último que esperaba era que fuera hermosa. No era joven, claro, pero sí muy atractiva.

—¿La señora Brodie? ¿June Brodie?

La mujer lo miró de arriba abajo con sus fríos ojos azules.

—Sí, soy yo.

—Me llamo Betterton. Soy reportero del *Ezerville Bee* y me preguntaba si sería usted tan amable de concederme unos minutos de su tiempo.

—¿Quién es, June? —preguntó una voz masculina y chillona desde el interior.

«Bien, están los dos en casa», pensó Betterton.

—No tenemos nada que decir a la prensa —contestó June Brodie, y a continuación dio un paso atrás y se dispuso a cerrar la puerta.

Betterton metió rápidamente el pie entre ella y el marco.

—Por favor, señora Brodie, ya sé casi todo lo que hay que saber. He estado en la comisaría, y figura todo en los archivos. Es de dominio público, así que voy a publicar la historia. Únicamente quería ofrecerle la oportunidad de que diera su versión.

Ella lo observó un momento. Betterton tuvo la impresión de que lo traspasaba con su inteligente mirada.

—¿De qué historia me está hablando?

—De cómo fingió su suicidio y desapareció sin dejar rastro durante un montón de años.

Se hizo un breve silencio, luego Betterton oyó que la voz del hombre decía:

—¿June?

La señora Brodie abrió la puerta y se hizo a un lado.

Rápidamente, antes de que pudiera desdecirse, Betterton

entró. Justo delante había un ordenado salón que olía ligeramente a naftalina y cera de parquet. La habitación estaba prácticamente vacía: un sofá, dos sillas y una mesa auxiliar sobre una pequeña alfombra persa. Sus pisadas resonaron en el parquet. Parecía una casa en la que sus moradores acababan de instalarse. No tardó en comprender que ese era exactamente el caso.

Un hombre menudo, de tez pálida y complexión débil salió al vestíbulo sosteniendo una bandeja en una mano y un trapo en la otra.

—¿Quién era...? —Se interrumpió al ver al desconocido.

—Es el señor Betterton —dijo la señora Brodie—. Es periodista.

El hombre menudo miró a su esposa, luego a Betterton y de nuevo a su esposa con expresión repentinamente hostil.

—¿Y qué quiere?

—Está escribiendo un artículo sobre nosotros, sobre nuestro regreso.

En la voz de la mujer había algo —no era burla, tampoco sarcasmo— que hizo que Betterton se sintiera un tanto nervioso.

El hombre dejó la bandeja en la mesita auxiliar. Era tan tosco como elegante era su mujer.

—¿Es usted Carlton Brodie? —preguntó Betterton.

El otro asintió.

—¿Por qué no nos dice lo que sabe o lo que cree saber? —preguntó June Brodie. No le ofreció asiento ni nada de beber.

Betterton se pasó la lengua por los labios.

—Sé que hace más de doce años su coche apareció abandonado en el puente Archer y que dentro había una nota de suicidio escrita de su puño y letra que decía: «No puedo soportarlo más. Perdóname». Las autoridades dragaron el río pero no encontraron ningún cuerpo. Unas semanas más tarde la policía fue a ver a su marido y se enteró de que había salido de viaje con destino y duración desconocidas. Esa fue la última vez que alguien oyó hablar de los Brodie, hasta que reaparecieron aquí, hace unos meses, como surgidos de la nada.

—Como resumen no está mal —dijo la señora Brodie—, pero como artículo no es gran cosa, ¿no cree?

—Al contrario, señora, es una historia fascinante, y creo que los lectores del *Bee* opinarán lo mismo. ¿Qué pudo llevar a una mujer a cometer semejante acto? ¿Dónde ha estado todo este tiempo? ¿Y por qué ha reaparecido de repente después de más de una década?

June Brodie frunció el entrecejo pero no dijo nada. Siguió un silencio breve e incómodo.

El señor Brodie suspiró.

—Escuche, joven, me temo que nada de esto es tan interesante como usted cree.

—No te molestes en aclárárselo, Carlton —dijo la mujer.

—Al contrario, cariño. Creo que es mejor si lo explicamos una vez y después callamos para siempre. Si no cooperamos, solo conseguiremos prolongar el asunto. —Se volvió hacia Betterton—. En aquella época, nuestro matrimonio pasaba por un mal momento.

El reportero asintió.

—Nos iban mal las cosas —siguió el señor Brodie—. El jefe de June murió en un incendio, y ella perdió su trabajo en Longitude Pharmaceuticals cuando la empresa quebró. June estaba desesperada, medio loca. Tenía que alejarse..., alejarse de todo. Y yo también. Fingir un suicidio fue una tontería, pero en aquellos momentos nos pareció que no teníamos otra opción. Yo me reuní con ella más tarde. Decidimos viajar y un día nos detuvimos en un hotelito que nos encantó y que resultó que estaba en venta. Fue amor a primera vista. Lo compramos y lo regentamos durante años. Pero..., bueno, nos hemos hecho mayores y más sabios, y las cosas ya no están tan mal, así que decidimos volver a casa. Eso es todo.

—Eso es todo —repitió Betterton con voz hueca.

—Si ha leído el informe de la policía, ya estará al corriente de todo. Hubo una investigación, por supuesto. Todo ocurrió hace mucho tiempo. No hubo ningún fraude, no fue un intento de eludir deudas ni de burlar a la compañía de seguros. No hicimos nada ilegal, así que dejaron correr el asunto. Ahora lo único que deseamos es vivir aquí, tranquilamente y en paz.

Betterton sopesó todo aquello. El informe de la policía hablaba de un hotel, pero no daba detalles.

—¿Dónde estaba ese hotelito?

—En México.

—¿Dónde de México?

Un breve momento de duda.

—En San Miguel de Allende. Nos enamoramos del lugar en cuanto lo vimos. Es una ciudad de artistas en las montañas del centro de México.

—¿Y cómo se llama el hotel?

—Casa Magnolia. Un sitio precioso. Se podía ir paseando hasta el Mercado de Artesanías.

Betterton suspiró. No se le ocurría nada más que preguntar, y la franqueza del señor Brodie lo había dejado sin pistas que seguir.

—Está bien —dijo—, le agradezco su buena disposición.

Como toda respuesta, Brodie asintió y recogió la bandeja y el trapo.

—Si se me ocurre alguna pregunta..., ¿puedo volver a llamarlos?

—Creo que no —respondió secamente la señora Brodie—. Que tenga un buen día.

Mientras regresaba a su vehículo, Betterton no dejó que el abatimiento lo venciera. Seguía siendo una buena historia. No era la exclusiva del siglo, de acuerdo, pero despertaría el interés de la gente y destacaría en su currículo. Una mujer que fingía suicidarse y cuyo marido se reunía con ella en el extranjero para regresar juntos al cabo de los años. Sí, era una historia de interés humano con una pizca de misterio. Con un poco de suerte, tal vez las agencias de noticias se interesaran por ella.

—Ned, granuja —se dijo mientras abría la puerta del coche—, no será el Watergate, de acuerdo, pero quizá te ayude a sacar tu patético culo de Ezerville.

June Brodie se quedó junto a la ventana, observando impasible con sus fríos ojos azules, hasta que el coche desapareció en la distancia. Luego se volvió hacia su marido.

—¿Crees que se lo habrá tragado? —preguntó.

Carlton Brodie estaba limpiando la bandeja de porcelana.

—La policía se lo tragó, ¿no?

—Con ellos no teníamos elección, pero ahora es del dominio público.

—Ya lo era.

—Sí, pero no del dominio público de los periódicos.

Brodie soltó una risita.

—Creo que estás dando demasiada importancia al *Ezerville Bee*. —Se interrumpió y miró a su mujer—. ¿Qué pasa?

—¿No te acuerdas de lo que decía Charles, lo asustado que estaba? Siempre insistía en que debíamos permanecer escondidos. «No asoméis la cabeza», nos decía. «No deben saber que estamos vivos, de lo contrario vendrán por nosotros.»

—¿Y?

—¿Qué pasará si lo leen en los periódicos?

Brodie rió de nuevo.

—June, por favor. No hay ningún «ellos». Slade era viejo y estaba enfermo, mentalmente enfermo, chalado perdido. Confía en mí, esto nos beneficia. Que se sepa, y que se sepa a nuestra manera: sin demasiados rumores ni especulaciones. Es mejor cortarlo de raíz. —Regresó a la cocina sin dejar de frotar la bandeja.

15

Cairn Barrow, Escocia

D'Agosta, sentado al volante del Ford de alquiler, contemplaba desconsoladamente los interminables y parduscos páramos. Desde la altura donde había aparcado, parecían extenderse en un brumoso infinito. Y, a juzgar por la suerte que había tenido hasta el momento, bien podían no acabar nunca y guardar sus siniestros secretos para siempre.

Se sentía más débil que nunca. Incluso entonces, después de siete meses, la herida de bala seguía dejándolo sin aliento tras algo tan sencillo como subir un tramo de escalera o caminar por la terminal de un aeropuerto. Aquellos últimos tres días en Escocia se lo habían recordado continuamente. Gracias al amable y competente inspector jefe Balfour, había visto todo lo que había que ver, había leído todas las transcripciones oficiales, las declaraciones y los informes forenses. Había visitado la escena del tiroteo y había hablado con los empleados de Kilchurn Lodge. Había visitado todas las granjas, graneros, cabañas de piedra, marismas, quebradas y valles en un radio de treinta kilómetros de aquel lugar dejado de la mano de Dios. Todo en vano. Y había resultado agotador. Más que agotador.

El clima, frío y lloviznoso, de Escocia no había constituido una ayuda. Sabía que las islas Británicas podían ser húmedas, pero no había visto el sol desde que había salido de Nueva York.

La comida era espantosa, ni un plato de pasta en kilómetros a la redonda. La noche de su llegada lo habían convencido para que probara una especialidad escocesa llamada *haggish* y su sistema digestivo no había vuelto a ser el mismo desde entonces. Kilchurn Lodge era bastante elegante, pero había corrientes, el frío se le había metido en los huesos y había conseguido que la herida volviera a dolerle.

Miró nuevamente por la ventanilla y dejó escapar un suspiro. Lo último que le apetecía era volver al páramo. Sin embargo, la noche anterior, en una taberna, había oído hablar de una pareja de ancianos —locos o simplemente un poco idos, según quien lo contara— que vivían en una casa de piedra en el páramo, no lejos de las Insh Marshes. Criaban ovejas, cultivaban sus propios alimentos y casi nunca aparecían por el pueblo. Por lo que le habían contado, no había ninguna carretera que llevara a la casa, solo un camino de tierra señalado por mojones de piedra. Se hallaba en medio de ninguna parte, lejos de la carretera y a veinte kilómetros del lugar donde había ocurrido el tiroteo. D'Agosta sabía que era imposible que Pendergast, estando gravemente herido, hubiera podido cubrir semejante distancia. Sin embargo, comprobar aquella pista antes de volver a Nueva York era algo que debía a su viejo amigo y a sí mismo.

Echó un último vistazo al mapa topográfico que llevaba, lo dobló y se lo guardó en el bolsillo. Mejor ponerse en marcha lo antes posible. El cielo se estaba encapotando y unas nubes amenazadoras llegaban por el oeste. Vaciló una vez más y, haciendo un esfuerzo enorme, salió del coche, se abrochó el impermeable y echó a andar.

El camino no tenía pérdida: era un sendero de tierra y gravilla que serpenteaba entre la hierba y el brezo. En la distancia divisó el primer mojón. No era el habitual montón de piedras, sino una estrecha losa de granito clavada en el suelo. Al acercarse vio que tenía algo grabado.

Era el nombre de la casa que habían mencionado en la taberna. Soltó un gruñido de satisfacción. Seis kilómetros. Tomándoselo con calma tardaría un par de horas. Siguió caminando; el viento le daba en la cara, la grava crujía bajo sus nuevas botas de montaña. Iba equipado contra el frío y tenía por delante más de siete horas de luz diurna.

Durante el siguiente kilómetro y medio el sendero discurrió por terreno firme, siguiendo una ligera elevación que se adentraba en las marismas. D'Agosta respiraba regularmente, sorprendido y complacido por el hecho de que el ir y venir de aquellos días parecía haberlo fortalecido, a pesar de su debilidad y del dolor de la herida. El sendero estaba bien señalizado: grandes hitos de granito hundidos en el terreno servían de guía.

A medida que se adentraba en las marismas, la pista se fue difuminando, aunque los hitos seguían siendo visibles cada doscientos metros. Cuando llegaba a uno, D'Agosta hacía una pausa, oteaba el paisaje hasta que localizaba el siguiente y reemprendía la marcha. A pesar de que el terreno parecía relativamente llano y abierto, se dio cuenta de que había muchas irregularidades que hacían difícil mantener una línea recta.

Cuando dieron las once, el camino empezó a descender ligeramente hacia una zona de lodazales. A lo lejos, a su izquierda, vio una oscura línea que, según su mapa, señalaba la linde de las Insh Marshes. El viento había cesado. La niebla se acumulaba en las hondonadas y extendía su velo sobre las oscuras ciénagas. El cielo se oscureció con la llegada de más nubes.

«Demonios», se dijo D'Agosta mirando a lo alto. La maldita llovizna escocesa había vuelto a empezar.

Siguió adelante. De repente, una tremenda racha de viento interrumpió la llovizna. La oyó antes de que llegara —un gemido que barría el páramo aplastaba el brezo a su paso—, y entonces el viento lo azotó, tiró de su impermeable y amenazó con arrancarle el sombrero. Gruesas gotas de lluvia empezaron a martillear el suelo. Las brumas, hasta ese momento confinadas en las hondonadas, parecieron convertirse en nubes y empezaron a correr por los páramos; aunque quizá era que el cielo se había desplomado.

D'Agosta miró la hora. Casi mediodía.

Se detuvo a descansar junto a una roca. No había vuelto a ver más indicaciones de Glims Holm, pero calculó que llevaba caminados casi cinco kilómetros. Le quedaba uno. Examinó con la mirada el paisaje que se abría ante él y no vio nada que pudiera parecerse a una casa. Una nueva racha de viento lo zarandeó, y las gotas de lluvia le azotaron el rostro.

«Hijo de puta», maldijo para sí al tiempo que hacía un esfuerzo para levantarse. Comprobó el mapa pero no le sirvió de gran cosa; en el terreno no había marcas visibles ni referencias que le permitieran calcular su avance.

Era ridículo que alguien pudiera vivir allí. Aquel par de ancianos tenían que estar algo más que un poco idos, debían de estar locos de remate. Aquella caminata carecía de sentido. Era imposible que Pendergast hubiera podido llegar tan lejos.

La lluvia siguió cayendo, constante y con fuerza. Cada vez era más oscuro, hasta tal punto que casi parecía que se hubiera hecho de noche. El camino se desdibujaba por momentos, con amenazadoras ciénagas a ambos lados, y en algunos lugares cruzaba humedales entre troncos y cantos rodados. Entre la lluvia, la niebla y la oscuridad, a D'Agosta le costaba cada vez más localizar el siguiente hito, y tenía que escrutar el paisaje durante largo rato hasta que lograba divisarlo.

¿Cuánto faltaba? Miró nuevamente el reloj. Las doce y media. Llevaba caminando dos horas y media. La casa tenía que estar allí mismo, pero ante él solo veía retazos de la gris llanura surgiendo aquí y allá entre la niebla.

Deseó ardientemente que hubiera alguien en la casa, además de un buen fuego y una taza de té bien caliente. Empezaba a notar un frío gélido y penetrante a medida que la lluvia se abría paso en sus ropas. Se había equivocado. Al dolor constante de la herida se había sumado una punzada que de vez en cuando le recorría la pierna. Se preguntó si debía volver a detenerse y descansar, pero pensó que tenía que estar a punto de llegar. Si hacía una parada, el frío le entumecería los miembros.

Se detuvo. El sendero terminaba en un gran lodazal. Miró en derredor en busca de algún hito que pudiera servirle de guía pero no vio ninguno. «Maldita sea», se dijo. No había prestado atención. Se volvió y observó el camino por el que había llegado. No parecía un camino, sino una serie de zonas peladas. Empezó a volver sobre sus pasos y al poco se detuvo. De repente tenía ante sí dos posibles rutas. Se agachó y examinó el terreno, pero en la superficie, inundada por la lluvia, no logró hallar el rastro de sus pisadas. Se enderezó y oteó el horizonte en busca de alguna delatora punta de granito. No vio nada salvo grises lodazales y jirones de niebla.

Respiró hondo. Los hitos estaban espaciados unos doscientos metros, y no podía hallarse a más de cien del último. Debía avanzar despacio, mantener la cabeza fría, tomarse las cosas con calma y llevar su maldito culo de vuelta al hito anterior.

Tomó la bifurcación de la derecha y avanzó lentamente; cada pocos metros se detenía para otear en busca del hito. Cuando llevaba recorridos unos cincuenta metros, llegó a la conclusión de que aquel no era el camino por donde había llegado; a esas alturas ya tendría que ver el hito. Bien, tomaría el otro sendero. Siguió sobre sus pasos unos cincuenta metros, pero, por alguna misteriosa razón, no encontró el desvío que lo había desconcertado. Siguió adelante un poco más, pensando que había calculado mal la distancia, pero lo que halló fue que el sendero moría en una nueva ciénaga.

Se detuvo e intentó controlar la respiración. De acuerdo; se había extraviado. Pero no podía haberse extraviado tanto. Tenía que hallarse a unos cien o doscientos metros del último hito.

Lo que tenía que hacer era mirar alrededor. No se movería hasta que se hubiera orientado y supiera hacia dónde debía ir.

La lluvia arreciaba; notó un frío hilillo de agua que le recorría la espalda. Hizo caso omiso de esa sensación y repasó la situación. Parecía hallarse en una hondonada. El horizonte debía de hallarse a un par de kilómetros en todas direcciones, pero era difícil estar seguro con todos esos bancos de niebla que no dejaban de moverse. Empezó a sacar el mapa del bolsillo pero lo volvió a guardar. ¿De qué podía servirle? Se maldijo por no haber llevado una brújula. Al menos con ella habría podido determinar su situación. Miró el reloj: la una y media. Faltaban unas tres horas para la puesta de sol.

—¡Mierda! —dijo en voz alta, y después gritó—: ¡Mierda!

Aquello hizo que se sintiera mejor. Localizó un punto en el horizonte y lo escrutó, por si era un hito. Y lo era, un distante y vertical arañazo en la cambiante bruma.

Caminó hacia él, saltando de pedregal en pedregal, pero los lodazales conspiraban para cortarle el camino. Se vio obligado a retroceder y buscar rutas alternativas hasta que, de repente, se encontró en una especie de isla serpenteante en medio de las marismas. ¡Y encima podía ver aquella maldita losa a menos de doscientos metros de distancia!

Se acercó a un punto donde la ciénaga se estrechaba y examinó el camino que seguía al otro lado: una zona arenosa que ascendía hacia el hito. Sintió un alivio enorme. Tanteando con el pie, buscó por dónde vadear. Al principio le costó encontrar un paso, pero al rato se dio cuenta de que en cierto punto el lodazal estaba sembrado de isletas lo bastante próximas para permitirle cruzar. Respiró hondo y apoyó un pie en el primer montículo, le pareció firme y saltó. Repitió la maniobra en el siguiente y fue saltando así de isleta en isleta. El fangoso suelo hacía ruidos de succión y a veces burbujeaba cuando el peso de D'Agosta reventaba alguna bolsa de gas.

Casi lo había logrado. Alargó la pierna para atravesar el último tramo del cenagal, lo apoyó en la siguiente isleta, se impulsó hacia delante y... perdió el equilibrio. Lanzando un grito de desesperación, intentó saltar para alcanzar la orilla pero se quedó corto y cayó en la charca con todo su peso.

Cuando el lodo empezó a treparle por los muslos, sintió que un pánico ciego y desesperado se apoderaba de él. Lanzando otro grito, intentó liberar una pierna, pero el movimiento solo consiguió que se hundiera un poco más. Su mente era puro terror. Levantó la otra pierna y el resultado fue el mismo. El forcejeo no hacía sino hundirlo más en la gélida presión del fango. A su alrededor empezaron a brotar burbujas que ascendían desde el fondo y lo envolvían con sus miasmas.

—¡Socorro! —gritó, y la pequeña parte de su cerebro que no era presa del pánico se dio cuenta de lo estúpido que era gritar de ese modo—. ¡Socorro!

El lodo le llegaba por encima de la cintura. Agitó frenéticamente los brazos, intentando impulsarse hacia arriba, pero sus brazos quedaron atrapados en la masa viscosa y se hundió un poco más. Era como si le hubieran colocado una camisa de fuerza. Intentó liberar al menos un brazo, pero no pudo; se sentía como una mosca atrapada en la miel, hundiéndose lenta e inexorablemente.

—¡Ayuda, por el amor de Dios! —gritó con todas sus fuerzas, y su voz resonó en el desierto páramo.

«Idiota, deja de moverte», le dijo la parte todavía racional de su cerebro. Cada gesto contribuía a hundirlo un poco más. Haciendo un esfuerzo sobrehumano, convirtió su pánico en sumisión.

«Llénate los pulmones de aire. Espera. No te muevas.»

La presión del fango en el pecho dificultaba el respirar. El fango le llegaba a los hombros; pero, sin moverse y permaneciendo totalmente quieto, parecía que casi había dejado de hundirse. Aguardó e intentó no pensar en la angustiosa sensación del lodo subiéndole por la garganta. Al fin se estabilizó. Permaneció inmóvil bajo la lluvia hasta que se dio cuenta de que ya no se hundía; se mantenía en un equilibrio estable.

Y no solo eso. Se hallaba a metro y medio de la orilla y el camino.

Con una lentitud exagerada y manteniendo los dedos extendidos, empezó a levantar un brazo; liberándolo despacio de la viscosa masa que lo envolvía, daba tiempo a que el lodo fluyera a medida que lo alzaba y evitaba así la succión.

Milagro. Lo había conseguido. Entonces se inclinó hacia delante con sumo cuidado. Cuando el pegajoso fango le acarició el cuello sintió una punzada de pánico, pero al sumergir el torso notó que el efecto de flotación se incrementaba en sus extremidades inferiores y tuvo la sensación de que quizá había ascendido ligeramente. Se inclinó más y sus pies reaccionaron subiendo. Sumergió parte de la cabeza en el lodo, lo cual aumentó el efecto: sus piernas flotaron más y empujaron el resto del cuerpo hacia la orilla. Manteniéndose lo más relajado posible, siguió inclinándose hacia delante con insoportable lentitud y, justo cuando empezaba a hundir la nariz en el fango, logró alargar el brazo y sujetarse a una rama de brezo.

Tirando lenta pero constantemente, pudo arrastrar su cuerpo hasta la orilla del cenagal hasta que consiguió descansar el pecho en la hierba. Solo entonces retiró el otro brazo, muy despacio, para aferrar otro matorral y tirar con ambas manos hasta hallarse en tierra firme.

Permaneció tumbado en el suelo mientras lo embargaba una inenarrable sensación de alivio; su corazón recobraba su ritmo normal y la lluvia le limpiaba el barro.

Al cabo de unos minutos, se sintió con fuerzas para incorporarse y levantarse. El frío se le había metido en los huesos, los dientes le castañeteaban y goteaba un barro hediondo. Levantó el brazo y dejó que la lluvia le limpiara el reloj: las cuatro.

«¡Las cuatro!», se dijo. No era de extrañar que hubiera oscurecido. En aquellas latitudes tan septentrionales, el sol se ponía temprano.

Temblaba descontroladamente. El viento soplaba con fuerza, y la lluvia arreciaba. En la distancia oyó el rugido de un trueno. No tenía linterna, ni siquiera llevaba un mechero. Aquello era una locura. Podía sufrir una hipotermia. Gracias a Dios, había logrado encontrar el camino. Forzando la vista en la penumbra, logró distinguir el hito que tanto esfuerzo le había costado alcanzar.

Tras quitarse de encima todo el barro que pudo, echó a andar precavidamente hacia allí. Sin embargo, a medida que se acercaba, vio que algo no encajaba. Era demasiado delgado. Cuando por fin llegó, se dio cuenta de lo que era en realidad: el tocón de un árbol muerto, pelado y erosionado por los elementos.

D'Agosta lo miró incrédulo. ¡Un maldito tronco en medio de ninguna parte y a kilómetros de distancia del árbol vivo más próximo! De haber pasado por allí antes, lo recordaría.

Pero ¿acaso no había encontrado el camino?

Miró a su alrededor y se dio cuenta de que lo que había tomado por un camino no eran más que unas cuantas zonas de arena y grava aisladas entre las ciénagas.

Se estaba haciendo de noche y el frío era cada vez más intenso. Quizá incluso helara.

D'Agosta empezó a tomar conciencia de la colosal estupidez que había cometido al aventurarse por su cuenta en las marismas. Seguía estando débil, no tenía ni linterna ni brújula y llevaba rato sin comer. Su preocupación por Pendergast lo había arrastrado a correr riesgos disparatados y a poner su vida en peligro.

¿Qué podía hacer? Estaba tan oscuro que intentar proseguir sería suicida. El paisaje se había convertido en una masa gris e informe donde resultaba imposible distinguir hito alguno. Nunca había tenido tanto frío. Era como si se le estuviera helando la médula de los huesos.

Tendría que pasar la noche en el páramo.

Miró en derredor y vio, no lejos de allí, un par de rocas grandes. Se acercó, tiritando y con los dientes castañeteando, y se acurrucó entre ellas, resguardado del viento. Intentó hacerse lo más pequeño posible, se encogió en posición fetal y metió las manos en las axilas. La lluvia le caía por la espalda y le corría en hilillos por el cuello y la cara. Entonces se dio cuenta de que no era lluvia sino aguanieve.

Justo cuando creía que no podría seguir soportando aquel frío, empezó a notar un calorcillo interior. Era increíble: la estrategia estaba funcionando y su cuerpo respondía. Se adaptaba a ese frío intenso. El calor nacía en lo más profundo de su ser y radiaba hacia fuera. Se sentía adormilado y extrañamente tranquilo. Después de todo, bien podía conseguir pasar la noche allí. Por la mañana saldría el sol y reemprendería el camino sin más contratiempos.

El calor lo envolvía, y dejó vagar su mente. Aquello iba a ser pan comido. Ni siquiera notaba la herida de bala.

Se había hecho de noche y tenía muchísimo sueño. Le sentaría bien dormir un rato, así las horas de oscuridad pasarían mucho más deprisa. El aguanieve dejó de caer. Menuda suerte. No, había empezado a nevar. Bueno, por lo menos el viento había cesado. Dios, qué sueño tenía...

Entonces, al cambiar ligeramente de posición, la vio: una débil luz, amarilla y oscilante, en un mar de oscuridad. ¿Acaso estaba sufriendo alucinaciones? Tenía que ser Glims Holm. ¿Qué otra cosa podía ser? Y no estaba demasiado lejos. Debía intentar llegar.

Pero no, se sentía tan agradablemente adormilado que le pareció mejor pasar la noche allí. Iría por la mañana. Era bueno saber que estaba cerca. Por fin podía dormirse en paz. Poco a poco fue sumergiéndose en el cálido mar de la nada.

16

Antigua, Guatemala

El hombre del traje de lino y sombrero panamá estaba sentado en la terraza del restaurante disfrutando de un tardío desayuno de huevos rancheros con salsa de jalapeños. Desde su privilegiada posición podía ver el verdeante Parque Central, con sus turistas y sus niños reunidos alrededor de la reconstruida fuente. Más allá se alzaba el Arco de Santa Catalina, cuyo pórtico y campanario, con su color amarillo oscuro, encajaba mejor en el paisaje veneciano que en el guatemalteco. Y más lejos aún, tras los edificios color pastel y los tejados de teja, se alzaban enormes volcanes, cuyas oscuras cimas quedaban tapadas por las nubes.

A pesar de la hora, la música emergía de las ventanas abiertas. Los coches circulaban levantando alguna que otra nube de polvo.

Era una cálida mañana, así que el hombre se quitó el sombrero y lo dejó en la mesa. Era alto e imponente, y el traje de lino no conseguía disimular su poderoso físico de culturista. Sus movimientos eran lentos, casi estudiados, pero sus claros ojos estaban alertas, se fijaban en todo sin perder detalle. Su piel bronceada contrastaba con su abundante cabello blanco. Eso y sus felinos movimientos hacían que resultara difícil calcular su edad: tal vez cuarenta, o tal vez cincuenta.

La camarera le retiró el plato y él le dio las gracias en correcto español. Miró alrededor una vez más, metió la mano en la gastada cartera que tenía entre las piernas y sacó un delgada carpeta. Tomó un sorbo de granizado de café, encendió un cigarrillo con un mechero de oro y abrió la carpeta preguntándose por la urgencia de su entrega. Normalmente aquellas cosas seguían los canales preestablecidos: servicios de reenvío o archivos encriptados que se almacenaban en una nube de alta seguridad de internet. Sin embargo aquello se lo había entregado en mano uno de los pocos mensajeros que utilizaba la organización.

Supuso que era la única manera de estar cien por cien seguros de que llegaba a sus manos.

Tomó otro sorbo de café, dejó el cigarrillo en un cenicero de cristal y se enjugó el sudor de la frente con el pañuelo de seda que sacó del bolsillo superior de su americana. A pesar de los años que llevaba viviendo en climas tropicales, nunca se había acostumbrado al calor. A menudo tenía sueños —extraños sueños— acerca de los veranos de su infancia en la vieja cabaña de caza de las afueras de Königswinter, con sus vistas de los montes Siebengebirge y el valle del Rin.

Guardó el pañuelo y abrió la carpeta. Contenía un único recorte de prensa impreso en una rotativa con un papel de la peor calidad. A pesar de que estaba fechado hacía pocos días, ya empezaba a amarillear. Procedía de un diario con un nombre ridículo: el *Ezerville Bee*. Leyó el titular y el párrafo de arranque.

PAREJA MISTERIOSA REAPARECE
TRAS AÑOS ESCONDIDA

Por Ned Betterton
Malfourche, Mississippi. – Hace doce años, una mujer llamada June Brodie, deprimida tras haber perdido su empleo de secretaria ejecutiva en Longitude Pharmaceuticals, se quitó aparentemente la vida saltando por el puente Archer tras dejar una nota de suicidio en su coche.

El hombre dejó el recorte con dedos tranquilos.

—*Scheisse!** —exclamó por lo bajo antes de leer el artículo de cabo a rabo dos veces.

Luego lo dobló, lo dejó sobre la mesa y contempló la plaza a su alrededor. Sacó el encendedor del bolsillo, prendió fuego al recorte y lo dejó arder en el cenicero. Lo observó hasta que tuvo la seguridad de que se había quemado del todo y después aplastó las cenizas con la colilla de su cigarrillo. Suspiró, sacó un móvil del bolsillo y marcó una larga secuencia de números.

La llamada fue respondida al primer tono.

—*Ja?* —dijo la voz.

—¿Klaus? —preguntó el hombre.

Oyó que el del otro lado de la línea reconocía su voz y se ponía firmes.

—Buenos días, señor Fischer.

—Tengo un trabajo para ti, Klaus —dijo el hombre en español.

—Desde luego, señor.

—Se dividirá en dos fases: la primera será investigativa; la segunda implicará mojarse. Empezarás de inmediato.

—Estoy a sus órdenes.

—Bien, volveré a llamarte esta noche desde Ciudad de Guatemala y entonces te daré las instrucciones.

A pesar de que la línea era segura, Klaus formuló su pregunta en clave.

—¿De qué color es la bandera de ese trabajo?

—Azul.

—Considérelo ya mismo un éxito, señor Fischer —dijo Klaus con firmeza.

—Sé que puedo contar contigo —dijo el hombre, y colgó.

---

* En alemán, «mierda». *(N. del T.)*

17

El Foulmire, Escocia

D'Agosta se sentía increíblemente cómodo, como si flotara en una cálida marea. Sin embargo, a pesar de hallarse en aquel estado de duermevela, la parte racional de su cerebro volvió a hablar. Solo pronunció una palabra: «Hipotermia».

¿Qué más le daba?

«Te estás muriendo.»

La voz era como una persona pesada incapaz de callar y de cambiar de tema. Pero hablaba tan alto y metía tanto miedo que D'Agosta volvió lentamente a la realidad. «Hipotermia.» Sí, tenía todos los síntomas: un frío extremo seguido por una sensación de calor, un irrefrenable deseo de dormir y una total indiferencia.

Lo estaba aceptando.

«Te estás muriendo, idiota.»

Haciendo un esfuerzo titánico y lanzando un grito que apenas sonó, se puso en pie y empezó a golpearse el cuerpo. Se abofeteó el rostro un par de veces, violentamente, y notó una punzada de frío. Siguió golpeándose con tanta fuerza que perdió el equilibrio y se cayó. Se levantó de nuevo, dando vueltas como un animal herido.

Estaba tan débil que apenas podía tenerse en pie. El dolor le recorrió las piernas; sintió que la cabeza le estallaba. Empezó a patear el suelo en círculos mientras se azotaba los costados con los brazos, quitándose la nieve de encima, gritando a pleno pulmón, aullando, dando las gracias al dolor. El dolor significaba sobrevivir. Poco a poco recobró la lucidez de pensamiento. Saltó y saltó otra vez, sin apartar la mirada de aquella luz amarilla, agitando los brazos en la oscuridad. ¿Cómo llegaría hasta allí? Trastabilló y cayó de bruces a escasos centímetros de una ciénaga. Se levantó, hizo bocina con las manos y gritó:

—¡Socorro! ¡Socorro!

Su voz voló por el páramo desierto.

—¡Me he perdido! ¡Estoy intentado encontrar Glims Holm!

El hecho de gritar le ayudó enormemente. Notaba la circulación de la sangre y los latidos de su corazón.

«Ayuda, por favor.»

Entonces la vio: una segunda luz, junto a la primera, pero más brillante. Parecía moverse en la oscuridad, acercarse.

—¡Aquí! —gritó.

La luz se dirigió hacia él. D'Agosta comprendió que estaba más lejos de lo que pensaba. Parecía dar vueltas y a ratos desaparecía y luego reaparecía. La perdió de vista y volvió a gritar, presa del pánico:

—¡Aquí!

¿Lo habían oído o solo era una coincidencia? ¿Estaría viendo visiones?

—¡Estoy aquí! —berreó.

¿Por qué no le respondían? ¿Acaso también se habían ahogado en las marismas?

Y de repente la luz reapareció ante él. La persona que la llevaba le iluminó la cara y después la dejó en el suelo. En su resplandor, D'Agosta vio el rostro de una mujer de labios gruesos. Llevaba botas, anorak, guantes, bufanda y sombrero, bajo el cual asomaba una mata de cabello blanco. Tenía nariz aguileña y ojos azules y muy abiertos. En medio de la oscuridad y la niebla, era como una aparición.

—¿Se puede saber qué demonios...? —exclamó con voz áspera.

—Estoy buscando Glims Holm —contestó D'Agosta.

—Pues ya lo ha encontrado —repuso la mujer, y añadió con sarcasmo—: casi. —Recogió la lámpara y dio media vuelta—. Cuidado dónde pisa.

D'Agosta la siguió. Diez minutos después, la lámpara reveló el perfil de una casa con tejado de pizarra y chimenea; sus paredes de piedra, en su día encaladas, estaban casi totalmente cubiertas de liquen y moho.

La mujer abrió la puerta, y los dos entraron en un cálido y confortable salón. En un gran hogar de piedra ardía un magnífico fuego. Había cómodos sillones y butacas y una estufa de hierro colado. El suelo estaba cubierto de esteras; y las paredes, de estantes con libros, fotos y cornamentas de animales; todo iluminado por lámparas de queroseno.

A D'Agosta aquel calor le pareció la sensación más maravillosa que había experimentado en su vida.

—Desvístase —dijo la mujer en tono tajante mientras se dirigía hacia el fuego.

—Yo...

—¡Desvístase, diantre! —Fue a un rincón y cogió un gran cesto de mimbre—. Ponga aquí la ropa.

D'Agosta se quitó el impermeable y lo echó al cesto. Después hizo lo mismo con el empapado suéter, las botas, los calcetines y el pantalón. Se quedó en calzoncillos.

—Eso también —ordenó la mujer. Cogió un gran balde de cinc, lo llenó con agua caliente de un hervidor y lo dejó junto al fuego; luego puso al lado una esponja y una toalla.

D'Agosta esperó a que se diera la vuelta para quitarse los calzoncillos. El calor de las llamas resultaba de lo más agradable.

—¿Cómo se llama? —preguntó la mujer.

—D'Agosta, Vincent D'Agosta.

—Lávese. Le traeré ropa limpia. Es usted un poco grueso para que le quepa la ropa del señor, pero ya nos apañeremos.

Desapareció escalera arriba, y él la oyó moverse por el piso superior. También oyó la quejumbrosa voz de un viejo que no parecía precisamente contento.

La mujer volvió con unas cuantas prendas mientras él se limpiaba con la esponja. Se dio la vuelta y vio que lo miraba, y no exactamente a la cara.

—¡Menudo espectáculo para los ojos de una anciana! —Con una risa burlona, dejó la ropa en el suelo, añadió unos cuantos troncos al fuego y se ocupó de la estufa.

Avergonzado, D'Agosta acabó de limpiarse, se secó con la toalla y se vistió. La ropa pertenecía a alguien más alto y delgado, pero consiguió vestirse mal que bien, salvo que no pudo abrocharse el pantalón y tuvo que ceñírselo con un cinturón para que no se le cayera.

La mujer había puesto una cazuela al fuego y el ambiente se llenó con un delicioso olor a estofado de cordero.

—Siéntese. —Llenó un plato con estofado, cortó unas rebanadas de pan casero y lo puso todo ante D'Agosta—. Coma.

Este se llevó una cucharada a la boca y se quemó los labios.

—Está delicioso —dijo—. No sé cómo darle las gracias...

—Ya ha encontrado Glims Holm —lo interrumpió ella—. ¿Qué le trae por aquí?

—Estoy buscando a un amigo.

Ella lo miró fijamente.

—Hace unas cuatro semanas, un buen amigo mío desapareció cerca de las Insh Marshes, un poco más allá de un lugar al que llaman la Cabaña de Coombe. ¿Conoce esa zona?

—Sí.

—Mi amigo es estadounidense, igual que yo. Había salido de caza de Kilchurn Lodge y desapareció. Recibió un disparo por accidente. Dragaron las ciénagas en busca del cuerpo, pero no consiguieron recuperarlo. Conociendo a mi amigo, pensé que quizá había logrado salir.

El arrugado rostro de la mujer era la viva imagen de la suspicacia. Esa anciana era capaz de emocionarse, pero también poseía una astucia innata.

—La Cabaña de Coombe está a más de quince kilómetros de aquí, al otro lado de las marismas.

—Lo sé. Glims Holm es mi última esperanza.

—Pues por aquí no he visto a nadie.

A pesar de que sabía que su apuesta había sido muy arriesgada, D'Agosta se sintió abrumado por la decepción.

—Quizá su marido haya visto...

—Mi marido no sale. Está inválido.

—¿Y usted no ha visto a nadie en la distancia, alguien que...?

—No he visto un alma desde hace semanas.

Oyó una voz enfadada que llamaba desde el piso de arriba, pero el fuerte acento no le permitió entender lo que decía. La mujer frunció el entrecejo y subió. D'Agosta oyó las apagadas quejas del hombre y la seca réplica de la anciana. Cuando bajó, seguía igual de ceñuda.

—Hora de acostarse. Yo duermo abajo junto a la estufa. Usted tendrá que dormir en la buhardilla, con el señor. Hay mantas en el suelo.

—Gracias, no sabe cuánto le agradezco su ayuda.

—No moleste al señor. No se encuentra bien.

—No haré ruido.

La mujer hizo un breve asentimiento de cabeza.

—Buenas noches.

D'Agosta subió por la escalera, tan empinada que parecía una escalerilla. Llegó a una habitación pequeña, con el techo a dos aguas y débilmente iluminada por una lámpara de queroseno. En un rincón, bajo uno de los aleros, había una gran cama de madera. En ella distinguió la encogida forma del marido, una especie de pajarraco de nariz bulbosa y cabello blanco. El anciano lo miró con un solo ojo en el que brillaba cierta malevolencia.

—Mmm, hola —lo saludó D'Agosta, sin saber muy bien qué decir—. Lamento molestarlo.

—Y yo —fue la gruñona respuesta—. No haga ruido.

El viejo se volvió bruscamente y le dio la espalda.

Aliviado, D'Agosta se quitó la camisa y el pantalón prestados y se metió bajo la manta de un improvisado camastro. Apagó la lámpara de queroseno y se quedó tumbado en la oscuridad. En la buhardilla hacía un calor agradable; los sonidos de la tormenta y el viento que aullaba en el exterior le resultaron extrañamente reconfortantes. Se durmió casi en el acto.

Al cabo de un tiempo indeterminado se despertó. Todo estaba oscuro como boca de lobo; había dormido tan profundamente que tardó unos instantes en recordar dónde se hallaba. Cuando lo consiguió, se dio cuenta de que la tormenta había cesado y que en la casa reinaba un silencio total. El corazón le latió desbocado. De repente, tenía la clara impresión de que algo o alguien se hallaba de pie, ante él, en la oscuridad.

Permaneció allí tumbado e intentó tranquilizarse. Solo había sido un sueño. Pero no podía desprenderse de la sensación de que alguien estaba junto a él.

El suelo bajo el camastro crujió ligeramente.

«¡Dios mío!» ¿Debía gritar? ¿Quién podía ser? El anciano no, desde luego. ¿Habría entrado alguien en plena noche?

El suelo crujió de nuevo. Entonces notó que una mano le agarraba el brazo con una zarpa de hierro.

18

—Mi querido Vincent —susurró una voz—. A pesar de que tu preocupación por mí me conmueve, verte aquí me disgusta profundamente.

D'Agosta se quedó prácticamente paralizado por la sorpresa. Sin duda estaba soñando. Oyó el roce de una cerilla, y la lámpara se encendió con un suave resplandor. El viejo estaba ante él, deforme y claramente enfermo. D'Agosta contempló la tez, amarillenta y arrugada, la barba de varios días, los largos y grasientos cabellos y la nariz, bulbosa y enrojecida. Y sin embargo, la voz —por débil que fuera— y el plateado destello del único ojo pertenecían inequívocamente al hombre al que estaba buscando.

—¡Pendergast! —consiguió articular por fin D'Agosta con voz ahogada.

—No tendrías que haber venido —susurró Pendergast.

—¿Qué...? ¿Cómo...?

—Deja que vuelva a la cama. Todavía no estoy lo bastante fuerte para aguantar de pie mucho rato.

D'Agosta se sentó y observó al anciano colgar la lámpara y caminar hasta la cama arrastrando los pies.

—Acerca una silla, amigo mío.

D'Agosta se levantó, se puso la ropa prestada, cogió una silla que colgaba de un gancho de la pared y tomó asiento junto al anciano que guardaba tan escaso parecido con el agente del FBI.

—No sabes cuánto me alegra verte con vida. Pensé que...
—Fue incapaz de proseguir, la emoción lo abrumaba.

—Vincent —dijo Pendergast—, tienes tan buen corazón como siempre, pero no nos pongamos sentimentales. Tengo mucho que contarte.

—Recibiste un disparo. ¿Se puede saber qué haces aquí? Necesitas atención médica, en un hospital.

Pendergast lo acalló con un gesto de la mano.

—No, Vincent. He recibido una atención médica excelente, pero debo permanecer oculto.

—¿Por qué? ¿Qué demonios está ocurriendo?

—Si te lo digo, Vincent, debes prometerme que volverás a Nueva York lo antes posible y no dirás una palabra a nadie de todo esto.

—No pienso dejarte, necesitas ayuda. Soy tu colega, maldita sea.

Pendergast se incorporó en la cama con visible esfuerzo.

—Tienes que hacerlo. Necesito recuperarme. Y luego buscaré a mi asesino. —Se dejó caer despacio en la almohada.

D'Agosta soltó un bufido.

—¿O sea que ese cabrón de verdad intentó matarte?

—Y no solo a mí. Creo que fue él quien te disparó cuando nos marchábamos de Penumbra. Y el que intentó matar a Laura Hayward cuando íbamos a visitarte al hospital de Bastrop. Es el eslabón que nos faltaba: el misterioso implicado en el Proyecto Aves.

—Increíble. Entonces, ¿es la persona que mató a tu mujer? ¿Su propio hermano?

Siguió un repentino silencio.

—No. No mató a Helen.

—Entonces, ¿quién lo hizo?

—Helen está viva.

D'Agosta apenas podía dar crédito a lo que oía. Lo cierto era que no lo creía. No supo qué decir.

La misma mano de dedos de acero lo volvió a sujetar.

—Después de dispararme, mientras me hundía en las arenas movedizas, Judson me confesó que Helen seguía con vida.

—Pero ¿tú no la viste morir? Recuperaste el anillo de su mano amputada. ¡Me lo enseñaste!

Durante un buen rato, en la buhardilla reinó el silencio. Luego D'Agosta volvió a hablar.

—Ese cabrón lo dijo para torturarte. —Contempló la figura que yacía en la cama y el destello de sus ojos grises. En él vio un deseo evidente: creer.

—Bueno, ¿cuál es tu plan?

—Lo encontraré, le pondré una pistola en la cabeza y le obligaré a llevarme hasta Helen.

D'Agosta se sintió consternado. El tono obsesivo de su voz y su desesperación no eran propios de su viejo amigo.

—¿Y si no hace lo que le dices?

—Lo hará, Vincent, confía en mí. Me aseguraré de que lo haga.

D'Agosta decidió no preguntarle cómo. Optó por cambiar el rumbo de la conversación.

—¿Cómo lograste salvarte con una herida de bala?

—Cuando el impacto del disparo me arrojó a las arenas movedizas, empecé a hundirme. Pero poco después, me di cuenta de que ya no me hundía más, de que mis pies se apoyaban en algo que estaba bajo la superficie, algo blando y que parecía flotar. Creo que era el cadáver de algún animal. Gracias a eso no me fui al fondo. Para dar la impresión de que me hundía, fui agachándome lentamente. Mi suerte fue que Judson se marchara sin esperar a ver cómo me ahogaba.

—Sí, menuda suerte —murmuró D'Agosta.

—Esperé cuatro, puede que cinco minutos —prosiguió Pendergast—. Sangraba demasiado para aguardar más tiempo. Entonces me levanté y, apoyándome en el animal, logré salir de las arenas movedizas e improvisé lo mejor que pude un vendaje compresivo. Estaba a kilómetros de distancia del pueblo más próximo y de la hostería.

Pendergast permaneció en silencio un par de minutos. Cuando volvió a hablar, su voz sonó un poco más firme.

—Judson y yo ya habíamos cazado en los páramos anteriormente, hará unos diez años. Durante aquel viaje tuve la oportunidad de conocer a un médico de la zona, un hombre llamado Roscommon. Compartíamos algunos intereses y nos hicimos amigos. Tiene su consulta en la aldea de Inverkirkton. El pueblo está a unos cuatro kilómetros de aquí y, por una feliz casualidad, se trata del lugar habitado más próximo en línea recta del lugar donde me dispararon.

—¿Cómo lo conseguiste? —preguntó D'Agosta al cabo de un momento—. ¿Cómo llegaste hasta allí sin dejar huellas?

—El improvisado vendaje contuvo la hemorragia; además, caminaba con muchísimo cuidado. La lluvia hizo el resto.

—¿Me estás diciendo que caminaste cuatro kilómetros con una herida de bala en el pecho, hasta la consulta de ese médico?

Pendergast lo miró fijamente.

—Sí.

—¡Santo Dios! Pero ¿cómo?

—De repente tenía algo por lo que vivir.

D'Agosta meneó la cabeza.

—Roscommon es un tipo más inteligente y sutil de lo habitual —prosiguió el agente del FBI—, y enseguida comprendió mi situación. Yo tenía dos elementos a mi favor: la bala había errado por poco la arteria subclavia y había salido por la espalda, de manera que no era necesaria una operación para que me la extrajeran. Roscommon logró hincharme de nuevo el pulmón y cortar la pérdida de sangre. Luego, al abrigo de la oscuridad, me trajo hasta aquí. Su tía me ha cuidado desde entonces.

—¿Su tía?

Pendergast asintió.

—Sí, cuidar de ella es la razón de que Roscommon siga aquí en lugar de haber abierto una lucrativa consulta en Harley Street. Él sabía que yo estaría a salvo entre estas cuatro paredes.

—O sea, que llevas un mes encerrado aquí.

—Y me quedaré hasta que esté lo bastante recuperado para terminar el trabajo.

—Me necesitas —dijo D'Agosta.

—No —repuso Pendergast con vehemencia—. No. Cuanto antes vuelvas a casa, mejor. Por el amor de Dios, Vincent, con tu descubrimiento es posible que hayas puesto al lobo sobre mi pista.

D'Agosta no dijo nada.

—Tu mera presencia aquí me pone en peligro. No tengo la menor duda de que Judson anda por los alrededores. Seguro que está muerto de miedo. No sabe si estoy vivo o muerto. Pero si te ve, y más si te ve cerca de esta casa...

—Habrá otra manera de ayudarte.

—Ni hablar. Ya estuve a punto de conseguir que te mataran una vez. El capitán Hayward no me lo perdonaría nunca si eso volviera a suceder. Lo mejor que puedes hacer por mí, lo único que puedes hacer, es regresar a Nueva York y a tu trabajo y no decir una sola palabra de todo esto a nadie. Lo que tengo que hacer, debo hacerlo solo. No digas nada a nadie, ni a Proctor ni a Constance ni a Hayward. ¿Entendido? Necesito ponerme en forma antes de vérmelas con Judson. Y lo atraparé si antes no me atrapa él a mí.

D'Agosta sintió la punzada de aquel último comentario. Miró a Pendergast, tumbado en la cama, tan débil físicamente, pero tan fuerte mentalmente, y una vez más le sorprendió la fanática obsesión que brillaba en sus ojos. Sin duda amaba mucho a esa mujer.

—De acuerdo —dijo a regañadientes—. Haré lo que me pides, pero tendré que contárselo a Laura. Juré que no volvería a engañarla.

—Muy bien. ¿Quién más está al corriente de tus intentos de encontrarme?

—El inspector Balfour y algunos otros. No he tenido más remedio que hacer preguntas.

—Eso quiere decir que Esterhazy también se ha enterado.

Bien, podríamos aprovechar eso a nuestro favor. Quiero que digas a todo el mundo que tu búsqueda ha sido infructuosa y que ahora estás convencido de que he muerto. Luego vuelve a casa y guarda luto de la forma más llamativa posible.

—Si eso es de verdad lo que quieres...

Pendergast lo miró con sus acerados ojos.

—Insisto.

19

Nueva York

El doctor John Felder caminaba por el resonante pasillo del hospital Mount Mercy con una delgada carpeta bajo el brazo y acompañado por el médico encargado, el doctor Ostrom.

—Gracias por permitir esta visita, doctor Ostrom —dijo.

—En absoluto. ¿Puedo suponer que su interés por ella no será pasajero?

—En efecto, su condición es... única.

—Muchos de los aspectos relacionados con la familia Pendergast lo son. —Ostrom estuvo a punto de añadir algo más, pero calló, como si ya hubiera hablado más de la cuenta.

—¿Dónde está Pendergast, su tutor? —preguntó Felder—. He intentado ponerme en contacto con él.

—Me temo que para mí ese hombre es un misterio. Va y viene de modo intempestivo, hace todo tipo de exigencias y después se esfuma. No me parece una persona de trato fácil.

—Entiendo. Entonces, ¿no tiene usted objeciones a que continúe visitando a la paciente?

—Ninguna. Estaré encantado de compartir mis observaciones con usted, si lo desea.

—Gracias, doctor.

Llegaron a la puerta, y Ostrom llamó con suavidad.

—Pase, por favor —fue la respuesta que se oyó al otro lado.

Ostrom abrió y dejó pasar a Felder. La habitación tenía el mismo aspecto que cuando este la había visto por primera vez, con la diferencia de que había muchos más libros. La estantería en la que antes había media docena de ejemplares albergaba varias veces ese número. Felder echó un vistazo a los títulos y vio entre ellos *Poesía Completa*, de John Keats; *Símbolos de transformación*, de Jung; *Los 120 días de Sodoma*, del marqués de Sade; *Cuatro cuarteros*, de Eliot; y *Sartor Resartus*, de Thomas Carlyle. Sin duda provenían de la biblioteca de Mount Mercy.

Había también otra diferencia: la única mesa de la habitación estaba cubierta de hojas tamaño folio llenas de densas líneas escritas acompañadas por elaborados bocetos, perfiles, naturalezas muertas, ecuaciones y diagramas al estilo de los de Leonardo da Vinci. Y allí, en el extremo de la mesa, se hallaba sentada Constance. Estaba escribiendo con una pluma de ganso y tenía un tintero de tinta azul-negra junto a ella. Alzó la vista cuando los dos hombres entraron.

—Buenos días, doctor Ostrom. Buenos días, doctor Felder —los saludó mientras apilaba las hojas y colocaba la última boca abajo, sobre el montón.

—Buenos días, Constance —dijo Ostrom—. ¿Ha dormido bien?

—Muy bien, gracias.

Ostrom se volvió hacia su colega.

—Ahora los dejaré solos. Habrá un ordenanza en el pasillo, doctor Felder. No tiene más que llamar a la puerta para que le abran.

Dio media vuelta y salió. Felder oyó el perno de la cerradura al correrse. Al volverse vio que Constance lo miraba con expresión de curiosidad.

—Por favor, siéntese, doctor Felder —le dijo.

—Gracias.

El médico tomó asiento en la otra única silla del cuarto, igualmente atornillada al suelo. Sentía interés por las cosas que Constance había escrito, pero decidió que sería mejor abordar el tema en otra ocasión. Apoyó la carpeta en sus rodillas y señaló la pluma de ganso con un gesto de la cabeza.

—Curiosa elección como elemento de escritura.

—Era esto o lápices. —Hizo una pausa—. No esperaba volver a verlo tan pronto.

—Confío en que nuestras conversaciones no le parecieran desagradables.

—Al contrario.

Felder se agitó en su asiento.

—Constance, si no le importa, me gustaría hablar un poco con usted acerca de su infancia.

Constance se irguió ligeramente.

—Primero, quiero estar seguro de que la he entendido. Usted afirma que nació en Water Street en la década de 1870, pero no sabe el año exacto. Sus padres murieron de tuberculosis, y tanto su hermano como su hermana mayores murieron también pocos años después. Eso significaría que usted tiene... —hizo una pausa mientras calculaba—, más de ciento treinta años.

Constance no contestó, se limitó a observar tranquilamente a Felder. Este se sintió de nuevo impresionado por su belleza: su expresión inteligente y su abundante cabello castaño. Además, tenía mucho más dominio de sí misma de lo que era normal en una mujer que no aparentaba más de veintipocos años.

—Doctor —dijo ella por fin—, tengo muchas cosas que agradecerle. Me ha tratado con amabilidad y respeto, pero si ha venido para burlarse de mí, me temo que la buena opinión que tengo de usted se resentirá.

—No he venido a burlarme de usted —repuso Felder con sinceridad—. Estoy aquí para ayudarla, pero antes debo comprenderla lo mejor posible.

—Le he dicho la verdad. Puede creerme o no.

—Deseo creerla, Constance. Pero póngase en mi lugar. Es biológicamente imposible que tenga ciento treinta años de edad. Por eso busco otras explicaciones.

La joven permaneció callada durante un momento.

—¿Biológicamente imposible? —dijo al fin—. Doctor, usted es un hombre de ciencia. ¿Cree que el corazón de una persona se puede trasplantar a otra?

—Por supuesto.

—¿Y cree que mediante radiografías con rayos-X y máquinas de resonancia magnética se pueden obtener imágenes de la estructura interna del cuerpo sin tener que recurrir a técnicas invasivas?

—Desde luego que sí.

—En la época en que yo nací, tales cosas habrían sido consideradas biológicamente imposibles. Pero ¿puede la medicina retrasar el envejecimiento y alargar la vida más allá de sus plazos naturales?

—Bueno..., quizá alargar la vida, sí. Pero hacer que una mujer conserve su aspecto de veinte años durante casi siglo y medio..., no, lo siento, eso es imposible. —Felder se daba cuenta de que su propia convicción flaqueaba—. ¿Me está diciendo que eso fue lo que le pasó, que fue usted objeto de algún tipo de tratamiento médico que le alargó la vida?

Constance no contestó. De repente Felder sintió que estaba llegando a alguna parte.

—¿Qué ocurrió? ¿Cómo fue? ¿Quién llevó a cabo el tratamiento?

—Decir más por mi parte sería traicionar un secreto. —Constance se alisó el vestido—. En realidad ya he hablado más de lo que debía. La única razón por la que se lo he dicho es porque tengo la sensación de que desea ayudarme de buena fe. Pero no puedo contarle más. Creerme o no depende únicamente de usted, doctor.

—Está bien. Le agradezco que haya confiado en mí. —Felder titubeó—. Me preguntaba si me haría usted un favor.

—Desde luego.

—Me gustaría que retrocediera a su infancia en Water Street, a sus primeros recuerdos de la niñez.

Ella lo miró fijamente, como si buscara en su expresión cualquier atisbo de trampa o engaño. Transcurrido un momento, asintió.

—¿Recuerda con cierta claridad Water Street, donde vivió? —inquirió Felder.

—Sí.

—Usted tenía aproximadamente cinco años cuando sus padres murieron.

—Sí.

—Hábleme de su entorno inmediato, me refiero a los alrededores de la casa donde vivían.

Durante un momento los vivaces ojos de Constance parecieron perderse en la lejanía.

—Al lado de nuestra casa había un estanco. Recuerdo el olor a Cavendish y a Latakia que entraba por la ventana de nuestro piso. En la casa del otro lado había una pescadería. Los gatos del vecindario solían reunirse en el muro de ladrillo del jardín trasero.

—¿Qué más recuerda?

—Al otro lado de la calle había una tienda de ropa para caballeros. Se llamaba London Town. Me acuerdo del maniquí del escaparate. Un poco más allá estaba la botica Huddell's; la recuerdo bien porque una vez mi padre nos llevó allí y nos compró un penique de caramelos. —Sus ojos brillaron con aquel recuerdo.

A Felder aquellas respuestas le parecieron más que inquietantes.

—¿Y qué me dice del colegio? ¿Fue al colegio de Water Street?

—Había un colegio en la esquina, pero yo no fui. Mis padres no podían costearlo. En aquella época no existía la educación universal y gratuita. Ya se lo dije: soy autodidacta. —Hizo una pausa—. ¿Por qué me hace estas preguntas, doctor Felder?

—Tengo curiosidad por saber hasta qué punto sus recuerdos son detallados.

—¿Por qué? ¿Para convencerse de que no son más que una forma de autoengaño?

—En absoluto. —Su corazón latía a toda prisa y tuvo que hacer un esfuerzo para disimular su nerviosismo e inquietud.

Constance lo miró a los ojos y pareció leerle el pensamiento.

—Si no le importa, doctor, estoy cansada.

Felder cogió la carpeta y se levantó.

—Gracias, Constance, le agradezco su franqueza.

—De nada.

—Y si le sirve de algo —añadió Felder de repente—, la creo. No entiendo lo que me ha contado, pero la creo.

La expresión de Constance se suavizó. Hizo una leve inclinación de cabeza.

Felder fue hasta la puerta y llamó. ¿Qué lo había empujado a hacer tan impulsiva declaración? Oyó una llave girar en la cerradura y apareció un ordenanza.

Una vez en el pasillo, mientras el hombre cerraba de nuevo la puerta, Felder abrió la carpeta. Dentro había un artículo que el *New York Times* había publicado aquella misma mañana. En él se hablaba de un descubrimiento histórico reciente: el hallazgo del diario de un joven llamado Whitfield Speed, que había vivido en Catherine Street desde 1869 hasta su prematura muerte en 1883, atropellado por un carruaje. Al parecer, a Speed, un entusiasta de Nueva York, le había encantado el libro *Survey of London*, de Stow, y pretendía escribir un relato igualmente pormenorizado de las calles y los comercios de Manhattan. Hasta el momento de su muerte solo había logrado llenar un diario completo con sus observaciones, documento que había permanecido olvidado en una buhardilla con el resto de sus posesiones hasta su reciente descubrimiento. Los especialistas lo consideraban una valiosa fuente para conocer la historia de la ciudad, ya que ofrecía datos muy detallados acerca de su vecindario, un tipo de información que no podía obtenerse de otras fuentes.

La casa de Speed, en Catherine Street, se encontraba a la vuelta de la esquina con Water Street. En sus páginas interiores, el *New York Times* había publicado uno de los detallados bocetos realizados por Speed, que incluía un mapa completo de dos calles: Catherine y la vecina Water. Hasta aquella mañana nadie había sabido exactamente qué comercios había en dichas calles, casa por casa, en la década de 1870.

Nada más leer la noticia, mientras desayunaba aquella mañana, a Felder se le ocurrió una idea. Desde luego parecía una locura, pues no hacía más que alimentar las fantasías esquizoides de Constance, pero era la oportunidad perfecta para comprobar con ella la veracidad de la información. Si la enfrentaba a la verdad —a la verdadera configuración de Water Street en 1870—, quizá lograra persuadir a Constance para que abandonara su mundo de autoengaño.

De pie en el pasillo, Felder examinó la imagen publicada por el diario y se esforzó por descifrar la antigua caligrafía que acompañaba al diagrama. De pronto se puso tenso. Había un estanco. Y, dos edificios más allá, la botica Huddell's. Al otro lado de la calle estaba la sastrería London Town y, en la esquina, la Academia para Niños Mrs. Sarratt.

Cerró la carpeta lentamente. La explicación era evidente, desde luego. Sin duda Constance había leído el artículo esa mañana. Una mente tan penetrante como la suya seguro que deseaba estar al tanto de lo que ocurría en el mundo. Suspiró y se encaminó hacia la recepción.

Se acercaba al vestíbulo cuando vio al doctor Ostrom conversando con una enfermera.

—Doctor... —dijo Felder; su voz denotaba ansiedad.

Ostrom lo miró arqueando una ceja.

—Constance ha leído el periódico esta mañana, ¿verdad? Me refiero al *New York Times*...

Ostrom negó con la cabeza.

—¿No? —inquirió Felder—. ¿Está seguro?

—Desde luego. Los periódicos, las radios y los televisores a los que tienen acceso los pacientes están en la biblioteca, y Constance ha pasado toda la mañana en su cuarto.

—¿Nadie ha ido a verla? ¿Ninguna de las enfermeras, ningún miembro del personal?

—Nadie. Su puerta ha permanecido cerrada desde ayer por la noche. El libro de registro es claro en ese aspecto. —Miró a Felder fijamente—. ¿Hay algún problema?

De repente Felder se dio cuenta de que estaba conteniendo la respiración y exhaló lentamente.

—No. Muchas gracias.

Cruzó el vestíbulo y salió a la brillante luz del sol.

20

Corrie Swanson había colgado en Google un aviso de rutina para «Aloysius Pendergast». A las dos de la mañana, cuando encendió su portátil y abrió el correo, vio que tenía un aviso. Se trataba de un documento extraño, la transcripción del acta de una comisión de investigación celebrada en un lugar de Escocia llamado Cairn Barrow.

Una sensación de absoluta incredulidad la invadió mientras leía aquel texto escrito con un lenguaje seco y legalista. Carente del menor comentario, análisis o conclusión, el documento consistía en una serie de declaraciones de distintos testigos relativas a un accidente de caza ocurrido en las Highlands de Escocia. Un terrible e increíble accidente.

Lo leyó una, dos y tres veces, y su sentimiento de irrealidad creció con cada una de ellas. Estaba claro que aquel documento no era más que la punta del iceberg y que la verdadera historia yacía oculta bajo la superficie. Nada de todo aquello tenía sentido. Corrie sintió que sus sentimientos cambiaban de la incredulidad a la irrealidad y a una angustia desesperada. ¿Pendergast muerto de un disparo en un accidente de caza? Imposible.

Rebuscó en su bolso con manos temblorosas y sacó su agenda. Localizó el número de teléfono, vaciló, maldijo para sus adentros y marcó rápidamente. Era el número de D'Agosta, y no creía que le gustara que lo molestaran a esas horas. Que se fastidiara. Después de todo, no había cumplido su promesa de enterarse de lo sucedido ni de llamarla.

Maldijo nuevamente pero esta vez en voz alta cuando sus dedos se equivocaron y tuvo que repetir la marcación.

El teléfono sonó cinco veces y por fin respondió una voz femenina.

—¿Diga?

—Quisiera hablar con Vincent D'Agosta —dijo, oyendo el temblor de su propia voz.

Silencio.

—¿Quién llama?

Corrie respiró hondo. Si no quería que le colgasen el teléfono, no tenía más remedio que serenarse.

—Soy Corrie Swanson. Me gustaría hablar con el teniente D'Agosta.

—El teniente no está —fue la gélida respuesta—. Si quiere dejarle algún mensaje...

—Dígale que me llame. Me llamo Corrie Swanson. Tiene mi número de teléfono.

—¿Y es con referencia a...?

Respiró hondo de nuevo. Enfadarse con la mujer de D'Agosta, con su novia o con quien fuera no iba a ayudarla.

—El agente Pendergast. Intento saber de él —dijo, y añadió—: Trabajé con él en un caso.

—El agente Pendergast ha muerto. Lo siento.

Al oír aquello se quedó de piedra. Tragó saliva e intentó recuperar el habla.

—¿Cómo ha sido?

—Un disparo accidental en Escocia.

Ahí estaba. La confirmación. Intentó pensar en algo más que decir, pero su mente se había quedado en blanco. ¿Por qué D'Agosta no la había llamado? En cualquier caso, no tenía sentido seguir hablando con aquella mujer.

—Mire, dígale al teniente que me llame lo antes posible.

—Le daré el recado —fue la fría respuesta.

La comunicación se cortó.

Corrie se desplomó en el asiento, con la mirada fija en la pantalla del ordenador. Qué locura. ¿Qué iba a hacer? De pronto se sentía abandonada, como si acabara de perder a un padre. Y no tenía nadie con quien hablar ni con quien compartir su dolor. Su propio padre se encontraba a cientos de kilómetros de distancia, en Allentown, Pensilvania. De repente se sentía desesperadamente sola.

Abrió la página web sobre Pendergast que cuidaba con tanto cariño:

www.agentpendergast.com

Rápidamente, de manera casi automática, creó un recuadro con un marco y empezó a rellenarlo.

Acabo de saber que el agente P. —Agente Especial A. X. L. Pendergast— ha fallecido en un extraño y trágico accidente. Es algo terrible y apenas puedo creer que sea cierto. Me parece imposible que el mundo pueda seguir girando sin él.

Ocurrió durante una cacería en Escocia...

Sin embargo, mientras escribía el panegírico y luchaba por contener las lágrimas, los aspectos surrealistas de la historia se reafirmaron en su mente. Cuando hubo acabado y lo colgó, seguía preguntándose si creía lo que acababa de escribir.

21

El Foulmire, Escocia

Judson Esterhazy se detuvo para recobrar el aliento. Era una mañana atípicamente soleada, y los cenagosos páramos que lo rodeaban por los cuatro costados lucían con su intensa gama de verdes y marrones. A lo lejos divisó la oscura línea que delimitaba las Insh Marshes. A unos cientos de metros, asomando entre las colinas, se alzaba la pequeña casa conocida como Glims Holm.

Había oído hablar de ella, pero la había descartado porque se encontraba demasiado lejos del lugar del tiroteo y era un lugar demasiado primitivo para que Pendergast hubiera podido recibir la atención médica que su herida requería. Pero entonces se enteró de que D'Agosta había pasado por Inverkirkton, preguntando aquí y allá por Pendergast, y que Glims Holm había sido el último lugar que había visitado antes de regresar, decepcionado, a Estados Unidos.

Pero ¿era sincera su decepción? Cuanto más lo pensaba, más le parecía que aquel podría ser el lugar que Pendergast, en toda su perversidad, habría escogido para recuperarse.

Además, durante su búsqueda de antecedentes en los archivos oficiales del Shire of Sutherland había descubierto un detalle que había acabado de convencerlo: la extraña mujer que vivía en la casa de piedra que tenía ante sí era la tía del doctor Roscommon, un hecho que el buen doctor había tenido buen cuidado de ocultar a la gente de Inverkirkton.

Parapetándose tras unos tojos, sacó los prismáticos y examinó la casa. Vio a la mujer a través de las ventanas de la planta baja, haciendo algo ante una estufa y luego yendo de un lado para otro. Al cabo de un rato, sacó algo de la estufa, se apartó de la ventana y salió de su campo de visión. Por un momento había desaparecido, pero entonces volvió a verla a través de la ventana del primer piso llevando un tazón. Apenas lograba divisar su figura dentro de la buhardilla, inclinándose sobre alguien que parecía enfermo en una cama, ayudándolo a incorporarse y acercándole el tazón.

El corazón se le aceleró. Hundiendo su bastón en el blando terreno, dio un rodeo hasta llegar a la parte de atrás de la casa. Había un murete de piedra con una pequeña puerta de tosca madera que daba a un jardín trasero, con su cobertizo y su corral para las ovejas. Esa parte de la casa carecía de ventanas.

Miró alrededor y no vio a nadie. Los interminables páramos parecían desprovistos de vida. Sacó una pistola del bolsillo, se aseguró de que estuviera cargada y se aproximó a la casa con prudencia. Saltó al jardín, corrió a apoyar la espalda contra la pared junto a la puerta y arañó la madera con un dedo. Esperó.

La vieja bruja debió de oírlo, porque Esterhazy escuchó sus pasos y sus imprecaciones mientras se acercaba. Un pestillo se descorrió y la puerta se abrió. La anciana se asomó al exterior y soltó una maldición.

Con un movimiento ágil, Esterhazy le tapó la boca con la mano, la arrastró al exterior y le dio un golpe en la cabeza con la pistola, dejándola inconsciente. Luego tendió el cuerpo en el jardín y entró sigilosamente en la casa. La planta baja estaba compuesta por una única estancia. Echó un vistazo rápido alrededor y tomó nota de la estufa de hierro, los gastados sillones, las cornamentas de las paredes y la empinada escalera que subía a la buhardilla. Arriba se oía una respiración jadeante y estertórea. Y no se interrumpió.

Recorrió la planta baja con infinito cuidado y comprobó que no hubiera nadie escondido en el gran armario ropero del rincón. Luego, sin soltar la pistola, se acercó a la escalera. Estaba construida con gruesos tablones de madera que quizá crujieran ruidosamente.

Esperó al pie de la escalera, y aguzó el oído. La respiración seguía igual de laboriosa. Al cabo de un momento oyó que la persona de arriba se daba la vuelta en la cama con un gruñido de dolor. Esterhazy esperó cinco minutos. Todo parecía normal.

Levantó un pie, lo apoyo ligeramente en el peldaño inferior y fue cargando el peso hasta posarse en él del todo. La madera no crujió. Repitió el movimiento en el siguiente escalón y tampoco crujió. Fue subiendo con insoportable lentitud, consumiendo minutos y minutos, hasta que llegó casi arriba. A unos dos metros se veía la pata de una cama rústica. Se asomó despacio hasta poder ver quién estaba en la cama. Una figura yacía entre las sábanas: de espaldas a él, tapado, durmiendo, con una respiración trabajosa pero regular. Era un anciano flaco y enjuto, vestido con un grueso camisón; tenía el cabello blanco y casi tan revuelto y abundante como la bruja de abajo. O eso parecía.

Pero Esterhazy sabía que no era así.

En el suelo había una almohada. Se guardó la pistola y la recogió sin apartar los ojos del hombre de la cama. La sujetó con ambas manos y se agachó igual que un tigre. Saltó de repente y cayó en la cama, cubrió el rostro del hombre con la almohada y presionó con todas sus fuerzas.

Un grito ahogado surgió de debajo y una mano huesuda azotó y golpeó a Esterhazy. Sin embargo, no había arma alguna en ella, por lo que supo que su ataque había sido una sorpresa total. Presionó la almohada con más fuerza. Los apagados sonidos cesaron, pero el hombre siguió forcejeando débilmente y tirándole de la camisa. Esterhazy notó que el cuerpo que tenía bajo él se agitaba todavía con una fuerza inesperada para alguien tan gravemente herido. Una mano descarnada y huesuda tiró de los cobertores, como si los hubiera confundido con las ropas de su agresor. Las sábanas salieron volando con un último pataleo que dejó al descubierto el pecho del moribundo. Pendergast se estaba apagando. El final estaba próximo.

Entonces, algo hizo que Esterhazy se detuviera: las nudosas manos de su víctima. Observó en la penumbra el ajado cuerpo, las raquíticas y varicosas piernas. No había error posible, aquel físico era el de un anciano. Nadie podía disfrazarse de un modo tan realista. Sin embargo, lo definitivamente concluyente era la total ausencia de heridas, vendajes, cicatrices o cualquier cosa que pudiera hacer pensar en una herida de bala en aquel torso que subía y bajaba con sus últimos estertores.

La mente de Esterhazy hizo un esfuerzo titánico para sobreponerse a la sorpresa y la rabia. Estaba tan seguro, tan convencido...

Levantó rápidamente la almohada, dejando a la vista el contorsionado y deformado rostro del anciano, con la lengua fuera y los ojos desorbitados por el terror. El hombre jadeó y tosió, intentaba recobrar el aliento mientras su hundido pecho se estremecía con el esfuerzo.

Presa del pánico, Esterhazy arrojó la almohada a un lado y bajó a toda prisa por la escalera. La anciana estaba apoyada en el marco de la puerta de atrás; la sangre le manaba por el rostro.

—¡Canalla! —gritó al tiempo que intentaba agarrarlo con sus ganchudos dedos cuando pasó junto a ella.

Esterhazy abrió la puerta y corrió por los desiertos páramos como alma que lleva el diablo.

22

Malfourche, Mississippi

La suave brisa nocturna que entraba por la ventana agitó las finas cortinas de la sala de estar. Cuando la sintió en su rostro, June Brodie levantó la vista de los impresos del Departamento de Sanidad de Mississippi que estaba rellenando. Aparte del susurro del viento, la noche estaba silenciosa. Miró el reloj: casi las dos de la mañana. Del televisor del estudio le llegaba la profunda voz del locutor. Sin duda Carlton estaba viendo uno de los documentales militares que tanto le gustaban.

Tomó un sorbo de la botella de Coca-Cola que tenía junto a ella. Ese refresco siempre le había gustado en botella de vidrio. Le recordaba a su juventud y las antiguas máquinas expendedoras en las que había que abrir un estrecho ventanuco y agarrar la botella por el cuello. Estaba convencida de que la Coca-Cola en botella de vidrio sabía mejor. Sin embargo, en los últimos diez años, en las marismas, no había tenido más remedio que contentarse con latas. Charles Slade no soportaba el centelleo del cristal, de modo que este estaba prohibido en Spanish Island. Allí, incluso las jeringuillas habían sido de plástico.

Dejó la botella en el posavasos. Volver a la vida normal tenía también otras ventajas. Carlton podía ver sus programas favoritos de televisión sin tener que ponerse auriculares, podían descorrer las cortinas y dejar que entrara el aire, ella podía decorar la casa con flores recién cortadas —rosas, gardenias y sus favoritas, lilas— sin miedo a que su perfume provocara una airada protesta. June se había mantenido en buena forma. Le gustaban la ropa de marca y los peinados a la moda. Y ahora podría lucirlos donde la gente la viera. Era cierto que habían tenido que soportar las miradas curiosas de sus nuevos vecinos —algunas suspicaces, la mayoría simplemente curiosas—, pero la gente ya se había acostumbrado al hecho de que hubieran regresado. La investigación de la policía había acabado, era cosa del pasado, y aquel molesto periodista del *Bee* no había vuelto a presentarse. La historia había aparecido brevemente en un periódico de Houston, pero no parecía haber llegado más lejos. Tras la muerte de Slade, se habían tomado su tiempo —casi cinco meses— para cerciorarse de que nadie sabía cómo habían vivido ni qué habían estado haciendo. Solo entonces habían reaparecido públicamente. El secreto de su vida en las marismas seguiría siendo eso: un secreto.

Meneó la cabeza con cierta melancolía. A pesar de que se repetía todo eso a menudo, todavía había momentos —como aquel— en que echaba tanto de menos a Charles Slade que la añoranza se convertía casi en dolor físico. No podía negar que tantos años cuidando su destrozado cuerpo y su mente, arrasada por la enfermedad y la hipersensibilidad a cualquier estímulo sensorial, habían atenuado un tanto su amor. Pero lo cierto era que lo había amado con fiera pasión. Y lo había hecho aun a sabiendas de que aquello estaba mal y que era injusta con su marido. Pero Slade, el director de Longitude, había sido tan poderoso, tan atractivo, tan carismático y, a su modo, tan amable con ella..., que no había tenido inconveniente, más bien al contrario, en dejar su trabajo de enfermera y dedicarse a él de día y, con frecuencia, también de noche.

El estudio había quedado en silencio. Pensó que Carlton habría apagado el televisor para entretenerse con otra de sus pasiones: los crucigramas del *Times*.

Suspiró y contempló los papeles que tenía delante. Hablando de trabajos, más valía que acabara de rellenarlos. Su licencia de enfermera titulada había expirado en 2004, y la legislación del estado de Mississippi exigía que...

Alzó la vista bruscamente. Su marido estaba de pie en el umbral y la miraba con una expresión muy extraña.

—Carlton, ¿qué pasa? ¿Qué...?

En ese momento, otra figura salió entre las sombras, tras él. June dio un respingo. Era un hombre alto y delgado, llevaba una elegante gabardina oscura y una gorra de cuero que le cubría los ojos. La miraba con calma indiferencia. Mientras, en su enguantada mano sostenía una pistola con la que apuntaba a la cabeza de Carlton. June miró el cañón y le pareció extrañamente largo hasta que comprendió que llevaba un silenciador.

—Siéntese —dijo el desconocido al tiempo que empujaba a Carlton hacia el diván, junto a su mujer.

A pesar de la adrenalina que le corría por las venas y le hacía latir el corazón desbocadamente, June captó un acento extranjero en su voz. Era europeo, holandés, o más probablemente alemán.

El pistolero contempló la sala de estar y vio la ventana abierta. La cerró y corrió las cortinas. Luego se quitó la gabardina, la dobló en el respaldo de una silla, puso esta delante de la pareja, tomó asiento, cruzó las piernas y dejó que la mano que empuñaba la pistola colgara tranquilamente a un lado. Luego, se estiró la pernera del pantalón como si vistiera un traje de mil dólares en lugar del atuendo de un vulgar ladrón. Se inclinó hacia June. Una fea verruga le crecía bajo un ojo, y ella tuvo un pensamiento ridículo: «¿Por qué no habrá hecho que se la quiten?».

—Me preguntaba si podrían aclararme una cosa —dijo con voz agradable el hombre.

June lanzó una mirada a su marido.

—¿Serían tan amables de explicarme qué es un pastel de luna?

La habitación permaneció en silencio. June se preguntó si había oído bien.

—Me interesan la comida y las especialidades locales —prosiguió el pistolero—. Llevo un día en esta parte de este curioso país de ustedes y ya he aprendido la diferencia que hay entre un cangrejo de río y una cigala de río, que es ninguna. También he probado la sémola y... ¿cómo se llama? Hush Puppies, pero todavía no he conseguido que alguien me explique qué es un pastel de luna.

—No es un pastel —contestó Carlton con la voz estrangulada por el miedo—. Es una galleta grande que se hace con Marshmallows y chocolate.

—Entiendo. Gracias. —El desconocido hizo una pausa y los miró, primero a uno y luego al otro—. ¿Y ahora serían tan amables de decirme dónde han estado durante estos últimos doce años?

June Brodie dejó escapar un suspiro y, cuando habló, a ella misma le sorprendió la tranquilidad de su voz.

—No es ningún secreto. Incluso ha salido en los periódicos. Regentábamos un pequeño hotel en San Miguel, en México. Se llamaba Casa Magnolia y...

Con un simple gesto, el hombre levantó la pistola y destrozó la rodilla de Carlton con un balazo que apenas se oyó. Brodie saltó como si le hubieran aplicado una descarga eléctrica y después se dobló sobre sí mismo con un grito de dolor mientras la sangre le corría entre los dedos con los que se aferraba la rodilla.

—Si no se calla en el acto —amenazó el pistolero—, la próxima bala se la meteré en la cabeza.

Carlton soltó una mano y se mordió los nudillos. Las lágrimas se deslizaban por sus mejillas. June hizo ademán de levantarse para ayudarlo, pero volvió a sentarse cuando el pistolero la apuntó con la pistola.

—Considero un insulto que me mientan —dijo—. No vuelvan a hacerlo.

Se hizo un tenso silencio. El pistolero se ajustó los guantes, primero uno y después el otro, y se echó la gorra hacia atrás revelando unas facciones aguileñas: nariz afilada, ojos azules y fríos; mentón fino, cabello rubio muy corto y unos labios que se curvaban en una mueca de disgusto. Dejó caer la pistola y volvió a mirarlos.

—Sabemos, señora Brodie, que su familia es propietaria de un albergue de caza situado en el pantano Black Brake, que no está lejos de aquí, y que se llama Spanish Island.

June lo miró fijamente. El corazón le latía con fuerza. Su marido se retorcía y gemía de dolor en el diván, sujetándose la destrozada rodilla.

—No hace mucho —prosiguió el pistolero—, antes de que ustedes reaparecieran, un tipo llamado Michael Ventura fue hallado muerto de un disparo en el pantano, no lejos de Spanish Island. En su día fue el jefe de seguridad de Longitude Pharmaceuticals. Se trata de una persona que nos interesa. ¿Qué saben de él?

Había dicho «Sabemos» y «que nos interesa». June pensó en las palabras que el inválido Slade susurraba con tanta insistencia: «Manteneos ocultos. No deben saber que estamos con vida porque vendrían por nosotros». Entonces se había preguntado si no eran los delirios de una mente paranoica y enloquecida, pero en ese momento...

Tragó saliva.

—Nada, no sabemos nada —dijo en tono firme—. Spanish Island cerró sus puertas hace décadas y desde entonces ha estado vacío...

El hombre levantó la pistola como si tal cosa y disparó un tiro a Carlton en el bajo vientre. Un chorro de sangre, fluidos y materia orgánica se desparramó por el diván. Brodie lanzó un alarido de dolor y cayó al suelo hecho un ovillo.

—¡Está bien! —gritó June—. ¡Está bien! ¡Por el amor de Dios, pare!

—Hágalo callar o lo haré yo —le advirtió el hombre rubio.

June se levantó y corrió junto a su marido, que se retorcía de agonía. La sangre le manaba abundantemente de la rodilla y la entrepierna. Con un desagradable estertor, vomitó sobre sí mismo.

—Hable —dijo el pistolero, sin alterarse.

—Nos instalamos allí —contestó June con voz ahogada por el miedo—, en el pantano, en Spanish Island.

—¿Durante cuánto tiempo?

—Desde el incendio.

El hombre frunció el entrecejo.

—¿Desde el incendio de Longitude?

June asintió con vehemencia.

—¿Y qué hacían allí?

—Cuidar de él.

—¿De quién?

—De Charles, de Charles Slade.

La máscara de indiferencia del pistolero se resquebrajó por primera vez y la sorpresa asomó a sus afiladas facciones.

—Eso es imposible, Slade murió en el incendio.

—No. El incendio fue un montaje.

El hombre la miró fijamente.

—¿Para qué? ¿Para destruir las pruebas de los laboratorios?

June negó con la cabeza.

—No sé para qué. La mayor parte del trabajo de laboratorio se hacía en Spanish Island.

Otra mirada de sorpresa. June contempló a su marido, que gemía y se estremecía incontrolablemente. Este parecía a punto de perder el conocimiento, tal vez a punto incluso de morir. Sollozó e intentó controlarse.

—Por favor... —suplicó.

—¿Por qué se escondieron allí? —preguntó el pistolero. Su tono parecía desinteresado, pero la chispa de sus ojos no se había apagado.

—Charles enfermó, se contagió de la gripe aviar, y la enfermedad lo cambió.

El hombre asintió.

—¿Y entonces hizo que ustedes se quedaran para cuidarlo?

—Sí, en el pantano, donde nadie nos encontraría, donde podría seguir trabajando y donde, cuando la enfermedad empeorara, nosotros lo cuidaríamos.

A duras penas podía hablar a causa del terror que la invadía. Aquel sujeto era brutal, pero si ella se lo confesaba todo, sin guardarse nada, quizá los dejara tranquilos y podría llevar a su marido al hospital.

—¿Quién más sabía lo de Spanish Island?

—Solamente Mike, Mike Ventura. Él nos traía las provisiones y se aseguraba de que tuviéramos todo lo que necesitábamos.

El pistolero vaciló.

—Pero Ventura está muerto.

—Él lo mató —contestó June.

—¿Él? ¿Quién?

—Pendergast, un agente del FBI.

—¿El FBI? —El pistolero alzó la voz por primera vez.

—Sí, junto con un capitán de la policía de Nueva York. Una mujer. Hayward.

—¿Qué querían?

—El agente del FBI buscaba a la persona que había asesinado a su esposa. Tenía algo que ver con el Proyecto Aves, el equipo secreto de Longitude que trabajaba en la gripe aviar. Slade ordenó que la mataran. De eso hace años.

—Ah —dijo el hombre, como si acabara de enterarse de algo nuevo—. ¿Y el agente del FBI sabía que Slade estaba con vida?

—No, no hasta que fue a Spanish Island y Slade reveló su presencia.

—Y entonces ¿qué pasó? ¿El agente del FBI mató también a Slade?

—En cierto modo. El caso es que Slade murió.

—¿Y cómo es que nada de esto apareció en las noticias?

—El agente del FBI quería que el asunto no saliera de las marismas.

—¿Cuándo ocurrió todo esto?

—Hace más de seis meses, en marzo.

El hombre reflexionó un momento.

—¿Qué más?

—No sé nada más. Por favor, créame. Le he dicho todo lo que sé. Necesito ayudar a mi esposo. Se lo ruego, ¡déjenos marchar!

—¿Todo? —preguntó el pistolero en tono escéptico.

—¡Sí, todo!

¿Qué más podía haber? Le había hablado de Slade y de Spanish Island y del Proyecto Aves. Eso era todo.

—Entiendo —dijo el hombre mirándola fijamente.

A continuación levantó la pistola y disparó a Carlton entre los ojos.

—¡Dios, no! —gritó June notando el impacto en el cuerpo de su marido.

El pistolero bajó el arma.

—¡Oh, no! —sollozó June—. ¡Carlton! —Notó cómo su marido se relajaba lentamente y exhalaba un último suspiro.

La sangre le manaba abundantemente de la herida de la cabeza y teñía de rojo el diván.

—Piénselo bien —dijo el hombre—. ¿Está segura de haberme dicho toda la verdad?

—¡Sí! —sollozó June, sosteniendo todavía el cuerpo de su esposo—. ¡Se lo he dicho todo!

—Muy bien. —El pistolero permaneció sentado un momento y sonrió—. Pastel de luna, ¡qué asco! —Entonces se levantó y, caminando despacio, se acercó a la mesa donde June había estado rellenando los impresos. Echó un vistazo a los papeles y se guardó la pistola en el cinturón. A continuación, cogió la botella de Coca-Cola, la vació en un jarrón de flores cercano y, dándole un golpe seco contra el canto de la mesa, la rompió y se quedó con el cuello en la mano.

Se volvió hacia June sosteniendo la botella rota. Ella miró las aristas de vidrio; centelleaban a la luz de la lámpara.

—Pero si le he dicho todo lo que sé... —dijo en un susurro aterrorizado.

—Entiendo —repuso el hombre en tono comprensivo—. Pero debo asegurarme.

23

Inverkirkton, Escocia

—Buenas tardes, señor Draper. Realmente hace una tarde excelente.

—Desde luego, Robbie.

—Entonces habrá disfrutado de un buen paseo matutino en bicicleta.

—Así es. He ido hasta Fenkirk y he vuelto.

—Es una buena distancia.

—Quería aprovechar el buen tiempo. Partiré por la mañana.

—Lamento perderlo como cliente, pero ya imaginaba que no tardaría en marcharse. Ha sido una suerte que se quedara tanto tiempo.

—Si es tan amable de prepararme la cuenta...

—Ahora mismo.

—Ha sido usted muy hospitalario. Creo que subiré a asearme y luego iré al Half Moon a tomar mi último pastel de carne con una pinta.

—Muy bien, señor.

Una vez en su habitación, Esterhazy se lavó las manos y se las secó con una toalla. Por primera vez desde hacía semanas sentía un enorme alivio. Durante todo ese tiempo no había logrado convencerse de que Pendergast hubiera muerto, y su búsqueda se había convertido en una obsesión que consumía sus pensamientos y atormentaba sus sueños. Sin embargo, su visita a Glims Holm lo había convencido al fin de que Pendergast estaba muerto. De seguir con vida, sin duda habría encontrado alguna pista suya durante su exhaustiva investigación. De seguir con vida, seguramente a Roscommon se le habría escapado algún comentario durante las tres visitas que le había hecho a su consulta. De seguir con vida, lo habría encontrado en aquel caserón de piedra.

Sentía que le habían quitado un enorme peso de encima. En ese momento, podía volver a casa y retomar su vida normal en el punto en que esta había quedado suspendida cuando Pendergast y D'Agosta se presentaron ante su puerta.

Cerró su habitación y bajó la escalera silbando. No le preocupaba que la vieja bruja del caserón pudiera aparecer por el pueblo para comentar la agresión sufrida. Aunque lo hiciera, los locales la tenían hasta tal punto por loca que nunca la creerían. El paseo en bicicleta y la caminata por los páramos le habían abierto el apetito, un apetito que, por primera vez desde hacía semanas, no se veía mermado por la angustia.

Entró en los oscuros y olorosos dominios del Half Moon y se sentó con satisfacción en un taburete. Jennie Prothero y Mac-Flecknoe ocupaban sus lugares de siempre: él detrás de la barra; ella, delante.

—Buenas tardes, señor Draper —lo saludó MacFlecknoe al tiempo que le servía la pinta de costumbre.

—Buenas tardes, Paulie. Hola, Jennie.

Con las numerosas rondas que había pagado a lo largo de su estancia se había ganado el derecho a llamarlos por sus nombres de pila.

La señora Prothero le sonrió.

—Hola, querido.

El tabernero dejó la jarra de cerveza ante Esterhazy y se volvió hacia Jennie Prothero.

—Es extraño que no lo hayamos visto por aquí antes, ¿no?

—Bueno, dijo que había estado en el Braes de Glenlivet. —La

mujer tomó un sorbo de cerveza—. ¿Crees que acudió a la policía para hablarles del asunto?

—No. ¿Qué iba a contarles? Además, seguro que lo último que querría sería verse implicado en algo estando de vacaciones.

Esterhazy aguzó el oído.

—¿Me he perdido algo?

MacFlecknoe y la tendera cruzaron una mirada.

—El cura —contestó MacFlecknoe—. No se lo ha cruzado por poco. Pasó por aquí para tomarse una copa.

—Más de una, diría yo —añadió Jennie guiñando el ojo.

—Es un buen hombre —dijo el tabernero—. Para ser galés. Dirige una pequeña iglesia en Anglesey. Lleva un mes en las Highlands.

—Sí, rascando lápidas —terció Jennie en tono reprobador.

—Vamos, Jennie, es un pasatiempo respetable, especialmente tratándose de un hombre de Dios.

—Quizá —repuso la mujer—. Dijo que era acuario.

—Anticuario —la corrigió MacFlecknoe.

Esterhazy los interrumpió amablemente.

—Perdona, Paulie, me apetecería un pastel de carne —dijo, y con el tono más desinteresado posible añadió—: ¿Qué es eso de la policía?

MacFlecknoe dudó.

—No sé si vale la pena, señor Draper. Ya llevaba tres whiskies encima cuando nos lo contó.

—¡No seas tonto, Paulie! —intervino la señora Prothero—. El señor Draper es buena persona y no le buscará problemas al pobre viejo.

El tabernero lo pensó mejor.

—Está bien. Ocurrió hace unos días. El cura acababa de llegar a esta zona e iba de camino a Auchindown. Vio el cementerio de la capilla de Ballbridge, que está bastante en ruinas y cerca de las Insh Marshes, y se detuvo a examinar las lápidas. Acababa de entrar en el camposanto cuando un hombre surgió entre la bruma, borracho y enfermo, tiritando y cubierto de sangre y barro.

—El pobre clérigo creyó que era un fugitivo que huía de la justicia —dijo la tendera metiéndose un dedo en la nariz.

Esterhazy conocía la capilla en ruinas. Se encontraba entre el Foulmire e Inverkirkton.

—¿Qué aspecto tenía ese hombre? —preguntó con el corazón latiéndole de repente como un caballo desbocado.

MacFlecknoe lo meditó un momento.

—Bueno, me parece que no lo dijo; solo que parecía desesperado y que desvariaba. El cura pensó que el hombre deseaba hacer una confesión, de modo que lo escuchó. Nos explicó que aquel tipo estaba fuera de sí, que tiritaba de pies a cabeza y que los dientes le castañeteaban. Le contó algo y le dijo que necesitaba saber el camino para salir de las marismas. El cura le dibujó una especie de mapa, y el otro le hizo jurar que nunca diría una palabra a nadie de aquel encuentro. El pobre cura fue hasta su coche para buscar una manta, pero cuando volvió al cementerio, el desconocido había desaparecido.

—Esta noche creo que atrancaré la puerta de casa —dijo Jennie Prothero.

—¿Qué es lo que le contó ese hombre al cura, exactamente? —quiso saber Esterhazy.

—Bueno, señor Draper, ya sabe cómo son los curas —respondió el tabernero—. El secreto de confesión y todo eso.

—Has dicho que su parroquia se encuentra en Anglesey, ¿no? —comentó Esterhazy—. ¿Iba para allá?

—No —dijo la mujer—. Todavía tenía unos días de vacaciones. Dijo que pararía en Lochmoray.

—Es un pueblecito insignificante que hay hacia el oeste —explicó el tabernero, como si, por comparación, Inverkirkton fuera una gran metrópoli.

—Hay muchas lápidas que rascar en St. Muns —añadió Jennie Prothero meneando la cabeza.

—St. Muns —repitió Esterhazy lentamente, como si hablara consigo mismo.

24

Lochmoray, Escocia

Judson Esterhazy pedaleaba pendiente arriba, el pequeño pueblo se iba quedando atrás. A medida que la carretera se internaba entre las graníticas colinas, los indicios de civilización fueron desapareciendo. Al cabo de noventa minutos, un grisáceo campanario de piedra apareció en la lejanía, asomando apenas entre el ondulado paisaje.

Únicamente podía tratarse de la capilla de St. Muns, con su histórico cementerio, donde, con un poco de suerte, encontraría al sacerdote.

Contempló la larga carretera, llena de curvas, respiró hondo y empezó a subir.

El asfalto ascendía entre pinos y abetos antes de cruzar al otro lado de la colina y empezar a bajar hacia un *glen*. Desde allí, ascendía nuevamente un trecho hasta la aislada iglesia. Un viento frío soplaba y acumulaba negros nubarrones cuando se detuvo en lo alto de la colina para examinar los accesos.

Como había previsto, el sacerdote se hallaba en el camposanto, sin más compañía. No iba vestido con el traje negro de rigor, sino con una chaqueta de tweed; únicamente el alzacuellos denotaba su condición de clérigo. Había dejado su bicicleta apoyada contra una lápida y estaba inclinado ante una losa, copiando una inscripción.

Esterhazy palpó el tranquilizador bulto de la pistola para asegurarse de que la tenía a mano, volvió a subir a su bicicleta e inició el descenso.

Era increíble. El cabrón de Pendergast seguía ocasionándole problemas incluso muerto. Sin duda, la persona con la que el cura se había topado en los páramos había sido él, un Pendergast debilitado por la pérdida de sangre, medio loco de dolor y al borde de la muerte. ¿Qué le había dicho? Esterhazy no podía marcharse de Escocia sin averiguarlo.

Cuando se acercó, el clérigo se puso en pie trabajosamente y se limpió los restos de hierba y tierra de las rodillas. Encima de la losa había una gran hoja de papel de arroz. El carboncillo estaba a medio terminar. Cerca yacía una carpeta con otros trabajos parecidos y unos cuantos lápices y carboncillos.

—¡Uf! —soltó el cura alisándose la ropa y adecentándose—. Buenas tardes, caballero. —Tenía un curioso acento galés y un rostro rubicundo surcado de venillas.

La habitual cautela de Esterhazy se desvaneció cuando el sacerdote le tendió la mano. Su apretón fue desagradablemente húmedo y escasamente limpio.

—Usted debe de ser el cura de Anglesey —dijo Esterhazy.

—Así es —repuso el sacerdote, cuya sonrisa fue sustituida por una expresión de perplejidad—. ¿Y usted cómo lo sabe?

—Vengo de una taberna de Inverkirkton, y los parroquianos mencionaron que estuvo usted por allí, «rascando lápidas», como dicen ellos.

El anciano sonrió, radiante.

—En efecto, en efecto.

—Realmente es una coincidencia que nos hayamos encontrado así. Me llamo Wickham.

—Encantado de conocerlo.

—En la taberna comentaban que les había contado una historia impresionante —siguió Esterhazy—. Una historia sobre un tipo con el que se topó en los páramos.

—¡Así es!

La buena disposición visible en el rostro del sacerdote indicó a Esterhazy que se hallaba ante una de esas personas que de-
sean fervientemente dar su consejo en cualquier materia.

Esterhazy miró alrededor y fingió desinterés.

—Tengo curiosidad por escucharla.

—Desde luego —asintió el sacerdote—. Fue... Sí, a principios de octubre.

Esterhazy aguardó pacientemente, no quería presionarlo.

—Me topé con un hombre. Surgió entre la niebla, en los páramos.

—¿Qué aspecto tenía?

—Muy malo. Estaba enfermo, o al menos eso fue lo que me
dijo. Yo creo que o estaba borracho o, más probablemente, que
huía de la justicia. Debía de haberse caído entre las piedras...,
tenía el rostro ensangrentado. Estaba muy pálido y calado hasta
los huesos. Aquella tarde había llovido mucho, lo recuerdo bien.
Por suerte había llevado mi impermeable.

—Sí, pero ¿cómo era físicamente? ¿De qué color tenía el
pelo?

El clérigo miró a Esterhazy con suspicacia.

—¿Qué interés tiene en este asunto, si puedo preguntárselo?

—Soy... soy escritor de novelas de misterio y siempre me
interesan este tipo de historias.

—Oh, bueno, en ese caso, permítame que haga memoria...
Piel pálida, cabello claro, alto, vestido con ropa de cazador. —El
sacerdote meneó la cabeza y añadió—: Pero ya le digo, el hombre tenía muy mal aspecto.

—¿Y dijo algo?

—Sí, pero comprenderá que no pueda hablar de ello. El secreto de confesión es sagrado.

Hablaba con tanta lentitud y parsimonia que Esterhazy sintió que se le acababa la paciencia.

—Parece una historia fascinante... ¿Puede contarme algo
más?

—Sí, me preguntó la forma de rodear las marismas. Yo le dije que era un camino muy largo. —Frunció los labios—. Pero él insistió, de modo que acabé dibujándole un mapa.

—¿Un mapa?

—Bueno, sí, era lo menos que podía hacer. Le dibujé una ruta. Se trata de un terreno sumamente traicionero. Hay ciénagas por todas partes.

—Pero usted es de Anglesey. ¿Cómo es que conoce tan bien esa zona?

El sacerdote soltó una risita.

—Hace años que voy por allí, ¡décadas! Me he paseado por todas esas marismas y he visitado todos los cementerios que hay entre aquí y Loch Linnhe. No sé si lo sabe, pero esta zona está llena de tesoros arqueológicos. He calcado cientos de lápidas, incluyendo las de los señores de...

—Sí, sí, pero hábleme del mapa que dibujó para ese hombre. ¿Podría dibujar uno igual para mí?

—¡Claro! ¡Encantado! Mire, le aconsejé que rodease las marismas porque el camino de regreso a Kilchurn Lodge es aún más peligroso. Para serle sincero, ni siquiera sé cómo llegó hasta allí. —Rió nuevamente por lo bajo mientras trazaba un tosco mapa con muy mal pulso—. Aquí es donde estamos ahora —dijo trazando una X.

Esterhazy se vio obligado a inclinarse para ver mejor.

—¿Dónde?

—Aquí.

Antes de que comprendiera lo que estaba ocurriendo, Esterhazy notó que le daban un tremendo tirón. Un segundo después estaba en el suelo, inmovilizado, con el brazo retorcido detrás de la espalda, la cara aplastada contra la hierba, y el cañón de una pistola clavado en la oreja con tanta fuerza que le hizo un corte en la piel y sangró.

—Habla —ordenó el clérigo.

Era la voz de Pendergast.

Esterhazy forcejeó, pero el cañón de la pistola se clavó con más fuerza aún. Sintió una oleada de terror. Justo cuando creía que aquel demonio se había ido para siempre, reaparecía. Aquello era el fin. Pendergast había ganado. Lo terrible de aquella idea lo recorrió como un veneno.

—Me dijiste que Helen está viva —dijo la voz, apenas un susurro—. Ahora quiero que me cuentes el resto. De cabo a rabo.

Esterhazy intentó desesperadamente poner orden en sus pensamientos, sobreponerse a la sorpresa y decidir qué iba a decir y cómo iba a decirlo. La hierba se le metía por la nariz y le costaba respirar.

—Permite que te lo explique desde el principio —jadeó—. Por favor, deja que me levante.

—No, quédate en el suelo. Tenemos tiempo de sobra y no sentiré el menor reparo en obligarte a hablar. Hablarás. Pero si me mientes, aunque solamente sea una vez, te mataré sin aviso previo.

Esterhazy luchó contra un pánico irracional.

—Pero... entonces... nunca lo sabrás.

—Te equivocas. Ahora que sé que Helen está viva, la encontraré cueste lo que cueste. Pero tú puedes ahorrarme un montón de tiempo y de inconvenientes. Te lo repito: la verdad o morirás.

Esterhazy oyó un metálico clic cuando Pendergast retiró el seguro del arma.

—Vale, entendido. —Intentó nuevamente ordenar sus pensamientos y tranquilizarse—. No tienes ni idea —jadeó—, ni la menor idea, de lo que está en juego aquí. Se remonta a mucho antes de Longitude. —Intentó cambiar de posición en el suelo, pero no pudo—. Se remonta a antes de que tú y yo naciéramos.

—Te escucho.

Esterhazy respiró profundamente. Aquello le resultaba más difícil de lo que nunca había imaginado. La verdad era tan terrible, tanto que...

—Empieza por el principio.

—Corría el mes de abril de 1945 cuando...

De repente la presión de la pistola desapareció.

—¡Mi querido amigo, qué caída tan tonta! Deja que te ayude. —La voz de Pendergast había cambiado y el acento galés había vuleto a hacer acto de presencia—. ¡Te has hecho un corte en la oreja!

Esterhazy notó que la pistola le presionaba el costado desde el bolsillo de Pendergast. Al mismo tiempo oyó que la puerta de un coche se cerraba y voces, un coro de voces. Levantó la cabeza y parpadeó. Un alegre grupo de hombres y mujeres se acercaba con bastones, impermeables, libretas, lápices y cámaras. La furgoneta en la que acababan de llegar se encontraba aparcada justo al otro lado del muro de piedra que rodeaba el cementerio. Ni él ni Pendergast la habían oído llegar en medio del fragor de su enfrentamiento.

—¡Hola! —dijo el que parecía el líder del grupo, acercándose a grandes pasos y agitando un paraguas cerrado—. ¿Se encuentra bien?

—Solo ha sido una pequeña caída sin importancia —contestó Pendergast al tiempo que ayudaba a Esterhazy a ponerse en pie sin dejar de sujetarlo con mano de hierro ni de clavarle la pistola en los riñones.

—Qué agradable encontrar a otra gente en este olvidado rincón de Escocia. Y han venido hasta aquí en bicicleta, ¡ahí es nada! ¿Qué los ha traído hasta estos inhóspitos parajes?

—La iconografía funeraria —repuso Pendergast con notable calma. Sin embargo, su mirada era cualquier cosa menos calma.

Esterhazy hizo un esfuerzo enorme por tranquilizarse. Pendergast acababa de ver frustrados sus planes, pero estaba seguro de que no perdería la menor oportunidad de rematar lo que había empezado.

—¡Pues nosotros somos genealogistas! —dijo el recién llegado—. Nos interesan los nombres. —Tendió una mano—. Soy Rory Monckton, de la Sociedad Genealógica Escocesa.

Mientras el hombre estrechaba la mano de Pendergast, este tuvo que soltar por un momento a Esterhazy.

—Encantado de conocerlo —contestó Pendergast—, pero me temo que tenemos prisa y...

Esterhazy vio entonces su oportunidad.

Lanzó el brazo hacia atrás, golpeó el bulto de la pistola, se dio la vuelta y se agachó rápidamente.

Pendergast disparó, pero no lo bastante rápido, y para entonces Esterhazy ya había sacado su pistola.

—¡Madre de Dios! —El recién llegado se echó al suelo.

El grupo, que había empezado a desplegarse entre las lápidas, se dispersó presa del pánico. Algunos se pusieron a cubierto, mientras que otros corrieron asustados como perdices.

Un segundo disparo desgarró el abrigo de Esterhazy al mismo tiempo que él disparaba contra Pendergast. Refugiándose tras una lápida, el agente del FBI abrió fuego nuevamente, pero falló. No estaba en buena forma. Obviamente la reciente herida lo había debilitado.

Esterhazy disparó dos veces, obligando a Pendergast a permanecer acurrucado, y después echó a correr como un loco hacia la furgoneta. La rodeó por fuera, saltó dentro y se mantuvo agachado.

Las llaves estaban puestas.

Una bala atravesó la ventanilla, rociándolo con fragmentos de cristal. Esterhazy devolvió el disparo.

Luego, puso en marcha el motor y siguió disparando con una mano por la destrozada ventanilla, por encima de las cabezas de los aterrorizados genealogistas y entre las lápidas, obligando a Pendergast a mantenerse a cubierto. Un coro de gritos invadió el cementerio cuando Esterhazy metió la marcha atrás y aceleró arrojando una lluvia de piedras con los neumáticos. Oyó que las balas de Pendergast impactaban en la parte de atrás del vehículo mientras clavaba el pie en el acelerador y se alejaba.

Otra ráfaga alcanzó la furgoneta justo antes de que coronara la colina y desapareciera por el otro lado. No daba crédito a su buena suerte. Se dijo que la iglesia de St. Muns se encontraba a unos veinte kilómetros de Lochmoray y que por allí los móviles no tenían cobertura. No había coches, solo un par de viejas bicicletas.

Calculó que tardaría un par de horas, quizá menos, en llegar al aeropuerto más próximo.

25

Edimburgo, Escocia

—Ya puede ponerse la camisa, señor Pendergast.

El anciano médico guardó los instrumentos en su maletín con movimientos rápidos y precisos: el estetoscopio, el medidor de tensión, la linterna, el otoscopio y el oftalmoscopio. Por último, guardó el ECG portátil. Cerró la bolsa, contempló la lujosa suite del hotel y después lanzó una mirada de reprobación a Pendergast.

—Esa herida ha cicatrizado mal —dijo.

—Lo sé. Las condiciones de la recuperación no fueron lo que se dice idóneas.

El médico dudó.

—Está claro que es una herida de bala.

—Sí. —Pendergast se abotonó la camisa y se puso encima una bata de seda con un discreto dibujo de cachemira—. Fue un accidente de caza.

—Ya sabrá que hay que dar parte a la policía de esos accidentes.

—Muchas gracias, las autoridades están informadas de todo lo relevante.

El ceño del médico se arrugó un poco más.

—Está usted muy débil. Sufre de anemia y arritmia. Yo le recomendaría un par de semanas de descanso en cama, a ser posible en un hospital.

—Le agradezco el diagnóstico, doctor, y tendré muy en cuenta su consejo. Ahora, si es tan amable de entregarme el informe de mis constantes vitales y el electrocardiograma, estaré encantado de abonarle sus servicios.

Cinco minutos más tarde, el médico salía de la suite y cerraba suavemente la puerta. Pendergast se lavó las manos en el cuarto de baño y descolgó el teléfono.

—¿En qué puedo servirlo, señor Pendergast?

—Por favor, haga que me suban a la habitación lo necesario para un cóctel: ginebra Old Raj, vermut Noilly Prat y limón.

—De acuerdo, señor.

Colgó el teléfono, cruzó la habitación, abrió las ventanas y salió a la pequeña terraza. El rumor de la ciudad lo envolvió. El atardecer era fresco. Más abajo, en Princess Street, varios taxis hacían cola ante la puerta del hotel. Los viajeros entraban y salían de la estación Waverly. Pendergast alzó la vista por encima de la Ciudad Vieja y contempló el gran castillo de Edimburgo, profusamente iluminado, recortándose contra el purpúreo resplandor del ocaso.

Oyó que llamaban a la puerta y que esta se abría. Un camarero entró con una bandeja en la que había copas, una coctelera, hielo, dos botellas y un plato con unas peladuras de limón.

—Gracias —dijo Pendergast mientras entraba en la habitación y le deslizaba un billete en la mano.

—Es un placer, señor.

Cuando el camarero se hubo marchado, llenó la coctelera con hielo, echó varios dedos de ginebra, un chorrito de vermut y agitó la mezcla durante cincuenta segundos. A continuación, la vertió en una de las copas y estrujó encima un trozo de corteza de limón. Se llevó la bebida a la terraza, se instaló cómodamente en una de las tumbonas y se sumió en sus pensamientos.

Al cabo de una hora, entró para llenarse la copa y volvió a instalarse fuera, donde permaneció otra hora sin moverse. Cuando hubo apurado el segundo cóctel, cogió el móvil y marcó un número.

El timbre del teléfono sonó varias veces, hasta que contestó una voz soñolienta.

—D'Agosta. ¿Diga?

—Hola, Vincent.

—¿Pendergast?

—Sí.

—¿Dónde estás? —Esta vez era una voz de alerta.

—En el hotel Balmoral de Edimburgo.

—¿Y cómo vas de salud?

—Todo lo bien que se puede esperar.

—¿Y Esterhazy? ¿Qué ha pasado con él?

—Logró escapar de mis garras.

—¡Dios mío! ¿Cómo fue?

—Los detalles carecen de importancia. Bastará con que te diga que hasta los planes más cuidadosamente trazados pueden ser víctimas de un imprevisto.

—¿Y dónde está ahora?

—En el aire, en algún vuelo internacional.

—¿Cómo puedes estar tan seguro de eso?

—Porque robó una furgoneta y la han encontrado abandonada en la cuneta de una carretera secundaria, junto al aeropuerto de la ciudad.

—¿Cuándo?

—Esta tarde.

—Bien. Eso quiere decir que su avión no ha aterrizado todavía. Dime adónde se dirige ese hijo de puta y tendré un comité esperándole para darle la bienvenida.

—Me temo que eso no podrá ser.

—¿Por qué no? ¡No me dirás que piensas dejarlo escapar!

—No es eso. He hecho algunas comprobaciones con inmigración y control de pasaportes. No existe constancia de que ningún Judson Esterhazy haya salido de Escocia. Han salido cientos de estadounidenses, pero no Judson.

—Entonces la furgoneta abandonada no es más que una treta y él sigue escondido por ahí.

—No, Vincent. Le he dado mil vueltas desde todos los puntos de vista posibles y estoy seguro de que ha salido del país, seguramente con rumbo a Estados Unidos.

—¿Cómo narices puede haberlo hecho sin pasar por el control de pasaportes?

—Cuando la investigación terminó, Esterhazy hizo saber que se marchaba de Escocia. En control de pasaportes tienen constancia de la fecha y del número del vuelo; sin embargo, no hay el menor indicio de que volviera, aunque nosotros sabemos que lo hizo.

—Eso no puede ser, no con la seguridad que hay hoy en día en los aeropuertos.

—Puede ser si está utilizando un pasaporte falso.

—¿Un pasaporte falso?

—Seguramente consiguió uno en Estados Unidos, cuando volvió después de la investigación.

Siguió un breve silencio.

—Actualmente es casi imposible falsificar un pasaporte de Estados Unidos. Tiene que haber otra explicación.

—No la hay. Esterhazy tiene un pasaporte falso, lo cual resulta muy preocupante.

—No podrá esconderse. Le echaremos los perros.

—Sabe que estoy vivo y que estoy deseando atraparlo, así que se esconderá. A corto plazo, no tiene sentido buscarlo. Está claro que ha recibido ayuda profesional. En consecuencia, mis investigaciones deben seguir un nuevo camino.

—¿Sí? ¿Y qué camino es ese?

—Debo descubrir por mi cuenta el paradero de mi esposa.

Aquella respuesta fue recibida con un silencio más prolongado que el anterior.

—Mira, Pendergast, lamento tener que insistir, pero ya sabes dónde está tu mujer: en el panteón familiar.

—No, Vincent. Helen está viva. Nunca he estado tan seguro de algo como de esto.

D'Agosta suspiró ruidosamente.

—No permitas que te haga esto. ¿Acaso no ves lo que está ocurriendo? Sabe perfectamente lo mucho que Helen representaba para ti y que harías cualquier cosa para conseguir recuperarla. Está manipulándote por algún sádico motivo.

Cuando Pendergast no contestó, D'Agosta juró entre dientes.

—Supongo que esto significa que has dejado de esconderte...

—Ya no tiene sentido que lo haga. De todas maneras, tengo previsto pasar desapercibido durante un tiempo. No hay razón para que dé cuenta de mis movimientos.

—¿Puedo ayudarte en algo desde aquí?

—Podrías ir a ver a Constance al hospital Mount Mercy. Asegúrate de que no le falta nada.

—Hecho. ¿Y tú? ¿Qué harás ahora?

—Lo que te he dicho: encontrar a mi mujer.

Dicho lo cual, Pendergast colgó.

26

Bangor, Maine

Había pasado el control de inmigración y recuperado sin problemas sus maletas. Sin embargo, Judson Esterhazy no se sentía con valor suficiente para abandonar la sección de equipajes. Siguió sentado en el último asiento de una hilera de sillas de plástico, escrutando el rostro de todos los que pasaban. El aeropuerto internacional de Bangor, en Maine, era el más recóndito del país, y Esterhazy había cambiado dos veces de vuelo —primero en Shannon y después en Quebec— para borrar su rastro y dificultar la persecución a Pendergast.

Un hombre se sentó pesadamente a su lado, y Esterhazy lo miró con suspicacia. Pero ese viajero debía de pesar casi doscientos kilos, ni siquiera Pendergast habría podido simular los michelines de tejido adiposo que rebosaban por encima de su cinturón. Esterhazy volvió a centrarse en los rostros de la gente que pasaba. Pendergast podía ser fácilmente uno de ellos. Sin embargo, con sus credenciales del FBI podía encontrarse en uno de los despachos de seguridad, observándolo a través de los monitores de circuito cerrado. O podía estar aparcado ante su casa de Savannah. O peor aún, esperándolo dentro.

La emboscada que Pendergast le había tendido en Escocia le había dado un susto de muerte. Una vez más, le había embargado una combinación de pánico y rabia. Tantos años borrando sus huellas, teniendo un cuidado exquisito, y de repente Pendergast lo desmontaba todo. El agente del FBI no tenía la menor idea de las dimensiones de la caja de Pandora que estaba abriendo. Cuando «ellos» intervinieran... Se sentía implacablemente atrapado entre Pendergast por un lado y la Alianza por el otro.

Se aflojó el cuello de la camisa y respiró hondo para aplacar el pánico. Él era capaz de manejar la situación. Tenía la inteligencia y los medios necesarios para lograrlo. Pendergast no era invencible. Debía de haber una manera de salir airoso de aquello. Se escondería, desaparecería durante un tiempo. Así tendría ocasión de reflexionar.

Pero ¿qué lugar podía ser tan remoto y olvidado para que Pendergast no lo encontrara? En cualquier caso, aunque pudiera esconderse en algún rincón lejano, no estaba dispuesto a vivir con miedo, año tras año, como habían hecho Slade y los Brodie.

Los Brodie. Se había enterado de su horrible muerte por los periódicos. Sin duda la Alianza los había descubierto. Había sido un shock, pero tendría que haberlo imaginado. June Brodie apenas sabía en qué se había metido o, mejor dicho, en qué la habían metido Slade y él. De haberlo sabido, nunca habría salido de aquel pantano. Se le antojaba increíble que Slade, incluso en plena locura y declive, nunca hubiera traicionado el más importante de los secretos.

En aquel momento de miedo y desesperación, Esterhazy comprendió por fin lo que debía hacer. Había una respuesta, solo una. No podía hacerlo solo. Con Pendergast rondando por ahí, tenía que echar mano del último recurso: debía ponerse en contacto con la Alianza y hacerlo de forma rápida y proactiva. Si no se lo decía, y ellos se enteraban por su cuenta, sería mucho más peligroso. Debían verlo con ánimo colaborador, alguien de confianza, a pesar de que eso significara ponerse completamente en sus manos una vez más.

Sí. Cuanto más lo pensaba, más inevitable le parecía. De ese modo controlaría la información que recibían y podría reservarse para sí los hechos que no le convenía que supieran. Además, si se ponía bajo su protección, Pendergast no podría hacerle daño. De hecho, si lograba convencerlos de que Pendergast representaba un peligro, sería como si el agente del FBI, a pesar de todas sus artimañas, estuviera muerto. Y de ese modo su secreto estaría a salvo.

Una vez tomada esa decisión, sintió un pequeño alivio.

Miró a su alrededor una vez más, escrutando cada rostro. Luego se levantó, recogió sus maletas y se encaminó hacia la parada de taxis. Había varios esperando. Bien.

Se acercó al cuarto taxi de la fila y se inclinó hacia la ventanilla.

—¿Le falta poco para cambiar de turno? —preguntó.

—La noche es joven, amigo —respondió el taxista.

Esterhazy abrió la puerta de atrás, metió las maletas y entró.

—Lléveme a Boston, por favor.

El chófer lo miró por el retrovisor.

—¿A Boston?

—Sí, a la plaza Copley, en Back Bay. —Esterhazy se metió la mano en el bolsillo y le entregó un puñado de billetes de cien—. Esto es solo para empezar. Le saldrá a cuenta.

—Lo que usted mande, señor.

El taxista arrancó, salió de la cola y se perdió en la noche.

27

Ezerville, Mississippi

Ned Betterton miró en ambas direcciones y después cruzó la ancha y polvorienta calle principal llevando en una mano una bolsa de papel y dos latas de un refresco sin azúcar en la otra. Un viejo Chevy Impala esperaba ante Della's Launderette con el motor encendido. Betterton rodeó el vehículo y subió al asiento del pasajero. Un tipo bajo y musculoso estaba sentado al volante. Llevaba gafas oscuras y una gorra de béisbol.

—Hola, Jack —lo saludó Betterton.

—Hola, tú —respondió el otro.

Betterton le dio una de las latas y después metió la mano en la bolsa y sacó un sándwich envuelto en papel de estraza.

—Gambas con *rémoulade* pero sin lechuga, como dijiste.

Se lo pasó y volvió a meter la mano en la bolsa para coger su almuerzo: un enorme bocadillo de albóndigas a la parmesana.

—Gracias —dijo su compañero.

—No hay problema. —Betterton dio un mordisco a su bocadillo. Estaba hambriento—. ¿Qué es lo último que sabemos de nuestros muchachos de azul? —preguntó con la boca llena.

—Pogie está incordiando a todo el mundo otra vez.

—¿Otra vez? ¿Qué mosca ha picado al jefe en esta ocasión?

—Quizá sea cosa de su culo nocturno.

Betterton rió y dio otro bocado. «Culo nocturno» era como

llamaban a las hemorroides en el argot de la policía, una dolencia por desgracia frecuente entre los agentes que tenían que pasar horas sentados en sus coches.

—Bueno, ¿y qué puedes contarme del asesinato de los Brodie? —preguntó.

—Nada.

—Vamos, te acabo de invitar a almorzar.

—Y yo te he dado las gracias. Un sándwich y un refresco no valen una sanción.

—Nadie te va a sancionar. Sabes que nunca escribiría nada que pudiera perjudicarte. Solo quiero saber de qué ha ido la cosa.

El hombre llamado Jack frunció el ceño.

—Crees que porque éramos vecinos tienes derecho a convertirme en tu confidente cada vez que algo te interesa.

—Vamos, eso no es verdad —protestó Betterton fingiéndose ofendido—. Eres mi amigo, seguro que quieres que escriba una buena historia.

—Si fueras mi amigo, te preocuparía que me metiera en problemas. Además, sé lo mismo que tú.

—Y un cuerno. —Betterton dio otro mordisco a su bocadillo.

—Es cierto. Ese asunto es demasiado grande para nosotros. Han avisado a los chicos de la estatal, e incluso va a venir una brigada de homicidios desde Jackson. Nos han dejado fuera.

El periodista reflexionó unos instantes.

—Escucha, lo único que sé es que un matrimonio, la pareja a la que entrevisté no hace mucho, ha sido brutalmente asesinado. Tú has de saber necesariamente algo más que eso.

El hombre sentado al volante suspiró.

—Saben que no fue un robo. En la casa no faltaba nada. Y también saben que no fue nadie de por aquí.

—¿Y cómo saben eso? —farfulló Betterton a través de un trozo de albóndiga.

—Porque nadie de por aquí haría algo así. —El hombre metió la mano en la guantera de la puerta, sacó una fotografía en color de 18 × 24 de un sobre y se la entregó—. Y yo no te he enseñado esto.

Betterton echó un vistazo a la imagen de la escena del crimen y palideció. Su masticación se hizo más lenta, hasta que se detuvo del todo. Luego, abrió rápidamente la puerta del coche y escupió en la cuneta lo que tenía en la boca.

—Muy bonito —dijo el otro meneando la cabeza.

Betterton le devolvió la foto sin volver a mirarla y se limpió los labios con el dorso de la mano.

—Dios mío... —dijo con un hilo de voz.

—¿Lo entiendes ahora?

—Dios mío —repitió Betterton. Su apetito se había esfumado.

—Ahora sabes tanto como yo —dijo el policía terminando su sándwich y chupándose los dedos—, salvo una cosa: en este caso no tenemos nada que se parezca remotamente a una pista. La escena del crimen estaba limpia. Fue un trabajo de profesionales, de la clase de profesionales que no tenemos por aquí.

Betterton no replicó.

El otro miró lo que quedaba del bocadillo de albóndigas.

—¿No vas a comerte eso?

28

Nueva York

Corrie Swanson estaba sentada en un banco de Central Park Oeste, con una bolsa de McDonald's junto a ella, fingiendo leer un libro. Era una agradable mañana de otoño, los preciosos colores del parque que tenía a su espalda apenas habían empezado a difuminarse, unas pocas nubes corrían por un cielo despejado y todo el mundo parecía estar disfrutando del veranillo de San Martín. Todo el mundo salvo ella. Tenía su atención puesta al otro lado de la calle, en la fachada del Dakota y su entrada, situada en la esquina de la calle Setenta y dos.

Entonces lo vio: el Rolls-Royce plateado subía por Central Park Oeste. Era un coche que conocía bien, un coche incluso inolvidable. Cogió la bolsa de McDonald's, se puso en pie de un salto —el libro se cayó al suelo— y cruzó la calle a todo correr a pesar del semáforo en rojo, sorteando el tráfico. Se detuvo en la esquina de Central Park Oeste con la Setenta y dos y esperó a ver si el Rolls-Royce giraba.

Giró. El conductor —al que no alcazaba a ver— puso el intermitente y pasó al carril de la izquierda; a medida que se acercaba a la esquina aminoró la marcha. Ella corrió por la acera de la Setenta y dos y llegó a la altura del Dakota antes que el coche. Cuando el Rolls giró lentamente hacia la marquesina, Corrie se plantó delante del vehículo. El Rolls frenó de golpe y ella miró fijamente al conductor a través del parabrisas.

No era Pendergast, pero desde luego era su coche. No podía haber otro Rolls-Royce antiguo como aquel en todo el país.

Esperó. La ventanilla bajó y un hombre de facciones marcadas y cuello de toro asomó la cabeza.

—Perdone, señorita —dijo amablemente y con su mejor sonrisa—, ¿le importaría...?

La pregunta quedó flotando en el aire.

—Sí, me importaría.

El hombre siguió mirándola.

—Me está bloqueando el paso.

—Muy molesto, ¿verdad? —Corrie se acercó—. ¿Se puede saber quién es usted y qué hace conduciendo el coche de Pendergast?

La cabeza la miró fijamente un instante antes de volver al interior del coche. Luego la puerta del coche se abrió y el hombre se apeó. La amable sonrisa había desaparecido casi por completo. Era corpulento, tenía los hombros de un nadador y el pecho de un levantador de pesas.

—¿Usted es...? —preguntó.

—Eso no le incumbe. Quiero saber quién es usted y qué hace conduciendo el coche de Pendergast.

—Me llamo Proctor y trabajo para el señor Pendergast.

—Me alegro por usted. Veo que ha hablado en presente.

—¿Perdón?

—Ha dicho «trabajo para el señor Pendergast». ¿Cómo es posible si resulta que ha muerto? ¿Acaso sabe algo que yo no sepa?

—Escuche, señorita, no sé quién es usted, pero estoy seguro de que podríamos hablar de todo esto más cómodamente en cualquier otra parte.

—Hablaremos aquí mismo, sin la menor comodidad, mientras le bloqueo el paso. Estoy harta de que me den largas.

El portero del Dakota salió de su garita de latón.

—¿Hay algún problema? —preguntó con voz temblorosa.

—Sí —repuso Corrie—, un problema de los gordos. No pienso moverme de aquí hasta que este hombre me diga todo lo que sabe acerca del propietario de este coche. Y si eso no le gusta, ya puede ir llamando a la policía para denunciar un caso de alteración del orden público, porque eso es precisamente lo que va a ocurrir si no consigo respuestas.

—No será necesario, Charles —dijo con calma el hombre que respondía al nombre de Proctor—. Vamos a solucionar esto en un periquete.

El portero frunció el ceño, no parecía convencido.

—Puede volver a su puesto —insistió Proctor en un tono sereno pero que denotaba firmeza—. Tengo la situación controlada.

El portero obedeció, y Proctor se volvió hacia Corrie.

—¿Acaso conoce usted al señor Pendergast? —preguntó.

—Puede estar seguro de que sí. Trabajé con él en Kansas, en el caso de los asesinatos de Naturaleza Muerta.

—Entonces usted debe de ser la señorita Swanson.

Corrie se llevó una sorpresa, pero se recobró enseguida.

—Así que me conoce. Bien. ¿Quiere explicarme qué es todo esto de que Pendergast ha muerto?

—Lamento decir que el señor...

—¡No me venga con más cuentos! —gritó Corrie—. Lo he estado pensando, y esa historia del accidente de caza huele peor que un pedo de coliflor. ¡O me dice la verdad o monto ahora mismo un caso de alteración del orden público!

—No hay necesidad de que se ponga nerviosa, señorita Swanson. Dígame por qué pretende entrar en contacto con...

—¡Ya basta! —Corrie sacó un martillo de la bolsa de McDonald's y lo levantó con ambas manos sobre el parabrisas del Rolls-Royce.

—Señorita Swanson, no se precipite —dijo Proctor dando un paso hacia ella.

—¡Quieto!

—Esta no es manera de conseguir la información que...

Corrie golpeó el parabrisas con todas sus fuerzas. Una resquebrajadura cruzó el cristal en diagonal.

—Dios mío... —dijo Proctor, anonadado—. ¿Tiene idea de lo que vale este...?

—¿Está vivo o muerto? —Corrie levantó de nuevo el martillo. Al ver que Proctor avanzaba hacia ella, gritó—: ¡Tóqueme y gritaré que me está violando!

El portero observaba la escena desde su garita, boquiabierto.

Proctor se detuvo.

—Espere un momento. Le daré la respuesta que busca, pero le ruego que tenga paciencia. No conseguirá nada con más violencia.

Hubo un momento de tenso silencio, hasta que Corrie bajó el martillo.

Proctor se metió la mano en el bolsillo, sacó un móvil y se lo mostró. A continuación, marcó un número.

—Será mejor que se dé prisa. Es posible que Charles ya esté llamando a la policía.

—Lo dudo.

Proctor habló por teléfono en voz baja durante aproximadamente un minuto. Luego tendió el teléfono a Corrie.

—¿Quién es? —le preguntó ella.

En lugar de contestar, Proctor se limitó a tenderle el aparato mientras la miraba fijamente con los ojos entrecerrados.

Corrie cogió el móvil.

—¿Sí?

—Mi querida Corrie —dijo la sedosa voz que tan bien conocía—, no sabes cuánto lamento no haberme presentado a nuestra cita para almorzar en Le Bernardin.

—¡Por aquí se dice que has muerto! —exclamó ella con los ojos llenos de lágrimas—. Dicen que...

—Las noticias que corren sobre mi muerte —prosiguió la voz en tono divertido— han sido muy exageradas. Sencillamente acabo de salir de una operación encubierta. El alboroto que estás montando es del todo innecesario.

—Por el amor de Dios, podrías habérmelo dicho... Estaba muerta de angustia. —El alivio que sentía se estaba convirtiendo en enfado.

—Sí, quizá tendría que haberlo hecho. Había olvidado que eres una joven de muchos recursos. El pobre Proctor no sabía con quién se enfrentaba. Me temo que te va a ser difícil volver a congraciarte con él. ¿De verdad era necesario que rompieras el parabrisas del Rolls para llamar su atención?

—Lo lamento, pero no he tenido más remedio. —Sintió que se ruborizaba—. ¡Dejaste que creyera que habías muerto! ¿Cómo pudiste hacer algo así?

—Lo siento, Corrie, pero no estoy obligado a informarte constantemente de mi paradero.

—Está bien, ¿se puede saber de qué va ese caso?

—No puedo hablar de ello. Es estrictamente privado, extraoficial y, si me permites la palabra, *freelance*. Estoy vivo y acabo de regresar a Estados Unidos, pero estoy trabajando por mi cuenta y no necesito ayuda. Ninguna. Puedes tener la seguridad de que nos veremos para almorzar, pero no será hasta dentro de un tiempo. Mientras tanto, te ruego que prosigas con tus estudios. El caso que tengo entre manos es sumamente peligroso y no debes implicarte bajo ningún concepto. ¿Lo has entendido?

—Pero...

—Te lo agradezco. Por cierto, me emocionó lo que escribiste en mi página web. Un obituario muy bonito, sí señor. Al igual que Alfred Nobel, he vivido la curiosa experiencia de leer mi propia esquela. Bueno, ¿me juras solemnemente que no harás nada?

—Sí, pero... —dudó—. ¿Se supone que sigues muerto? ¿Qué debo decir?

—La necesidad de mantener esa ficción ha desaparecido. Vuelvo a estar en circulación, aunque manteniendo un perfil muy discreto. Perdóname el mal rato que haya podido causarte.

El teléfono enmudeció antes de que Corrie hubiera podido despedirse. Lo contempló un momento y se lo devolvió a Proctor, que la miró fríamente y se lo guardó.

—Espero no volver a verla por aquí —dijo.

—No se preocupe —contestó ella metiendo el martillo en la bolsa—. De todas maneras, yo que usted dejaría las pesas durante un tiempo. Tiene unos pectorales que serían la envidia de Dolly Parton.

Dio media vuelta y caminó hacia el parque. El obituario que había escrito no estaba mal, pensó. Quizá lo dejaría colgado un tiempo más, aunque solo fuera por diversión.

29

Plankwood, Luisiana

Marcellus Jennings, director de la Oficina de Salud Pública del distrito de St. Charles, se hallaba sentado tras su escritorio en tranquila contemplación. Todo estaba ordenado, como a él le gustaba. No había un solo memorando fuera de lugar en la antigua bandeja de entrada, tampoco había rastro de polvo ni ningún clip por ahí suelto. Cuatro lápices, perfectamente afilados, descansaban junto al cartapacio con cantos de cuero. A su derecha tenía un ordenador, apagado. En la pared colgaban tres diplomas que daban fe de su asistencia a tres conferencias en el estado de Luisiana. Una pequeña estantería albergaba una serie de manuales y guías, que raras veces se abrían pero que siempre estaban limpios de polvo.

Llamaron a la puerta.

—Adelante —dijo Jennings.

La puerta se abrió, y Midge, su secretaria asomó la cabeza.

—Un tal Pendergast quiere verlo, señor —le dijo.

A pesar de que era la única cita que tenía prevista ese día, Jennings abrió un cajón de su escritorio, sacó una agenda y lo consultó. Puntual, muy puntual. Él admiraba la puntualidad.

—Hágalo pasar —contestó guardando la agenda.

Instantes después, la visita entró. Jennings se levantó para recibirlo, pero se quedó de piedra por la sorpresa. El hombre que acababa de entrar parecía hallarse a las puertas de la muerte. Enjuto, grave y pálido como una estatua de cera, vestido con un austero traje negro, pensó inevitablemente en la Parca. Solo le faltaba la guadaña. Jennings se disponía a tenderle la mano para estrechársela, pero se contuvo y se limitó a señalarle las sillas que había frente a su escritorio.

—Siéntese, por favor. —Observó cómo el recién llegado entraba y tomaba asiento, lenta y dolorosamente.

Pendergast... Pendergast... El nombre le resultaba vagamente familiar, pero no supo por qué. Se inclinó hacia delante, apoyó los codos en la mesa y entrelazó sus gordezuelos dedos.

—Bonito día —comentó.

El hombre llamado Pendergast no correspondió a su observación.

—Bien. —Jennings se aclaró la garganta—. ¿Qué puedo hacer por usted, señor Pendergast?

En respuesta, Pendergast sacó una cartera de piel, la abrió y la dejó encima del escritorio.

Jennings miró el reluciente emblema.

—¿FBI? ¿Se trata de un asunto oficial?

—No. Estoy aquí por una cuestión personal. —La voz era suave y melodiosa, con un toque de distinción sureña.

—Entiendo. —Jennings aguardó.

—He venido por una exhumación.

—Entiendo —repitió Jennings—. ¿Se trata de una exhumación ya realizada o de una petición para realizar una?

—Una nueva orden de exhumación.

Jennings apartó los codos de la mesa, se apoyó en el respaldo de la silla, se quitó las gafas y se puso a limpiarlas con la parte ancha de su corbata de poliéster.

—¿A quién desea exhumar?

—A mi esposa, Helen Esterhazy Pendergast.

La limpieza de las gafas se detuvo un momento. Luego volvió a empezar, a un ritmo más lento.

—¿Y dice usted que no es necesaria una orden judicial ni

una petición de la policía para determinar la causa de la muerte?

Pendergast negó con la cabeza.

—Como le he dicho, se trata de un asunto personal.

Jennings se llevó una mano a la boca y carraspeó educadamente.

—Comprenda, señor Pendergast, que estas cosas deben hacerse a través de los canales adecuados. Tenemos normas y las tenemos por una buena razón. La exhumación de restos humanos no es algo que pueda tomarse a la ligera.

Pendergast no dijo nada, de modo que Jennings, animado por el sonido de su propia voz, prosiguió:

—Si no dispone usted de una orden judicial o de algún otro tipo de solicitud oficial, como por ejemplo una petición del forense argumentando sospechas sobre las causas de la muerte, solo hay una circunstancia que permita aprobar una exhumación...

—Que la familia del difunto desease trasladar los restos —concluyó Pendergast.

—Bueno, sí, así es —dijo Jennings. La interrupción lo había cogido desprevenido, y por un instante le costó recobrar el ritmo de su discurso—. ¿Es ese su caso, señor Pendergast?

—Lo es.

—Bien, entonces creo que podemos proceder con los trámites.

Se volvió, abrió el cajón del archivador que había bajo la estantería y sacó unos impresos que dejó encima del cartapacio. Los examinó brevemente.

Supongo que sabrá que es necesario cumplimentar ciertos requisitos. Por ejemplo, necesitamos el certificado de defunción de su esposa.

Pendergast metió la mano en el bolsillo de su chaqueta y sacó una hoja doblada, la desdobló y la dejó en la mesa, junto a la placa del FBI.

Jennings la examinó.

—Muy bien. Pero... ¿Qué es esto? Veo que el cementerio de

origen es Saint-Savin, que está en el otro extremo del distrito. Me temo que tendrá que presentar su solicitud en las oficinas de la sección oeste.

Jennings levantó la vista del papel y vio que los plateados ojos de Pendergast lo miraban fijamente.

—Técnicamente hablando, usted también tiene jurisdicción.

—Sí, pero se trata de una cuestión de protocolo. Los asuntos de Saint-Savin se realizan en la sección oeste.

—Señor Jennings, lo he elegido a usted por una razón muy especial: solo usted puede hacer esto por mí. Nadie más.

—Me siento halagado, desde luego. —Jennings experimentó una oleada de satisfacción por semejante declaración de confianza—. Supongo que podemos hacer una excepción. Bueno, entonces tenemos las tasas de la solicitud...

La pálida y delgada mano desapareció nuevamente en el bolsillo de la americana y reapareció, en esta ocasión, con un cheque debidamente firmado y cumplimentado con el importe correspondiente.

—Bien, bien —dijo Jennings examinándolo—. También necesitamos la autorización de la dirección del cementerio donde se hallan enterrados actualmente los restos.

Otro papel aterrizó en la mesa, junto a los otros.

—¿Y el permiso del cementerio al que van a ser transferidos los restos?

Pendergast depositó, con deliberada lentitud, un papel más en la pulida madera.

Jennings contempló la ringlera de documentos que tenía delante.

—¡Es usted un hombre organizado! —Intentó sonreír, pero la grave expresión de su visitante le disuadió—. Me parece que tenemos todo lo necesario. ¡Ah, no! Nos falta el impreso de la compañía que se encargará del traslado de los restos al nuevo cementerio.

—Eso no será necesario, señor Jennings.

El funcionario miró con perplejidad al espectro que estaba sentado frente a él.

—No le entiendo.

—Creo que si echa un vistazo a las dos autorizaciones del cementerio todo quedará aclarado.

Jennings se puso las gafas y leyó ambos documentos. Luego, levantó la vista rápidamente.

—¡Pero si se trata del mismo cementerio!

—En efecto. Así pues, no habrá necesidad de llevar los restos de un cementerio a otro.

—¿Hay algún problema con el actual emplazamiento de su difunta esposa?

—Ninguno, lo elegí personalmente.

—¿Se trata entonces de una construcción nueva? ¿Hay que mover el cuerpo de sitio porque van a hacer algún cambio en Saint-Savin?

—Escogí ese cementerio precisamente porque no ha cambiado ni cambiará y porque no aceptan enterrar a nadie más.

Jennings se inclinó hacia delante.

—Entonces, ¿puedo preguntarle por qué quiere mover el cuerpo?

—Porque es la única manera de que pueda tener acceso temporal a los restos de mi esposa.

Jennings se pasó la lengua por los labios.

—¿Acceso?

—Durante la exhumación me acompañará un médico forense debidamente acreditado por las autoridades de Luisiana. Realizaremos un examen de los restos en un laboratorio forense móvil que estará aparcado en el mismo cementerio. Luego el cuerpo será enterrado de nuevo en una tumba contigua a la que había ocupado antes, todo en el panteón de la familia Pendergast. En la solicitud se explican los detalles.

—¿Un examen forense? ¿Se trata de un problema de herencia o algo parecido?

—No, es una cuestión estrictamente privada y personal.

—Todo esto es de lo más irregular, señor Pendergast. Nunca había visto una solicitud parecida. Lo lamento, pero no es algo que yo pueda aprobar. Tendrá que acudir a los tribunales.

Pendergast lo miró fijamente durante unos segundos.

—¿Es su última palabra?

—Las normas para una exhumación son muy claras. No puedo hacer nada —dijo Jennings extendiendo las manos.

—Entiendo. —Pendergast recogió la placa del FBI y se la guardó. Dejó los papeles en la mesa—. ¿Le importaría acompañarme un momento, señor Jennings?

—¿Adónde?

—Solo será un minuto.

El funcionario se levantó a regañadientes.

—Quiero mostrarle —dijo Pendergast— por qué lo elegí a usted para esta petición.

Salieron del despacho, caminaron por el pasillo hasta la entrada principal y salieron al exterior. Pendergast se detuvo en lo alto de la escalinata.

Jennings miró la ajetreada calle.

—Bonito día, como dije antes —comentó por decir algo.

—Desde luego —fue la respuesta.

—Eso es lo que me gusta de esta parte de Luisiana. El sol parece brillar más que en otros sitios.

—Sí, confiere un brillo especial a todo lo que ilumina. Fíjese por ejemplo en esa placa. —Pendergast señalaba una antigua placa de bronce en la fachada de ladrillo del edificio.

Jennings la miró. Pasaba ante ella todos los días, camino de su despacho, pero hacía años que no se había parado a leer su inscripción.

ESTE EDIFICIO DEL AYUNTAMIENTO DE PLANKWOOD,
LUISIANA, FUE CONSTRUIDO CON LOS FONDOS
GENEROSAMENTE DONADOS POR
COMSTOCK ERASMUS PENDERGAST
EN EL AÑO DE NUESTRO SEÑOR DE 1892.

—Comstock Pendergast... —murmuró Jennings. Con razón el apellido le había resultado vagamente familiar.

—Un hermano de mi bisabuelo. La famillia Pendergast, como ve, lleva mucho tiempo ayudando económicamente a algunas poblaciones de los distritos de Nueva Orleans y St. Charles, lugares donde distintas ramas de nuestra familia han vivido a lo largo de los años. Actualmente, aunque ya no estemos por aquí, nuestro legado sobrevive.

—No hay duda —dijo Jennings sin dejar de mirar la placa. Empezaba a hacerse una desagradable idea de por qué Pendergast había elegido su oficina para presentar la solicitud.

—No es algo que vayamos proclamando por ahí, pero lo cierto es que hay unas cuantas fundaciones con nuestro nombre que siguen haciendo donaciones en distintas poblaciones, y entre ellas se encuentra Plankwood.

Jennings apartó la vista de la placa y miró a Pendergast.

—¿Plankwood?

Pendergast asintió.

—Nuestras fundaciones financian becas, ayudan a mantener el fondo de jubilación de la policía, compran libros para la biblioteca y financian el trabajo de la Oficina de Salud Pública. Sería una lástima que todo eso disminuyera... o, quizá, desapareciera.

—¿Desaparecer? —repitió Jennings.

—Los proyectos se cancelan. —El rostro de Pendergast asumió una expresión triste—. Reducciones de salario, pérdida de puestos de trabajo... —dijo, mirando fijamente al funcionario.

Jennings se llevó una mano a la barbilla y la frotó en actitud pensativa.

—Pensándolo bien, señor Pendergast, estoy seguro de que podremos revisar favorablemente su petición. Siempre que usted me garantice que se trata de un asunto de la mayor importancia.

—Se lo garantizo, señor Jennings.

—En ese caso, daré curso a su solicitud. —Lanzó una mirada a la placa—. Incluso me atrevo a prometerle que aceleraremos el papeleo. De ese modo, en unos diez días, tal vez una semana, podrá tener aprobada su solicitud.

—Gracias. Pasaré a recogerla mañana por la tarde —repuso Pendergast.

—¿Qué? —Jennings se quitó las gafas y parpadeó a la luz del sol—. Oh, claro. Mañana por la tarde.

30

Boston, Massachusetts

Un hombre de ojos hundidos y sin afeitar cruzó arrastrando los pies la plaza Copley, bajo la sombra de la torre John Hancock. Salvo por alguna que otra mirada al tráfico que pasaba, mantenía la cabeza gacha y las manos en los bolsillos de su mugrienta gabardina.

Caminó por Dartmouth Street y entró en la estación de metro de Copley. Pasó ante la cola de gente que compraba Charlie-Cards, se agachó bajo la escalera de cemento, se detuvo y miró alrededor. A su derecha había una fila de bancos adosados a la pared. Se dirigió hacia ellos, se sentó en el extremo más alejado y allí se quedó, con las manos en los bolsillos y la mirada perdida.

Unos minutos más tarde hizo su aparición otro hombre. No habría podido ser más diferente. Era alto y delgado, vestía un traje bien cortado y una gabardina Burberry. En una mano llevaba un ejemplar del *Boston Globe* cuidadosamente doblado; en la otra, un paraguas negro. Un sombrero de ala ancha gris dejaba su rostro en sombra. Su único rasgo llamativo era una gran verruga bajo su ojo derecho. Se sentó junto al mendigo y empezó a hojear el periódico.

Cuando el Green Line entró en la estación haciendo chirriar los frenos, el hombre del sombrero comenzó a hablar en voz baja, sin apartar la vista del diario.

—Diga cuál es la naturaleza del problema —ordenó en un inglés con fuerte acento.

—Se trata de Pendergast —repuso el mendigo, manteniendo la cabeza agachada—, mi cuñado. Ha descubierto la verdad.

—¿La verdad? ¿Toda?

—Aún no, pero la descubrirá. Es un hombre sumamente competente y peligroso.

—¿Qué sabe exactamente?

—Sabe que lo que ocurrió en África, lo del león, fue un asesinato. Sabe todo lo referente al Proyecto Aves. Y sabe... —Esterhazy dudó— todo lo de Slade, Longitude Pharmaceuticals, la familia Doane... y Spanish Island.

—Ah, sí, Spanish Island —dijo el hombre—. Acabamos de enterarnos de eso. Ahora sabemos que la muerte de Charles Slade, hace doce años, fue un complicado montaje y que siguió viviendo hasta hace medio año. Es una noticia de lo más desafortunada. ¿Por qué no nos contó todo eso?

—Porque yo tampoco lo sabía. —Esterhazy procuró que su mentira sonara lo más convincente posible—. Se lo juro, no sabía nada de eso. —Tenía que volver a meter al genio dentro de la botella, de lo contrario podía considerarse muerto. Se dio cuenta de que había subido el tono de voz y se obligó a bajarlo—. Fue Pendergast quien lo descubrió todo, y seguro que acabará averiguando lo que todavía no sabe.

—Pendergast... —La voz del hombre del sombrero estaba teñida de disgusto—. ¿Se puede saber por qué no ha acabado con él todavía? Nos prometió que lo haría.

—Lo he intentado, y en más de una ocasión.

El hombre del sombrero no contestó. Pasó la página y continuó leyendo.

Tardó unos minutos en volver a hablar.

—Estamos muy decepcionados con usted, Judson.

—Lo siento. —Esterhazy notó que la sangre le subía a las mejillas.

—No olvide nunca sus orígenes, Judson. Nos lo debe todo.

Asintió en silencio; el rostro le ardía de vergüenza..., vergüenza por el miedo que sentía, por su sumisión, su dependencia, su fracaso.

—¿Sabe Pendergast de la existencia de nuestra organización?

—Todavía no. Pero es como los pit bull. Nunca suelta su presa. Hay que arrebatársela. No podemos permitirnos que ande a sus anchas. Se lo repito, tenemos que matarlo.

—Es usted el que no puede permitirse que Pendergast ande a sus anchas —contestó el hombre de la verruga—. Debe ocuparse de él de una vez por todas.

—¡Dios santo, ya lo he intentado!

—No con el empeño suficiente. Resulta francamente molesto que crea que puede pasarnos el problema. Todo el mundo tiene un punto débil. Encuentre el de Pendergast y golpéele ahí.

Esterhazy notó que temblaba de frustración.

—Me está pidiendo algo imposible. Por favor, necesito que me ayuden.

—Claro, puede contar con nosotros para cualquier cosa que necesite. Le ayudamos con el pasaporte y volveremos a hacerlo. Dinero, armas, pisos francos, lo que sea. Además, tenemos el *Vergeltung*. Sin embargo, de Pendergast tendrá que ocuparse usted. Hacerlo de manera rápida y definitiva sería una buena manera de limpiar su nombre y congraciarse nuevamente con nosotros.

Esterhazy permaneció un momento en silencio, asimilando el alcance de aquellas palabras.

—¿Dónde está amarrado el *Vergeltung*?

—En Manhattan, en el puerto deportivo de la calle Setenta y nueve... —El hombre del sombrero hizo una pausa—. Nueva York, ¿no es allí donde vive el agente Pendergast?

Aquello le sorprendió tanto que Esterhazy no pudo evitar alzar la vista y mirar al otro un instante.

Este volvió a la lectura del periódico, como dando por concluida la conversación. Al cabo de un momento, Esterhazy se levantó para marcharse. Mientras lo hacía, el otro hombre habló de nuevo.

—¿Se ha enterado de lo que le ha ocurrido al matrimonio Brodie?

—Sí —respondió Esterhazy. Se preguntó si la frase llevaba implícita alguna amenaza.

—No se preocupe, Judson —prosiguió el hombre—, nos ocuparemos de usted, como siempre hemos hecho.

Otro tren entró chirriando en la estación. El hombre del sombrero se concentró en el periódico y no volvió a abrir la boca.

31

Malfourche, Mississippi

Ned Betterton conducía su abollado Nissan por la calle principal —la única en realidad— de Malfourche. Aunque formaba parte de su trabajo, la mayoría de las veces procuraba evitar el pueblo: la mentalidad allí estaba demasiado enraizada en los pantanos. Pero los Brodie habían vivido allí. Sí, en pretérito. Kranston le había dado permiso a regañadientes para que siguiera investigando el caso, pero solo porque el horrible doble asesinato había sido un noticón y el *Bee* no podía pasarlo por alto como si no hubiera tenido lugar. «Acaba con esa historia lo más deprisa que puedas y pasa a otra cosa», había mascullado.

Betterton había asentido obedientemente, pero no pensaba darse ninguna prisa por acabar. Lo primero que hizo fue lo que debería haber hecho desde el primer momento: comprobar la historia que los Brodie le habían contado. Y esta se había desmoronado a la primera. Bastaron unas cuantas llamadas telefónicas para saber que, si bien en San Miguel, México, existía un pequeño hotel llamado Casa Magnolia, los Brodie nunca lo habían regentado ni nunca habían sido sus propietarios. Simplemente se habían alojado en él en una ocasión, años atrás.

Le habían mentido descaradamente.

Ahora alguien había asesinado a los Brodie —el peor crimen de la zona en una generación—, y Betterton estaba seguro de que el suceso tenía algo que ver con su extraña desaparición y aún más extraña reaparición. Detrás podía haber cualquier cosa: drogas, espionaje industrial, tráfico de armas, lo que fuera.

Estaba convencido de que en Malfourche se hallaba el meollo del misterio. Allí era donde habían reaparecido los Brodie y también donde habían sido brutalmente asesinados. Es más, había oído rumores de extraños negocios en el pueblo meses antes de que el matrimonio reapareciera. También se había producido una explosión en Tiny's, una especie de bar y tienda de cebos de cierta fama. El informe oficial había atribuido la causa a una fuga en el depósito de propano, pero algunos rumores contaban cosas mucho más interesantes.

Pasó por delante de la pequeña casa de los Brodie, donde no hacía mucho que los había entrevistado. En esos momentos era el escenario de un crimen sin resolver: estaba precintada y había un coche patrulla aparcado delante.

Main Street giró hacia el oeste y el extremo del pantano Black Brake se le ofreció a la vista: una tupida franja pardusca que parecía una nube baja y plomiza en una tarde por lo demás soleada. Betterton entró en la zona comercial, un puñado de tristes escaparates y rótulos despintados. Aparcó cerca del embarcadero y apagó el motor. El esqueleto de un nuevo edificio se elevaba en el mismo lugar donde antes se hallaba Tiny's. Junto a los pantalanes había un montón de maderos requemados. Parte de la fachada, que daba a la calle, estaba terminada, y media docena de tipos desaliñados, sentados en los peldaños de la entrada, mataban el tiempo bebiendo cerveza en latas envueltas con bolsas de papel.

Betterton se apeó y fue hasta ellos.

—Hola a todos —dijo.

Los hombres lo observaron con aire suspicaz.

—Buenas —saludó al fin uno de ellos.

—Me llamo Ned Betterton y soy del *Ezerville Bee* —explicó—. Hace calor. ¿A alguien le apetece una cerveza bien fría?

Su ofrecimiento provocó un cruce de miradas.

—¿A cambio de qué?

—¿De qué puede ser? De información. Soy periodista.

El silencio fue la única respuesta.

—Tengo unas cuantas birras heladas en el maletero. —Betterton volvió lentamente hacia su coche (uno no debía apresurarse con gente como aquella), abrió el maletero y sacó una nevera portátil. Se la echó al hombro y volvió junto a los operarios. La dejó en la escalera, metió la mano, abrió una lata y dio un buen trago. Enseguida otras manos sacaron latas del hielo medio derretido.

Betterton se sentó y dejó escapar un suspiro.

—Estoy escribiendo un artículo sobre el asesinato del matrimonio Brodie. ¿Alguna idea de quién pudo matarlos?

—Quizá los cocodrilos —apuntó alguien, provocando un coro de risas burlonas.

—La policía ya nos ha interrogado —dijo un tipo delgado, con pantalón de peto y barba de una semana—. No sabemos nada.

—Yo creo que los mató ese agente del FBI —dijo con voz pastosa un hombre viejo y desdentado que parecía medio borracho.

—¿Del FBI? —preguntó Betterton al instante. Aquello era una novedad.

—El que vino con esa mujer policía de Nueva York.

—¿Qué querían? —Betterton se dio cuenta enseguida de que su tono denotaba demasiado interés. Intentó disimularlo bebiendo otro trago de cerveza.

—Querían saber el camino a Spanish Island —contestó el hombre desdentado.

—¿Spanish Island? —Betterton nunca había oído hablar de ese sitio.

—Sí, ya es coincidencia... —dijo el viejo arrastrando las palabras.

—¿Coincidencia? ¿Qué es coincidencia?

Siguió una ronda de miradas incómodas. Nadie dijo nada.

«¡La leche!», se dijo Betterton: en su búsqueda casi había dado con un filón.

—Mejor te callas —espetó el tipo delgado al viejo desdentado.

—¿Por qué, Larry? Si no he dicho nada.

Aquello era demasiado fácil, pensó Betterton. Estaba claro que ocultaban algo gordo, todos ellos, y él estaba a punto de saber qué era.

En ese instante, una gran sombra cayó sobre él. Un hombre alto y corpulento había salido de la penumbra del inacabado edificio. Llevaba afeitada su rosada cabeza, y una enorme papada le rodeaba el cuello como un salvavidas. En la nuca se le erizaban unos pocos cabellos rubios. Masticaba una pelota de tabaco que le formaba un bulto en la mejilla. Cruzó sus fuertes brazos y recorrió con la vista a los reunidos hasta que sus ojos se posaron en Betterton.

Este comprendió que solo podía tratarse del mismísimo Tiny. Ese hombre era una leyenda local, un cacique de los pantanos. De pronto se preguntó si el filón no estaría más lejos de lo que había creído.

—¿Qué coño quiere? —preguntó Tiny en tono amable.

—He venido por lo de ese agente del FBI —se arriesgó Betterton instintivamente.

La expresión que apareció en el rostro de Tiny no fue agradable.

—¿Pendergast?

«Pendergast.» Así pues, ese era su nombre. Y le sonaba... Una de esas familias ricas del Sur, de antes de la guerra.

Los diminutos ojos de Tiny se achicaron aún más.

—¿Es amigo de ese fisgón de mierda?

—Soy del *Bee*. Investigo el asesinato de los Brodie.

—Periodista —dijo Tiny con expresión siniestra.

Betterton reparó por primera vez en la cicatriz que tenía en el cuello, y que parecía latir con la vena que corría por debajo de ella.

Tiny miró al grupo.

—¿Qué coño hacéis hablando con un periodista? —Escupió un salivazo marrón.

Los otros se levantaron de uno en uno y la mayoría se alejaron, arrastrando los pies, no sin antes haberse llevado las últimas cervezas.

—Periodista —repitió Tiny.

Betterton lo vio venir, pero no fue lo bastante rápido. El tipo lo agarró por el cuello de la camisa y se lo retorció.

—Ya puede decir de mi parte a ese cabronazo que si lo pillo por aquí, le daré tal somanta de hostias que estará una semana escupiendo dientes.

Retorció un poco más el cuello de Betterton, hasta que este casi no pudo respirar y acto seguido lo arrojó al suelo.

Betterton rodó por el polvo. Aguardó un momento. Se irguió.

Tiny seguía ahí plantado, con las manos convertidas en puños, dispuesto para la pelea.

Betterton era menudo. De pequeño, niños grandotes lo habían zarandeado a placer creyendo que no corrían ningún riesgo. La cosa había empezado en el jardín de infancia y no había acabado hasta el primer año en el instituto.

—¡Eh, que ya me marcho! —exclamó con voz chillona y quejumbrosa—. Por Dios santo, ¡no hace falta que me pegue!

Tiny se relajó.

Betterton puso su mejor cara de asustado y se le acercó a gatas, con la cabeza gacha, como si se humillara.

—No busco pelea. De verdad.

—Me alegra oír eso...

Betterton se levantó bruscamente y aprovechó su inercia para lanzar un directo a la mandíbula de Tiny. El hombretón cayó al suelo como un trozo de mantequilla lanzado contra una pared de hormigón.

La lección que Ned Betterton había aprendido en el instituto era: por muy grande y fuerte que fuera el otro, había que responder. De lo contrario, no dejaría de repetirse e iría a peor. Tiny rodó por el suelo, mascullando maldiciones, pero estaba demasiado aturdido para levantarse y perseguirlo. Betterton caminó a toda prisa hasta su coche, dejando atrás a los hombres que seguían por allí y que lo miraban boquiabiertos.

—Disfruten de las cervezas, caballeros.

Mientras se alejaba, con las manos temblándole en el volante, recordó que se suponía que en media hora debía estar cubriendo el concurso de pasteles de la Asociación de Mujeres Auxiliares. Al cuerno. Para él se habían acabado los concursos de pasteles.

32

Distrito de St. Charles, Luisiana

El doctor Peter Lee Beaufort siguió en su coche a la furgoneta del laboratorio móvil forense —pintada de un discreto color gris— cuando esta cruzó la verja de entrada del cementerio de Saint-Savin. Un bedel cerró las puertas con llave tras ellos. Los dos vehículos, el familiar de Beaufort y el laboratorio móvil, enfilaron el estrecho camino de gravilla flanqueado por magnolios y sanguiñuelos. Saint-Savin era uno de los cementerios más antiguos de Luisiana, y sus flores y parterres estaban impecablemente cuidados. A lo largo de los dos últimos siglos, los personajes más destacados de Nueva Orleans habían sido enterrados allí.

Si supieran lo que estaba a punto de tener lugar en el cementerio, se dijo Beaufort, se llevarían una buena sorpresa.

El camino se bifurcó una vez y, luego, otra más. Por delante del laboratorio móvil, Beaufort vio unos cuantos vehículos: algunos coches oficiales, un Rolls-Royce antiguo y una camioneta del cementerio. La furgoneta se detuvo en una estrecha loma, tras ellos, y él la siguió al tiempo que echaba un vistazo al reloj.

Eran las seis y diez de la mañana; el sol, que apenas había iniciado su ascenso en el horizonte, lanzaba sus rayos dorados sobre el mármol y el césped. Para asegurar la máxima privacidad, las exhumaciones siempre tenían lugar a primera hora.

Beaufort se apeó del coche. Mientras se acercaba al panteón familiar, vio a varios trabajadores vestidos con ropa protectora que colocaban unos biombos alrededor de una de las tumbas. Era un día inusitadamente fresco incluso para principios de noviembre, algo que agradeció en el alma. Las exhumaciones realizadas en días calurosos eran de lo más desagradable.

Teniendo en cuenta la riqueza y la larga historia de la familia Pendergast, el panteón contaba con muy pocas tumbas. Beaufort, que hacía décadas que los conocía, sabía que la mayoría de sus miembros habían preferido que los enterraran en la plantación Penumbra. Sin embargo, algunos habían mostrado cierta aversión hacia aquel asilvestrado y neblinoso camposanto —o a las catacumbas del subsuelo— y preferido algo más tradicional.

Rodeó las pantallas protectoras y pasó por encima de la baja verja de hierro que rodeaba el panteón. Aparte de a los técnicos, vio a los sepultureros, al director de los servicios fúnebres del Saint-Savin y a un tipo obeso y nervioso que supuso era Jennings, el funcionario del Departamento de Salud Pública. En el extremo más alejado se encontraba Aloysius Pendergast, inmóvil y silencioso, de blanco y negro, un espectro monocromático. Lo observó con curiosidad. No había visto al agente del FBI desde que era joven. A pesar de que su rostro no había cambiado demasiado, parecía más demacrado que nunca. Sobre el traje negro llevaba un largo abrigo de color crema que parecía de pelo de camello, pero, dado su sedoso aspecto, el forense pensó que seguramente sería de vicuña.

Beaufort había conocido a la familia Pendergast cuando, siendo un joven patólogo del distrito de St. Charles, lo llamaron para que fuera a la plantación Penumbra tras una serie de envenenamientos causados por una vieja tía medio loca. ¿Cómo se llamaba? ¿Cordelia? No, Cornelia. Se estremeció al recordarlo. Por entonces Aloysius era un niño que pasaba los veranos en Penumbra. A pesar de las lamentables circunstancias de su visita, el joven Aloysius se había pegado a él como un perrito y lo seguía a todas partes, fascinado por la patología forense. Después de eso apareció por su laboratorio del sótano del hospital durante varios veranos seguidos. El muchacho tenía una inteligencia viva y penetrante, además de una curiosidad insaciable, quizá incluso excesiva e inquietantemente morbosa. Por supuesto, aquella morbosidad se quedaba en nada en comparación con la de su hermano... Pero esa reflexión era demasiado turbadora y Beaufort la ahuyentó.

Justo en ese momento, Pendergast alzó la vista y sus miradas se cruzaron. Se acercó, caminando como si flotara, y le estrechó la mano.

—Mi querido Beaufort —dijo. Pendergast siempre, incluso de niño, le había llamado por el apellido—. Gracias por venir.

—Es un placer, Aloysius. Me alegro de verte después de todos estos años, aunque lamento que tenga que ser en estas circunstancias.

—De no haber sido por la muerte, ni siquiera nos habríamos conocido, ¿no es así?

Aquellos penetrantes y plateados ojos se volvieron hacia él y Beaufort sintió que un escalofrío le recorría la columna vertebral. Nunca había visto a Aloysius Pendergast nervioso o tenso; sin embargo, a pesar de esa fachada de calma, esa mañana parecía ambas cosas.

Los trabajadores acabaron de colocar las pantallas protectoras y Beaufort centró su atención en lo que estaba ocurriendo. Jennings no había dejado de mirar el reloj y de tirar del cuello de su camisa.

—Empecemos, por favor —dijo con voz aguda y tensa—. ¿Quién tiene el permiso de exhumación?

Pendergast lo sacó de un bolsillo de su abrigo y se lo entregó. El funcionario lo examinó rápidamente, asintió y se lo devolvió.

—Quiero recordar que nuestro deber es proteger en todo momento la salud pública y preservar la dignidad y el respeto hacia los muertos.

Miró la lápida, en la que se leía sencillamente:

HELEN ESTERHAZY PENDERGAST

—¿Estamos todos de acuerdo en que esta es la tumba que nos concierne?

Hubo un gesto de asentimiento generalizado. Jennings dio un paso atrás.

—Muy bien. La exhumación puede empezar.

Dos sepultureros, que además de las prendas protectoras llevaban guantes de goma y mascarilla, cortaron el verde suelo en rectángulos que, con gran precisión, retiraban y apilaban a un lado. Un operario permanecía cerca a los mandos de una pequeña retroexcavadora.

Una vez retirado el césped, los dos sepultureros cogieron dos palas cuadradas y, alternándose en las paletadas, amontonaron la negra tierra en el hule dispuesto junto a la tumba. El agujero fue tomando forma; los dos operarios excavaron unas paredes rectas y perpendiculares. Luego se apartaron y dejaron sitio para que la pequeña retroexcavadora hiciera su trabajo.

La máquina y los dos hombres se fueron alternando: los sepultureros pulían el agujero y la retroexcavadora extraía la tierra. Los reunidos observaban en un silencio casi litúrgico. A medida que la fosa se fue haciendo más profunda, el aire se llenó de olor a limo y a fragancias extrañas, como huele el bosque profundo. Un leve vapor ascendió al calor de los rayos del sol. Jennings sacó una mascarilla del bolsillo de su abrigo y se la colocó.

Beaufort lanzó una mirada discreta al agente del FBI. Pendergast contemplaba la fosa abierta como hipnotizado; su tensa expresión se le antojó inescrutable. Se había mostrado evasivo en cuanto al motivo por el cual deseaba exhumar los restos de su esposa, se había limitado a decir que deseaba que el laboratorio móvil estuviera listo para realizar cualquier prueba de identidad. Incluso tratándose de una familia tan notablemente excéntrica como los Pendergast, la situación resultaba inexplicable y perturbadora.

Los trabajos prosiguieron durante quince minutos. Los dos hombres con mascarillas y prendas protectoras hicieron una breve pausa para descansar y enseguida reanudaron la tarea durante media hora más. Poco después, una de las palas chocó con un objeto pesado e hizo un ruido sordo.

Los reunidos alrededor de la tumba cruzaron una mirada. Todos salvo Pendergast, cuyos ojos seguían clavados en el foso abierto a sus pies.

Los sepultureros siguieron igualando —ahora con más cuidado— las paredes del agujero y continuaron cavando, dejando poco a poco al descubierto el contenedor de cemento donde descansaba el ataúd. La retroexcavadora, equipada con unos ganchos, levantó la tapa y dejó al descubierto el ataúd. Era de caoba, aún más oscura que la tierra que la rodeaba, y estaba adornada con asideros, cantoneras y barras de latón. Un nuevo olor se añadió al ya cargado ambiente: el de la descomposición.

Cuatro hombres más se acercaron a la tumba; llevaban un contenedor destinado a albergar el ataúd y los restos exhumados. Lo dejaron en el suelo y se dispusieron a ayudar a los sepultureros. Mientras el grupo observaba en silencio, deslizaron unas cintas bajo la caja y, entre los seis, empezaron a izar a mano —despacio, con cuidado— el ataúd de su lugar de descanso.

Beaufort observaba. Al principio pareció como si el féretro se resistiera a que lo movieran, pero luego, con un crujido, se liberó y comenzó a ascender.

Los presentes dieron un paso atrás para dejar sitio y los sepultureros de Saint-Savin sacaron el ataúd de la fosa y lo dejaron en el suelo, junto al contenedor. Jennings se acercó mientras se ponía unos guantes de látex. Se arrodilló junto al ataúd y examinó la placa con el nombre.

—«Helen Esterhazy Pendergast» —dijo a través de la mascarilla—. El nombre del ataúd coincide con el que figura en el permiso de exhumación.

Con el contenedor abierto, Beaufort vio que su interior consistía en una capa de cinc embreado cubierto por una membrana de plástico sellada con poliestireno. Lo de rigor. Tras un gesto afirmativo de Jennings, que se había retirado rápidamente, los sepultureros levantaron el ataúd de Helen Pendergast cogiéndolo por las cintas y lo depositaron dentro del nuevo contenedor. Pendergast observó la maniobra con rostro inexpresivo. No había movido un músculo, salvo para parpadear, desde que las labores de exhumación habían comenzado.

Cuando el ataúd estuvo dentro del contenedor, los operarios colocaron la tapa y la cerraron. El director del cementerio se acercó con una pequeña placa de latón con el nombre inscrito. Mientras los sepultureros se quitaban las prendas protectoras y se lavaban las manos con desinfectante, clavó la placa en la tapa del contenedor.

Beaufort respiró hondo. Faltaba muy poco para que se pusiera manos a la obra. Los operarios levantaron el contenedor cogiéndolo por los asideros y lo llevaron hasta la parte de atrás del laboratorio móvil, aparcado cerca de allí, a la sombra de los magnolios. El generador zumbaba suavemente. El ayudante de Beaufort abrió las puertas traseras y ayudó a los operarios a alzar el contenedor y meterlo dentro.

Beaufort esperó hasta que las puertas estuvieron de nuevo cerradas y luego siguió a los operarios de vuelta hasta el panteón. El grupo seguía reunido, y allí permanecería hasta que el proceso hubiera concluido. Algunos trabajadores empezaron a rellenar la fosa mientras los otros, con la ayuda de la retroexcavadora, abrían una nueva junto a la anterior. Cuando el trabajo con los restos hubiera finalizado, estos serían enterrados en ella. Beaufort sabía que aquel traslado, por pequeño que fuera, era la única vía que Pendergast había encontrado para conseguir que la exhumación fuera aprobada. Y aun así se preguntó a qué tipo de presiones se habría visto sometido el nervioso y sudoroso Jennings.

Pendergast se movió al fin y miró al forense. La tensión y la expectación del momento parecían haber acentuado sus demacradas facciones.

Beaufort se acercó y le habló en voz baja.

—Estamos listos. Dime exactamente qué pruebas quieres que hagamos.

El agente del FBI lo miró.

—De ADN, muestras de cabello, huellas dactilares si es posible, placas dentales, todo.

Beaufort pensó en la mejor manera de decirlo.

—Me sería de ayuda conocer el propósito de todo esto.

Siguió una larga pausa antes de que Pendergast respondiera.

—El cuerpo de ese ataúd no es el de mi esposa.

Beaufort intentó asimilarlo.

—¿Qué te hace pensar que pueda haber habido un... error?

—Límitate a hacer las pruebas, por favor —dijo Pendergast en voz baja. Luego sacó del bolsillo una bolsa de plástico que contenía un cepillo para el cabello y se la entregó—. Necesitarás una muestra de su ADN.

Beaufort cogió la bolsa y se preguntó qué clase de hombre era capaz de conservar un cepillo de su mujer más de diez años después de su muerte. Se aclaró la garganta.

—¿Y si es su cuerpo?

Al no recibir respuesta, el forense hizo otra pregunta.

—¿Quieres estar presente cuando abramos el ataúd?

Pendergast clavó sus hipnóticos ojos en Beaufort.

—Esa cuestión me es indiferente.

Se volvió hacia a la tumba y no añadió nada más.

33

Nueva York

La cola para la comida de la misión de Bowery Street serpenteaba desde la primera fila de mesas hacia las humeantes bandejas del mostrador.

—¡Mierda! ¡Otra vez pollo con albóndigas de harina! —protestó el hombre de delante.

Esterhazy cogió una bandeja distraídamente, se sirvió pan de maíz y avanzó arrastrando los pies.

Llevaba tiempo manteniendo un perfil bajo, el más bajo posible. Había llegado en autobús desde Boston y no había vuelto a utilizar tarjetas de crédito ni a retirar efectivo de los cajeros automáticos. Se hacía llamar por el nombre que figuraba en su pasaporte falso y usaba un móvil que había adquirido con dicha identidad. Se alojaba en una habitación de un hotel barato de Second Street donde preferían cobrar en efectivo, y, cuando era posible, subsistía alimentándose en centros de caridad como aquel. Tras su viaje a Escocia le quedaba una cantidad de dinero considerable; por el momento el asunto económico no era motivo de preocupación. Aun así le convenía hacerlo durar. Los recursos de Pendergast eran terroríficamente inagotables, y no estaba dispuesto a correr riesgos. Además, sabía que ellos siempre le darían más.

—¡Maldita gelatina verde! —El tipo de delante seguía quejándose. Tendría unos cuarenta años, lucía una rala perilla y una mugrienta camisa de leñador. En su rostro se veían todas las huellas posibles del vicio y la corrupción—. ¿Por qué no nos dan gelatina roja?

«La banalidad del mal», se dijo Esterhazy al tiempo que cogía un entrante sin mirar siquiera en qué consistía. Aquello no era vida. Tenía que dejar de huir y volver a la ofensiva. Pendergast debía morir. Había intentado acabar con él en dos ocasiones. A la tercera iría la vencida, como suele decirse.

«Todo el mundo tiene un punto débil. Encuentre el de Pendergast y golpéele ahí.»

Salió de la cola con la bandeja en la mano y fue a sentarse en el único sitio libre que vio, junto al tipo de la perilla. Cogió el tenedor y jugueteó con la comida con aire ausente.

Si lo pensaba bien, no podía sino darse cuenta de lo poco que sabía acerca de Pendergast. Aunque había estado casado con su hermana y la relación entre ellos dos era amistosa, siempre se había mostrado distante y frío, un enigma. Si había fracasado en sus intentos de acabar con él, había sido sin duda porque no lo comprendía en absoluto. Tenía que averiguar más cosas de él: sus movimientos, lo que le gustaba y lo que no, sus vínculos emocionales. Qué lo conmovía, qué le interesaba.

«Nos ocuparemos de usted, como siempre hemos hecho.»

Esterhazy apenas podía tragar la comida con aquella frase resonándole en los oídos. Dejó el tenedor, se volvió hacia el mendigo sentado junto a él y lo miró hasta que el otro dejó de comer y levantó la vista.

—¿Algún problema?

—La verdad es que sí —repuso Esterhazy con una sonrisa amistosa—. ¿Puedo hacerte una pregunta?

—¿Sobre qué? —contestó el otro con repentina suspicacia.

—Alguien me persigue, alguien que amenaza mi vida y de quien no puedo librarme.

—Pues cárgate a ese cabrón —respondió el mendigo sorbiendo su gelatina.

—Ese es el problema. No puedo acercarme a él lo bastante para matarlo. ¿Tú qué harías?

Los hundidos ojos del mendigo brillaron con malicia; dejó la cuchara. Ese era un problema que entendía bien.

—Hazte amigo de alguien cercano a él. Alguien débil. Sin recursos. Una zorra.

—Una zorra... —repitió Esterhazy.

—Pero no una zorra cualquiera, su zorra. Llegarás a él a través de su zorra.

—Tiene sentido.

—Pues claro que tiene sentido. Yo tuve una bronca con ese camello, quería meterle una bala en el culo, pero el muy cabrón siempre estaba rodeado de su gente. Sin embargo, tenía a su lado a aquella putilla tan sexy que...

La historia se prolongó un buen rato. Pero Esterhazy había dejado de escuchar. Daba vueltas a una idea:

«Su zorra...».

34

Savannah, Georgia

La elegante mansión dormitaba en el fresco y fragante atardecer de otoño. Fuera, en Habersham Street, y más allá de la plaza Whitfield, los paseantes charlaban animadamente y los turistas tomaban fotos de la cúpula del parque y de los históricos edificios de ladrillo que la rodeaban. Sin embargo, en el interior de la mansión reinaba la más absoluta quietud.

Hasta que, con un sonido metálico, la cerradura giró y alguien empujó suavemente la puerta de atrás.

El agente especial Pendergast entró sin hacer ruido en la cocina, apenas una sombra en la penumbra. Cerró con llave tras él, luego se apoyó en la puerta y aguzó el oído. La casa estaba desierta, pero aun así se quedó muy quieto en el silencio. Olía a cerrado; todas las cortinas estaban corridas. Hacía mucho que nadie entraba en aquella casa.

Recordó la última vez que había estado allí, varios meses atrás, en circunstancias muy diferentes. Desde entonces, Esterhazy se había mantenido oculto, y lo había hecho muy bien. Sin embargo, habría algún rastro. Alguna pista. De todos los lugares posibles, esa casa era donde tenía más posibilidades de encontrar esa información..., nadie desaparece sin dejar rastro.

Nadie salvo quizá Helen.

Pendergast recorrió la cocina con sus pálidos ojos. Estaba

casi obsesivamente limpia y, como el resto de la casa, era del todo masculina en la elección del mobiliario: la pesada mesa de roble, la enorme tabla de trinchar, los macizos cuchillos, los armarios de oscura madera de cerezo y las encimeras de granito negro.

Fue de la cocina al vestíbulo y subió al primer piso. Las puertas del rellano estaban cerradas y las abrió una tras otra. Una de ellas conducía a la escalera de la buhardilla. Pendergast subió por ella hasta una habitación con el techo a dos aguas que olía a polvo y naftalina. Tiró de un cordel que colgaba de una desnuda bombilla y esta bañó la estancia con una luz inclemente. Había varias cajas y baúles ordenadamente apilados contra la pared, todos cerrados. En una esquina, un espejo de cuerpo entero cubierto de polvo y telarañas.

Pendergast sacó del bolsillo de su chaqueta una navaja de cachas nacaradas. Metódicamente, sin prisas, fue abriendo las cajas y registrando su contenido. A continuación les llegó el turno a los baúles. Cuando hubo acabado, volvió a sellar las cajas con cinta de embalar, cerró los candados de los baúles y lo dejó todo como lo había encontrado.

Cuando se encaminaba hacia la escalera se detuvo ante el espejo, limpió una parte con la manga y se miró en él. El rostro que le devolvió la mirada le pareció casi el de un extraño. Dio media vuelta.

Apagó la luz y bajó al primer piso, que consistía en dos cuartos de baño, el dormitorio de Esterhazy, un estudio y la habitación de invitados. Entró primero en los baños, abrió los armarios y los botiquines y examinó su contenido. Vació en los retretes los tubos de pasta de dientes, de crema de afeitar y las latas de talco para tener la seguridad de que era eso lo que contenían y no algo de valor. Luego lo devolvió todo a su sitio. La habitación de invitados fue la siguiente. Allí no encontró nada de interés.

Su respiración se aceleró ligeramente.

A continuación pasó al dormitorio de Esterhazy. Estaba tan meticulosamente limpio y ordenado como el resto de la casa.

Varias novelas de tapa de dura y biografías llenaban una estantería; una colección de porcelanas de Wedgwood y Quimper tenía su sitio en un aparador.

Retiró la colcha y las sábanas y examinó el colchón: lo palpó, cortó el forro y miró entre sus muelles. Palpó a fondo las almohadas, revisó el somier y después volvió a hacer la cama. Abrió el armario ropero y registró cada prenda en busca de cualquier cosa que pudiera estar escondida en ellas. Abrió los cajones de la antigua cómoda Duncan Phyfe y revolvió su contenido; no se molestó en ordenarlo antes de cerrarlos. Revisó los libros, hojeándolos rápidamente, y los devolvió a su sitio sin respetar el orden. Sus movimientos eran cada vez más rápidos, casi bruscos.

Lo siguiente fue el estudio. Se acercó al único archivador, forzó la cerradura con un violento giro de la navaja y fue abriendo uno tras otro los cajones, sacando las carpetas, examinando su contenido con detalle y dejándolas como las había encontrado. Tardó casi una hora en repasar las facturas, recibos del banco, correspondencia, declaraciones de la renta y demás documentos legales que le brindaron un interesante pero intrascendente perfil de Esterhazy. Después le llegó el turno a la biblioteca, con sus libros de medicina, y al contenido del escritorio. Encima de la mesa había un ordenador portátil. Pendergast sacó un pequeño destornillador, abrió la tapa inferior, retiró el disco duro y se lo guardó en el bolsillo. En las paredes había numerosos títulos y diplomas. Los descolgó, les dio la vuelta para examinarlos por detrás y volvió a colgarlos; no se molestó en dejarlos perfectamente rectos.

Antes de bajar se detuvo un momento en el rellano. Había dejado más o menos en su sitio los contenidos del estudio —y de hecho del resto de la casa—, nadie podría saber que hasta el último rincón de la mansión había sido invadido, violado y registrado a fondo; nadie salvo Judson. Él sí lo sabría.

Bajó por la escalera y examinó el comedor tan a fondo como el piso de arriba. Luego pasó al gabinete, donde no tardó en encontrar una caja fuerte escondida detrás de un diploma. Dejó eso para más adelante. Abrió el armero y lo inspeccionó, pero no encontró nada interesante.

Finalmente entró en el salón, la sala más exquisita de toda la casa, con paneles de caoba a media altura, antiguo papel pintado y varios cuadros de los siglos XVII y XVIII. Sin embargo, la *pièce de résistance* era un gran aparador estilo Luis XV que albergaba una colección de jarrones griegos.

Registró el salón a fondo, dejando el aparador para lo último. Le bastó una vuelta de navaja para abrirlo. Hacía tiempo que conocía aquella colección, pero una vez más le impresionó lo extraordinaria que era. Sin duda una de las mejores del mundo en su categoría. Consistía únicamente en seis piezas, y cada una de ellas constituía un ejemplo único del trabajo de los mejores artistas griegos de la antigüedad: Exequias; el pintor de Brigos; Eufronios; el pintor de Meidias; Macrón; el pintor de Aquiles. Pendergast paseó la mirada por aquellos jarrones, cuencos y copas; todas ellas piezas incomparables, obras maestras de los mayores genios y artistas de su tiempo. No se trataba de una colección reunida para mayor gloria de su propietario; aquellas piezas habían sido agrupadas con un coste desorbitado por una persona con un ojo infalible y grandes conocimientos. Solo alguien que profesara un profundo amor por el arte habría sido capaz de crear una colección tan perfecta y cuya pérdida representaría un daño irreparable al mundo de la cultura.

El sonido de una respiración entrecortada empezó a llenar la habitación.

Con un repentino y violento movimiento del brazo, Pendergast barrió la colección del aparador: las pesadas piezas de cerámica cayeron al suelo de roble y se hicieran añicos. Jadeando a causa del esfuerzo y poseído por una furia incontrolable, aplastó los fragmentos con el pie hasta reducirlos a polvo.

Luego, salvo por el sonido de los jadeos, reinó de nuevo el silencio. Pendergast, débil todavía a causa del calvario padecido en Escocia, tardó más de lo habitual en recuperar una respiración normal. Al cabo de un rato, se sacudió unos pocos restos de cerámica del traje y se dirigió a la puerta que conducía al sótano. Forzó la cerradura, bajó e inspeccionó minuciosamente la bodega.

Allí solo había una caldera y cañerías. Pero en un rincón descubrió una puerta que, una vez forzada, reveló una espaciosa bodega revestida de corcho y con unos mandos para controlar la temperatura y la humedad empotrados en la pared. Entró y examinó las botellas. Esterhazy tenía una colección realmente notable, compuesta en su mayoría por vinos franceses, entre los que destacaban los Pauillac. Pendergast recorrió con la mirada las hileras de Lafite Rothschild, Lynch-Bages, Pichon-Longueville, Comtesse de Lalande y Romanée-Conti y se dio cuenta de que, a pesar de que la colección que él guardaba en el Dakota y en Penumbra era más abundante, Esterhazy tenía unos Château Latour excepcionales, incluidas varias botellas de añadas realmente antiguas que él no había podido conseguir.

Frunció el entrecejo.

Seleccionó las mejores cosechas —1892, 1923, 1934, la famosa de 1945, 1955, 1961 y media docena más—, sacó las botellas de sus nichos y las depositó con cuidado en el suelo. Ninguna tenía menos de treinta años. Tuvo que hacer cuatro viajes para subirlas al gabinete.

Las colocó en una mesa auxiliar y fue a la cocina en busca de un sacacorchos, un decantador y una copa. Luego, volvió al gabinete y fue abriendo las botellas, dejó que se airearan y aprovechó para descansar. Fuera se había hecho de noche; una blanca luna asomaba por encima de los árboles de la plaza. La miró y recordó, casi a su pesar, la primera luna que Helen y él habían contemplado. Había sido solo dos semanas después de conocerse. La noche en que expresaron apasionadamente el amor que sentían el uno por el otro. Habían pasado quince años; sin embargo el recuerdo era tan vívido que bien podría haber ocurrido el día anterior.

Pendergast se aferró brevemente a ese recuerdo, como si

fuera una preciosa joya, y después dejó que se desvaneciera. Se apartó de la ventana y paseó la mirada por la estancia, deteniéndose brevemente en las esculturas africanas, los exquisitos muebles de caoba, los jades y la biblioteca llena de ejemplares encuadernados en piel. No sabía cuándo volvería Esterhazy, pero deseó poder estar presente en el momento en que apareciera.

Esperó a que los vinos respiraran durante media hora —más habría sido excesivo para añadas tan antiguas— y después empezó la cata. Comenzó con el 1892. Vertió un poco en el decantador, lo hizo girar y examinó el color a la luz; luego lo sirvió en la copa, aspiró su aroma y tomó por fin un generoso sorbo. Dejó la botella abierta en el alféizar y pasó a la siguiente, de una añada más reciente.

La cata completa le llevó una hora. Cuando finalizó, Pendergast había recobrado su habitual templanza.

Apartó el decantador y la copa a un lado, se levantó de la butaca y centró por fin su atención en la caja fuerte que había descubierto detrás de un diploma colgado de la pared. El cofre resistió valientemente, solo cedió tras diez minutos de delicado trabajo.

Se disponía a abrir la puerta de la caja cuando su móvil sonó. Antes de contestar, comprobó la identidad de la llamada.

—¿Aloysius? Soy Peter Beaufort. Espero no interrumpir nada.

Se hizo un repentino silencio, hasta que Pendergast dijo:

—Solo estaba disfrutando de una copa de buen vino. Dime.

—Ya tengo los resultados.

—¿Y?

—Creo que prefiero comunicártelos en persona.

—Y a mí me gustaría saberlos ahora.

—No puedo decírtelo por teléfono. Será mejor que vengas lo antes posible.

—Estoy en Savannah. Cogeré el último vuelo de la noche y nos veremos en tu despacho mañana por la mañana. A las nueve.

Pendergast se guardó el móvil en el bolsillo y devolvió su

atención a la caja fuerte. Contenía los objetos de costumbre: joyas, algunos certificados de valores, la escritura de la casa, un testamento y una serie de documentos que resultaron ser antiguas facturas de una residencia de Camden, en Maine, relativas a una paciente llamada Emma Grolier. Pendergast se guardó los papeles para examinarlos más tarde; luego se sentó al escritorio, cogió una hoja de papel y escribió una breve nota.

> Mi querido Judson:
> Estoy convencido de que te interesarán los resultados de mi cata de tus Latour. El 1918 me ha parecido lamentablemente pasado, y el 1949 está, en mi opinión, demasiado sobrevalorado: terminó peor de lo que empezó, con un regusto de taninos. El 1958, por desgracia, estaba *bouchonné*. Pero los demás eran deliciosos; especialmente el 1945, que, haciendo honor a su fama, tenía un carácter elegante, con tonos de frutos rojos y hongos, y un final suave y aterciopelado. Lástima que solo tuvieras una botella.
> Mis disculpas por lo ocurrido con tu colección de cerámica. Te dejo algo para compensar.
>
> P.

Pendergast puso la carta sobre el escritorio. Luego sacó la cartera, cogió un billete de cinco dólares y lo dobló junto al sobre.

Estaba a punto de salir cuando tuvo una idea. Dio media vuelta, fue hasta el alféizar de la ventana y cogió la botella de Château Latour 1945. La tapó con cuidado y salió con ella por la cocina al fragante aire de la noche.

35

Armadillo Crossing, Mississippi

Betterton había salido a tomar un café a media mañana cuando se le ocurrió una idea. No creía que fuera a sacar gran cosa, pero valía la pena recorrer los quince kilómetros para comprobarlo.

Dio la vuelta a su Nissan y puso de nuevo rumbo a Malfourche; tras unos pocos kilómetros, se detuvo en una abandonada bifurcación conocida en la zona como Armadillo Crossing. Según se decía, años atrás alguien había atropellado a un armadillo en aquel cruce y los aplastados restos habían permanecido el tiempo suficiente para que acabaran dando nombre al lugar. La única casa de los alrededores era la chabola de un tal Billy B. «Grass» Hopper.

Betterton aparcó ante la casucha, apenas visible entre las enredaderas. La mano con la que había pegado el puñetazo a Tiny le dolía un montón. Abrió la guantera, cogió un paquete de cigarrillos, salió del coche y se dirigió hacia el porche. Enseguida vio a Billy B. balanceándose en su mecedora. A pesar de lo temprano que era, ya tenía una cerveza en su artrítica mano. Desde que un huracán había arrancado la señal del cruce que indicaba el camino hacia Malfourche, los conductores que pasaban por allí solían detenerse para preguntarle por la dirección correcta.

Betterton subió los viejos y crepitantes peldaños.

—¿Qué tal, Grass?

El hombre lo miró con sus hundidos ojos.

—Bien, Ned. ¿Cómo te va, hijo?

—Bien, bien, ¿te importa si me siento a descansar un rato?

Billy señaló el último peldaño.

—Ponte cómodo.

—Gracias.

Betterton se sentó, sacó el paquete de cigarrillos y le ofreció uno.

—¿Un clavo para el ataúd?

Billy B. cogió el cigarrillo y Betterton se lo encendió, luego se guardó el paquete en el bolsillo de la camisa. No fumaba.

Durante los minutos siguientes, mientras Grass fumaba, charlaron de asuntos locales, hasta que finalmente Betterton llevó la conversación al asunto que lo había llevado hasta allí.

—¿Has visto a desconocidos por aquí últimamente? —preguntó como si tal cosa.

Billy dio una última calada al cigarrillo, se lo quitó de la boca, miró el filtro y aplastó la colilla en una enredadera cercana.

—Unos cuantos —dijo.

—¿Sí? Cuéntame.

—Veamos... —Billy puso gesto pensativo—. Primero pasó por aquí una testigo de Jehová que intentó colocarme una de sus revistas mientras me preguntaba por dónde se iba a Malfourche. Le dije que cogiera el camino de la derecha.

Betterton se rió: la había enviado en la dirección equivocada.

—Luego apareció un tipo extranjero.

—¿Un extranjero? —comentó Betterton en un tono despreocupado.

—Sí, por el acento.

—¿De dónde crees que podía ser?

—Europa.

—¿En serio? —Betterton meneó la cabeza—. ¿Y cuándo fue eso más o menos?

—Sé exactamente cuándo fue. —Grass contó con los dedos—. Hace ocho días.

—¿Cómo puedes estar tan seguro?

—Porque pasó por aquí el día antes de que descubrieran a los Brodie.

Aquello era mucho más de lo que Betterton había esperado. Se preguntó si eso era lo que hacían los reporteros de investigación.

—¿Qué aspecto tenía?

—Alto, delgado, pelo rubio y una fea verruga bajo un ojo. Llevaba una gabardina muy chula, como las que salen en las películas de espías.

—¿Recuerdas qué coche conducía?

—Un Ford Fusion azul oscuro.

Betterton se acarició la barbilla en actitud pensativa. Sabía que el Fusion era un modelo frecuente en las compañías de alquiler de vehículos.

—¿Has contado algo de esto a la policía, Grass?

Una expresión truculenta apareció en el rostro de Billy.

—La policía no me ha preguntado nada.

Betterton tuvo que hacer un esfuerzo para no ponerse en pie de un salto y correr hacia su coche. Permaneció sentado y prosiguió la conversación.

—Un feo asunto lo de los Brodie.

Billy convino que, en efecto, lo había sido.

—Últimamente ha habido mucho movimiento por los alrededores —siguió Betterton—. Sobre todo con lo del accidente de la tienda de Tiny.

Billy lanzó un escupitajo al polvo.

—Eso no fue un accidente.

—¿Qué quieres decir?

—Ese fulano del FBI. Lo hizo volar por los aires.

—¿Lo hizo volar? —repitió Betterton.

—Le metió un balazo al tanque de propano. Todo saltó por los aires. Y de paso dejó unas cuantas barcas como un colador.

—Caramba... ¿Y por qué hizo todo eso? —Había dado con un filón.

—Según parece, Tiny y sus amigos se metieron con él y con la mujer que lo acompañaba.

—Esos se meten con todo el mundo. —Betterton reflexionó un momento—: ¿Qué podía hacer un agente del FBI en un sitio como este?

—Ni idea. Ahora ya sabes tanto como yo. —Grass abrió otra cerveza.

La última frase era la señal de que Billy B. estaba cansado de tanta charla. Betterton se levantó.

—Vuelve otro día —dijo Billy B.

—Lo haré. —Betterton bajó los peldaños. Entonces se detuvo, metió la mano en el bolsillo de su camisa y sacó el paquete de cigarrillos.

—Quédatelo —dijo. Lo lanzó suavemente al regazo de Billy y regresó a su Nissan con el aire más serio posible.

Había ido hasta Armadillo Crossing obedeciendo una corazonada y volvía con una historia por la que *Vanity Fair* o *Rolling Stone* serían capaces de matar: un matrimonio que había fingido su propia muerte para acabar salvajemente asesinado años después; una tienda de cebos y artículos de pesca que volaba por los aires; un misterioso lugar conocido como Spanish Island; un extranjero igualmente misterioso y, para rematar, un agente del FBI medio loco llamado Pendergast.

La mano seguía doliéndole, pero en ese momento apenas lo notaba. Tenía la sensación de que aquel iba a ser un buen día.

36

Nueva Orleans, Luisiana

La consulta de Peter Beaufort parecía más el elegante despacho de un profesor que la consulta de un médico. Las estanterías estaban llenas de libros encuadernados en piel, en las paredes colgaban magníficos óleos y acuarelas paisajistas, el mobiliario era antiguo y estaba perfectamente encerado: ni rastro de acero inoxidable y menos aún de linóleo. Tampoco había a la vista diagramas de órganos, grabados de anatomía, tratados de medicina ni esqueletos articulados colgando de un gancho. El propio Beaufort lucía un traje de buen corte y no llevaba bata ni estetoscopio. Tanto en su forma de vestir como en sus maneras y su apariencia, evitaba ofrecer el menor indicio de su profesión.

Pendergast se acomodó en el sillón reservado a las visitas. De niño había pasado muchas horas allí, bombardeando a Beaufort con todo tipo de preguntas sobre anatomía y fisiología, y conversando acerca de los misterios del diagnóstico y el tratamiento.

—Gracias por recibirme tan temprano, Beaufort —dijo.

El forense sonrió.

—De pequeño me llamabas por el apellido. ¿No crees que ya eres lo bastante mayor para llamarme Peter?

Pendergast inclinó la cabeza. El tono del médico era despreocupado y cortés. Sin embargo, Pendergast lo conocía lo suficiente para darse cuenta de que no se sentía cómodo.

Encima de la mesa había un sobre de papel manila. Beaufort lo abrió, se puso las gafas y repasó las páginas que había dentro. La voz le falló, y se aclaró la garganta.

—No hace falta que te andes con sutilezas —dijo Pendergast.

—Entiendo. —Beaufort dudó—. En tal caso, seré directo. Las pruebas son irrefutables. El cuerpo de esa tumba era el de Helen Pendergast.

El agente del FBI no dijo nada, de modo que Beaufort prosiguió.

—Lo hemos cotejado en múltiples niveles. Para empezar, el ADN en el cepillo del pelo concuerda con el de los restos que exhumamos.

—¿Hasta qué punto concuerda?

—Más allá de cualquier sombra de duda razonable. Solicité media docena de pruebas para las cuatro muestras extraídas del cepillo y de los restos. Pero no es solo el ADN, también coinciden las placas dentales, con la pequeña cavidad en el número dos, el segundo molar superior derecho. A pesar del paso de los años, tu mujer seguía teniendo unos dientes muy bonitos.

—¿Y las huellas dactilares?

Beaufort volvió a aclararse la garganta.

—Bueno, con el calor y la humedad de esta parte del país... solo pude recuperar huellas parciales, pero lo que recuperé también coincide. —Pasó una hoja—. Mi análisis forense confirma que el cuerpo fue parcialmente devorado por un león. Además de las evidencias físicas *perimortem*, marcas de colmillos en los huesos y demás, encontramos ADN de *Leo pantera*, es decir, de león.

—Has dicho que las huellas dactilares eran solo parciales. Eso no es suficiente.

—Aloysius, las pruebas de ADN son concluyentess. Se trata del cuerpo de tu esposa.

—No puede ser porque Helen está viva.

Siguió un largo silencio. Beaufort extendió las manos en un gesto de impotencia.

—Permíteme que te diga que esto es impropio de ti. La ciencia nos dice otra cosa, y tú respetas la ciencia más que nadie.

—La ciencia se equivoca.

Pendergast apoyó una mano en el brazo del sillón, se disponía a levantarse, pero entonces vio la expresión de Beaufort y se detuvo. Estaba claro que el forense todavía no había terminado.

—Dejando a un lado esta cuestión —dijo Beaufort—, hay algo más que deberías saber. Puede que no sea nada. —Intentó quitarle importancia, pero Pendergast intuyó que la tenía—. ¿Estás familiarizado con la ciencia del ADN mitocondrial?

—Vagamente, solo como herramienta forense.

Beaufort se quitó las gafas, las limpió y volvió a ponérselas. Parecía extrañamente incómodo.

—Entonces disculpa si repito lo que ya sabes. El ADN mitocondrial es algo totalmente aparte del ADN normal de una persona. Se trata del material genético que hay en las mitocondrias de todas las células del cuerpo, y se hereda sin que cambie de generación en generación a través de la línea materna. Esto quiere decir que todos los descendientes, hembras y varones, de una mujer determinada tendrán el mismo ADN mitocondrial, lo que llamamos ADNmt. Esta clase de ADN es sumamente útil en los trabajos forenses, existen bases de datos separadas para él.

—¿Y por qué es relevante en este caso?

—Entre las pruebas que llevé a cabo con los restos de tu esposa, hice pasar su ADN y su ADNmt a través de una red de bases de datos médicos interrelacionados. Además de confirmar el ADN de Helen, hallaron una coincidencia en una de las bases de datos más especiales, una coincidencia que se refería a su ADNmt.

Pendergast aguardó.

Beaufort parecía cada vez más incómodo.

—Fue en la base de datos del DTG.

—¿Qué es el DTG?

—El Doctors' Trial Group.

—¿La organización que se dedica a cazar nazis?

Beaufort asintió.

—Exacto. Fue fundada para llevar ante la justicia a los médicos nazis del Tercer Reich que colaboraron o participaron en el Holocausto. Surgió tras el llamado Juicio de los doctores de Nuremberg, después de la guerra. Muchos de ellos escaparon de Alemania y encontraron cobijo en Sudamérica, pero el DTG no ha dejado de perseguirlos desde entonces. Su base de datos constituye una impecable recopilación científica de información genética de esos médicos.

Cuando Pendergast habló nuevamente, lo hizo en voz muy baja.

—¿Qué clase de coincidencia has encontrado... exactamente?

El forense cogió otra hoja.

—Una coincidencia con el doctor Wolfgang Faust, nacido en Ravensbrück, Alemania, en 1908.

—¿Y eso qué significa?

Beaufort respiró hondo.

—Faust fue médico de las SS en Dachau durante los últimos años de la Segunda Guerra Mundial. Cuando la guerra terminó, él desapareció. En 1985 el DTG lo localizó, pero era demasiado tarde para llevarlo ante los tribunales: había muerto en 1978 de causas naturales. El DTG encontró su tumba y exhumó los restos para comprobarlo. Así fue como el ADN de Faust llegó a la base de datos del DTG.

—Dachau... —susurró Pendergast mirando a Beaufort fijamente—. ¿Y qué relación hay entre este médico y Helen?

—Solo que ambos descienden de la misma mujer. Podría remontarse a una generación o a cien.

—¿Tienes más información sobre ese médico?

—Como habrás imaginado, el DTG es una organización bastante secreta relacionada con el Mossad, o al menos eso dicen. Salvo por lo que se refiere a su base pública de datos, sus archivos son estrictamente confidenciales. El expediente sobre Faust es pobre, y yo no he hecho más averiguaciones.

—¿Cuáles son las implicaciones de todo esto?

—Únicamente una investigación genealógica exhaustiva podría determinar el vínculo existente entre el doctor Faust y Helen. Dicha investigación debería analizar los antepasados de tu mujer por línea materna, su madre, su abuela, su bisabuela y así sucesivamente. Y lo mismo con Faust. Tu esposa y ese médico nazi comparten una misma antepasada, pero, hasta donde sabemos, bien podría tratarse de una mujer de la Edad Media.

Pendergast dudó un momento.

—¿Pudo haber conocido mi mujer al tal Faust?

—Eso solo podría habértelo aclarado ella.

—En ese caso —dijo Pendergast como si hablara consigo mismo—, tendré que preguntárselo cuando la vea.

Hubo un largo silencio. Luego Beaufort habló de nuevo.

—Helen está muerta. Tu... quijotesca obsesión me preocupa.

Perdergast se levantó con expresión inescrutable.

—Gracias, Beaufort. Me has sido de gran ayuda.

—Por favor, considera lo que acabo de decirte. Piensa en la historia de tu familia... —Su voz se apagó.

Pendergast esbozó una fría sonrisa.

—Ya no necesitaré de tus servicios. Que tengas un buen día.

37

Nueva York

Laura Hayward cortó la carne, jugosa y sonrosada, la separó del hueso y se la llevó a la boca. Cerró los ojos.

—Está perfecta, Vinnie.

—He improvisado, pero gracias. —D'Agosta hizo un gesto con la mano para quitarse importancia. Aun así, bajó la vista hacia su propio plato para ocultar la expresión de satisfacción que sabía se reflejaba en su rostro.

Siempre le había gustado cocinar, al principio lo hacía de la forma despreocupada y poco exigente propia de los solteros: carne a la plancha, pollo asado y alguna que otra especialidad italiana aprendida de su abuela. Sin embargo, desde que se había ido a vivir con Laura Hayward se había convertido en un chef. La cosa había empezado a partir de cierta sensación de culpabilidad, una manera de compensar el haberse instalado en el piso de Hayward y que ella no le dejara compartir los gastos del alquiler. Más adelante, cuando por fin aceptó dividirlos entre los dos, el interés de D'Agosta por la cocina no disminuyó. En parte porque la propia Hayward no era ninguna incompetente a la hora de preparar platos suculentos. Y en parte, sin duda, debido a la influencia de los refinados gustos de gourmet del agente Pendergast. No obstante, su relación con Laura también había tenido que ver. A D'Agosta le parecía que había algo amoroso en el hecho de cocinar, para él era una forma de expresar lo que sentía por ella, algo más significativo que las flores o incluso las joyas.

Poco a poco había pasado de la cocina del sur de Italia a la francesa, con la que había aprendido las técnicas básicas de muchos platos de altura al tiempo que se había dejado fascinar por las salsas y sus incontables variedades. También se había interesado por la cocina regional estadounidense. Por lo general, Hayward trabajaba más horas que él, y eso permitía a D'Agosta entretenerse en los fogones, con su libro de recetas abierto, para preparar algún plato especial y presentárselo cuando ella llegara, a modo de ofrenda. Y cuanto más lo hacía, mayor destreza alcanzaba: su habilidad creció, preparaba los platos con más rapidez y facilidad, y adquirió un completo dominio de las recetas y sus variantes. Esa noche, en la que había servido *carré* de cordero con *persillade*, podía decir sin faltar a la verdad que había sido pan comido.

Durante unos minutos comieron en silencio, disfrutando de su mutua compañía. Luego, Hayward se limpió los labios con la servilleta, bebió un sorbo de Pellegrino y preguntó con simpática ironía:

—Bueno, cariño, ¿qué tal hoy en la oficina?

D'Agosta no pudo reprimir una carcajada.

—Singleton está poniendo en marcha otra de sus campañas de moral para el departamento.

Hayward meneó la cabeza.

—Ese Singleton..., siempre con su manual de psicología policial bajo el brazo.

D'Agosta tomó un bocado de espinacas a la crema.

—Corrie Swanson ha venido a verme. Otra vez.

—Es la tercera vez que te da la lata.

—Al principio era un fastidio, pero ahora diría que nos hemos hecho amigos. No deja de preguntar por Pendergast, que si dónde está, que si cuándo volverá...

Hayward frunció el ceño. A pesar de su informal colaboración meses atrás, la menor mención del agente del FBI bastaba para incomodarla.

—¿Y qué le dijiste?

—La verdad. Que ya me gustaría saberlo.

—¿No has tenido más noticias de él?

—No desde que me llamó desde Edimburgo, cuando me dijo que no quería que lo ayudara.

—Pendergast me da miedo —dijo Hayward—. Da la impresión de gélida frialdad y de tenerlo todo bajo control, pero por debajo... Parece un maníaco.

—Un maníaco que resuelve casos.

—Vinnie, no puede decirse que un caso queda resuelto cuando el principal sospechoso acaba muerto. ¿Cuándo fue la última vez que Pendergast llevó un caso ante los tribunales? Y ahora esta historia de que su mujer sigue viva...

D'Agosta dejó el tenedor. Ya no tenía apetito.

—Preferiría que no hablaras de ese modo de Pendergast. Aun si...

—¿Aun si tengo razón?

D'Agosta no contestó. Laura había tocado un punto sensible; nunca había estado tan preocupado por su amigo.

Hubo un momento de silencio. Después, para su sorpresa, D'Agosta notó que la mano de Hayward se cerraba sobre la suya.

—Me encanta tu lealtad —dijo ella—. Y tu integridad. Quiero que sepas que, por mucho que aborrezca sus métodos, ahora respeto a Pendergast más que antes. Pero ¿sabes? Hace bien apartándote de ese asunto. Ese hombre es pernicioso para una carrera en las fuerzas de seguridad. Para tu carrera. Así que me alegro de que sigas su consejo y dejes que se las arregle por su cuenta. —Sonrió; le apretó la mano—. Ahora ayúdame a recoger la mesa.

38

Fort Meade, Maryland

Aloysius Pendergast entró en el vestíbulo de un anodino edificio del complejo de la Agencia de Seguridad Nacional. Entregó su arma y su placa al soldado de la entrada, pasó a través del detector de metales y fue hasta el mostrador de recepción.

—Me llamo Pendergast. Tengo una cita con el general Galusha a las diez y media.

—Un momento.

La secretaria hizo una llamada y luego activó un pase de seguridad temporal. Hizo un gesto con la cabeza y otro soldado se acercó con la pistola al cinto.

—Sígame, señor.

Pendergast se colgó la tarjeta de identificación en el bolsillo del pecho de su chaqueta y lo siguió hasta una hilera de ascensores. Entraron en uno de ellos y bajaron varias plantas. Las puertas se abrieron y salieron a un laberinto de corredores de un monótono color gris que los llevó hasta una puerta en la que se leía: GEN. GALUSHA.

El soldado llamó a la puerta con suavidad y una voz dijo: «Pase».

Abrió la puerta y Pendergast entró, luego el soldado cerró y se dispuso a esperar fuera hasta que la reunión hubiera concluido.

Galusha era un hombre de aspecto pulcro y marcial vestido con uniforme de combate. La solitaria estrella negra que llevaba prendida con velcro en el pecho era el único distintivo de su rango.

—Por favor, siéntese. —dijo. Su actitud era fría.

Pendergast tomó asiento.

—Antes de nada, agente Pendergast, quiero decirle que no podré atender su solicitud hasta que usted y sus superiores del FBI la presenten a través de los canales habituales. Y, en todo caso, no veo en qué podría ayudarlo.

Pendergast no respondió inmediatamente, y antes de hacerlo se aclaró la garganta.

—Siendo usted uno de los... guardianes de M-Logos, puede serme de gran ayuda, general.

Galusha permaneció muy quieto.

—¿Y qué sabe usted de M-Logos, agente Pendergast, suponiendo que tal cosa exista?

—Sé bastante. Sé, por ejemplo, que es el ordenador más potente construido por el hombre y que se halla en un búnker blindado oculto en los cimientos de este edificio. Sé que consiste en un gigantesco sistema de procesamiento paralelo que funciona con un sistema de inteligencia artificial conocido como Stutter-Logic y que ha sido diseñado con un único propósito: sondear información acerca de cualquier amenaza potencial a la seguridad nacional. Dichas amenazas pueden ser de cualquier tipo: terrorismo, espionaje industrial, actividad desestabilizadora de grupos locales, manipulación de mercados, evasión de impuestos e incluso aparición de pandemias.

Pendergast cruzó las piernas con delicadeza.

—Para la consecución de sus objetivos —prosiguió—, M-Logos dispone de una base de datos que contiene todo tipo de información, desde registros de llamadas de teléfonos móviles y correos electrónicos hasta el rastreo de los peajes de las autopistas, de expedientes médicos y judiciales, de las redes sociales y de las bases de datos de los departamentos de investigación de las universidades. Se dice que M-Logos contiene el nombre y la información de prácticamente todos los individuos que se hallan dentro de las fronteras de Estados Unidos, todos ellos referenciados y cruzados. Desconozco cuál es el porcentaje en cuanto a los individuos de fuera del territorio nacional, pero no creo equivocarme si digo que M-Logos posee toda la información que existe en formato digital de la mayoría de los habitantes del mundo industrializado.

El general había permanecido en silencio e impasible durante toda la exposición. Al fin habló.

—Eso ha sido casi un discurso, agente Pendergast. Dígame, ¿cómo ha obtenido semejante información?

Pendergast se encogió de hombros.

—Mi trabajo en el FBI me ha llevado a varias áreas de investigación que podríamos calificar de «singulares». Pero permítame que le responda con otra pregunta: si los ciudadanos de este país tuvieran alguna idea de lo rigurosa y lo exhaustiva que es y lo extremadamente bien organizada que está la base de datos de M-Logos y de cuánta información dispone el gobierno acerca de los estadounidenses de bien, ¿cuál cree que sería su reacción?

—Pero no lo sabrán, ¿verdad? Porque esa revelación constituiría un delito de alta traición.

Pendergast inclinó la cabeza.

—No me interesan las revelaciones. Me interesa una única persona.

—Entiendo. Y desea que nosotros encontremos a dicha persona en nuestra base de datos de M-Logos.

Pendergast descruzó las piernas y miró fijamente al general. No dijo nada.

—Puesto que sabe tanto, también debe de estar al corriente de que el acceso a la base de datos de M-Logos es sumamente restringido. No puedo abrirlo para cualquier agente del FBI que se presente aquí..., ni siquiera para uno tan intrépido como usted parece ser.

Pendergast siguió sin decir nada. Su repentino silencio, tras su prolija exposición, pareció irritar a Galusha.

—Soy un hombre muy ocupado —dijo.

Pendergast volvió a cruzar las piernas.

—General, le agradecería que me confirmara que tiene autorización para aceptar o denegar mi petición sin tener que recurrir a instancias superiores.

—La tengo, pero no voy a entrar en sus jueguecitos. No existe la menor posibilidad de que acepte su petición.

Pendergast dejó que el silencio se inflara hasta que Galusha se hartó.

—No pretendo ser grosero, pero creo que esta reunión ha terminado.

—No —dijo sencillamente Pendergast.

Galusha alzó las cejas.

—¿No?

Con deliberada lentitud, Pendergast sacó un documento del bolsillo interior de su americana y lo dejó en la mesa del general. Este lo cogió y lo examinó.

—Pero... ¿qué demonios...? ¡Es mi currículum vitae!

—Lo es. Impresionante.

Galusha lo miró con suspicacia.

—General, veo que es usted un buen oficial, leal a su país y que ha prestado servicios realmente distinguidos. Por estos motivos, lamento muchísimo lo que voy a hacer.

—¿Me está amenazando?

—Me gustaría que me respondiera a otra pregunta: ¿por qué creyó que era necesario mentir?

Se hizo un largo silencio.

—Usted sirvió en Vietnam. Ganó una Estrella de Plata, una Estrella de Bronce y dos Corazones Púrpura. Fue subiendo en el escalafón por méritos propios y sin que nadie lo ayudara. Sin embargo, todo eso se construyó sobre una mentira: usted nunca se licenció en la Universidad de Texas como dice en su currículo. Usted abandonó los estudios cuando cursaba el tercer trimestre de su último año. Y eso significa que no podía ser admitido en la Escuela de Oficiales. Sorprendentemente, nadie se molestó en comprobarlo. ¿Cómo lo consiguió? Me refiero a ingresar en la Escuela de Oficiales...

Galusha se levantó, tenía el rostro como la grana.

—Es usted un maldito cabrón.

—No soy ningún cabrón, soy alguien desesperado que está dispuesto a hacer lo que sea con tal de conseguir lo que necesita.

—¿Y qué necesita?

—Temo decírselo porque, después de haberlo conocido, me parece que es usted un hombre con la integridad suficiente para no ceder a la coacción que yo tenía en mente. Creo que sería capaz de inmolarse antes que permitirme tener acceso a la base de datos de M-Logos.

—Puede estar seguro de eso.

Pendergast se dio cuenta de que el general conservaba el dominio de sí mismo y de que estaba preparándose para lo que pudiera suceder. Había sido mala suerte encontrar en aquel puesto a un hombre como Galusha.

—Muy bien, pero antes de que me marche permítame explicarle por qué estoy aquí. Hace diez años, mi mujer murió de una manera especialmente horrible. Al menos eso creí. Pero ahora me he enterado de que sigue con vida. Ignoro por qué no me lo ha dicho. Puede que la estén coaccionando o esté retenida en contra de su voluntad. Sea lo que fuere, debo encontrarla, y M-Logos es el mejor camino.

—Haga lo que le parezca, señor Pendergast, pero nunca le daré acceso a esa base de datos.

—No le estoy pidiendo que lo haga. Lo que le pido es que lo compruebe usted mismo. Y que si la encuentra, me lo diga. Eso es todo. No quiero información confidencial. Solo un nombre y una dirección.

—O me delatará.

—O lo delataré.

—No lo haré.

—Medite su decisión, general. He investigado cuáles pueden ser las consecuencias: perderá el cargo actual, será degradado, aunque lo más seguro es que lo licenciarán. Su distinguida carrera militar quedará reducida a una mentira, y para su familia se convertirá en una cuestión incómoda, de esas sobre las que no se puede hablar. Volverá a la vida civil, pero será demasiado tarde para que empiece una nueva vida profesional porque la mayoría de las salidas al alcance de los oficiales retirados le estarán vedadas. Quedará marcado para siempre por esa mentira. Algo de lo más injusto: todos hemos mentido alguna vez, y usted es mejor que la mayoría. Pero el mundo es un lugar muy feo. Hace mucho que yo dejé de luchar contra ese hecho y acepté que formaba parte de su fealdad. Eso me hizo la vida mucho más fácil. Si no hace lo que le pido, que es algo que no perjudicará a nadie y que ayudará a otro ser humano, pronto descubrirá cuán feo puede ser este mundo.

Galusha miró fijamente a Pendergast, y este vio tanta tristeza y autorreproche en sus ojos que estuvo a punto de dejarlo correr. Era un hombre que ya había visto mucho del lado oscuro de la vida.

Cuando el general habló, su voz fue apenas un susurro.

—Necesitaré información sobre su mujer para consultar la base de datos.

—Le he traído toda la que puede necesitar. —Pendergast sacó un sobre de su chaqueta y se lo entregó—. Aquí encontrará el ADN, muestras caligráficas, un historial médico, radiografías dentales, características físicas y demás. Mi mujer está viva en algún rincón del planeta. Le ruego que la encuentre.

Galusha alargó la mano hacia el sobre, como si fuera algo maloliente, pero fue capaz de cogerlo. Sus dedos permanecieron temblando en el aire.

—También tengo un incentivo para usted, general —añadió Pendergast—. Cierto amigo mío, que tiene un talento especial para la informática, se ocupará de modificar los archivos de la Universidad de Texas para que usted tenga ese título *cum laude* que sin duda habría conseguido si su padre no hubiera muerto inesperadamente.

Galusha inclinó la cabeza y cogió el sobre sin mirarlo.

—¿Cuánto cree que tardará? —preguntó Pendergast con un hilo de voz.

—Cuatro horas, tal vez menos. Espere aquí. No hable con nadie. Yo me ocuparé de esto.

Tres horas y media después, el general regresó. Tenía una expresión gris y derrotada. Dejó el expediente sobre la mesa y se sentó; arrastró la silla lentamente, como un viejo. Pendergast permaneció inmóvil, sin dejar de mirarlo.

—Su mujer está muerta —dijo Galusha en tono fatigado—. Tiene que estarlo, porque todo lo referente a ella se desvanece hace diez años. Después de que... —Alzó sus tristes ojos hacia Pendergast—. Después de que ese león la matara en África.

—No puede ser.

—Me temo que no solo es posible sino inevitable. A menos que viva en Corea del Norte o en alguna zona de África, en Papúa Nueva Guinea o en algún remoto rincón por descubrir. En estos momentos, lo sé todo sobre ella..., y también sobre usted. Todas las informaciones concernientes a su esposa, todas las pistas, todas las pruebas se acaban en África. Está muerta.

—Se equivoca.

—M-Logos no se equivoca. —Galusha empujó el expediente hacia Pendergast—. Ahora lo conozco lo suficiente para saber que cumplirá su palabra. —Respiró hondo—. Lo único que nos queda por decir es adiós.

39

Pantano Black Brake, Luisiana

Ned Betterton sacó el pañuelo del bolsillo y por enésima vez se enjugó el sudor de la frente. Llevaba una camiseta ancha y bermudas, pero no había imaginado que el aire del pantano pudiera ser tan sofocante en aquella época del año. Además, el vendaje que llevaba en los amoratados nudillos hacía que sintiera la mano tan caliente como un maldito asador de pollos.

Hiram, el viejo desdentado con el que había hablado ante la tienda de Tiny, se hallaba al volante de una vieja lancha planeadora de los pantanos; llevaba una gorra encasquetada hasta las orejas. Se inclinó por la borda y soltó un escupitajo marrón: saliva y tabaco de mascar. Luego se incorporó y volvió a fijar la mirada en el estrecho canal de troncos que conducía hacia la verde espesura.

Le había bastado una hora de investigación en los archivos del condado para averiguar que Spanish Island era un antiguo campamento de caza y pesca situado en algún lugar recóndito del pantano Black Brake, propiedad de la familia de June Brodie. A partir de ahí, había ido en busca de Hiram. Había tenido que recurrir a sus mejores dotes de persuasión para convencer al viejo para que lo llevara hasta allí. Al final, un billete de cien y una botella de Old Grand-Dad habían cerrado el trato, pero Hiram había insistido en recogerlo en la orilla norte de Lake End, lejos de las miradas de Tiny y de los demás.

Al principio, Hiram se había mostrado hosco, nervioso y poco comunicativo. Betterton no tardó en comprender que era mejor no presionarlo para que hablara, de modo que le dejó la botella de Old Grand-Dad al alcance de la mano. Dos horas y varios tragos más tarde, la lengua del viejo había empezado a soltarse.

—¿Cuánto falta? —inquirió Betterton doblando el pañuelo.

—Quince minutos —contestó Hiram; lanzó otro salivazo por la borda—. Puede que veinte. Estamos a punto de adentrarnos en la espesura.

«No bromea», pensó Betterton. Los árboles se cerraban a ambos lados y sus ramas formaban en lo alto una bóveda que tapaba la luz del sol. El ambiente era tan denso y húmedo que tenía la sensación de hallarse bajo el agua. Los insectos zumbaban, las aves graznaban y, de vez en cuando, se oía el fuerte chapoteo de un cocodrilo que se sumergía en el agua.

—¿Cree que ese tipo del FBI llegó hasta Spanish Island?

—No lo sé —contestó Hiram—. No lo dijo.

Betterton había pasado dos días sumamente entretenidos examinando los antecedentes del agente Pendergast. No había sido fácil, podría haberles dedicado una semana entera. Puede que incluso un mes. El agente del FBI pertenecía a los Pendergast de Nueva Orleans, una familia de abolengo con antepasados ingleses y franceses. La palabra «excéntricos» se quedaba corta para definirlos: entre sus miembros había habido científicos, exploradores, mercachifles, magos, timadores y... asesinos. Sí, asesinos. Una tía abuela había envenenado a toda su familia y había acabado en un manicomio. Un tío de varias generaciones atrás había sido mago y maestro de Houdini. El propio Pendergast tenía un hermano que al parecer había desaparecido en Italia y sobre el que abundaban los rumores extraños y escaseaban las respuestas.

Pero lo que más intrigaba a Betterton era el incendio. Cuando Pendergast era pequeño, una turba había pegado fuego a la mansión familiar de Dauphine Street. La investigación fue incapaz de determinar exactamente el motivo. Aunque nadie reconoció haber formado parte de la turba, casi todos los interrogados por la policía apostaron razones diferentes y contradictorias para la quema de la casa: que la familia se dedicaba al vudú; que uno de los hijos mataba por placer las mascotas de los vecinos; que la familia planeaba envenenar el agua de la ciudad. Sin embargo, cuando Betterton consiguió abrirse paso entre todas esas informaciones incoherentes, intuyó que tras aquella acción había habido algo más: una sutil campaña de desinformación dirigida por alguien que se proponía destruir a los Pendergast.

Por lo visto esa familia tenía un secreto y poderoso enemigo.

El fondo de la planeadora rozó un banco de lodo poco profundo y Hiram aceleró. Un poco más adelante, el frondoso canal se bifurcaba. El viejo aminoró hasta casi detener la embarcación. A los ojos de Betterton ambos ramales eran idénticos: oscuros y siniestros, con enredaderas y ramas que colgaban de lo alto como salchichas en un ahumadero. Hiram se rascó la barbilla y alzó los ojos al cielo, como buscando inspiración en las alturas.

—No nos habremos perdido, ¿verdad? —preguntó Betterton. Pensó que quizá no había sido prudente ponerse en manos de aquel viejo borrachín. Si algo les ocurría en medio de aquellos parajes, podía darse por muerto. No había la menor posibilidad de que él fuera capaz de encontrar el camino de vuelta en aquellas laberínticas marismas.

—No —respondió Hiram. Tomó otro trago de whisky y, sin vacilar, dirigió la planeadora hacia el ramal de la izquierda.

El canal se estrechó aún más, bordeado de cañaverales y jacintos de agua. Los graznidos y los trinos de una fauna invisible se hicieron más fuertes. Rodearon un viejo tocón que asomaba en el agua igual que una estatua rota. Hiram redujo de nuevo la velocidad para tomar una curva muy cerrada y apartó los colgajos de liquen que le tapaban la vista.

—Debería estar aquí mismo —dijo.

Manejando con suavidad el acelerador, guió con cuidado la planeadora por el oscuro y fangoso canal. Betterton se agachó cuando pasaron bajo una tupida cortina de liquen, se levantó de nuevo e intentó ver qué había más allá. Los helechos y las hierbas altas parecían dar paso a un sombrío claro. El periodista aguzó la vista y, de repente, contuvo el aliento.

El pantano se abría a una pequeña extensión de tierra firme rodeada de antiguos cipreses. Toda la zona se veía requemada, como si la hubieran bombardeado con Napalm. Decenas de pilones de madera creosotada, quemados y ennegrecidos, se alzaban hacia el cielo cual dientes. Por todas partes había maderos quemados, restos retorcidos de metal y escombros. Un olor acre y húmedo flotaba en el lugar como una niebla.

—¿Esto es Spanish Island? —preguntó Betterton, incrédulo.

—Lo que queda de ella, me parece —contestó Hiram.

La lancha planeadora se acercó a la fangosa orilla. Betterton saltó a tierra y subió por la pendiente a paso vivo, apartando porquería con los pies. Los escombros se extendían al menos en un cuarto de hectárea y entre ellos había todo tipo de cosas: mesas de metal, somieres, cubiertos, cristales, sofás, libros medio quemados y —para su sorpresa— los restos ennegrecidos, aplastados y retorcidos de unas máquinas que no sabía para qué servían. Se agachó ante una y la levantó. A pesar de las altas temperaturas a las que había sido sometida, Betterton vio que se trataba de un tipo de dispositivo de medición: plancha de acero inoxidable con un dial y una aguja que medía algo en milímetros. En una esquina había un pequeño logotipo: PRECISION MEDICAL EQUIPMENT, FALL RIVER, MASS.

¿Qué demonios había ocurrido allí?

Oyó la voz de Hiram a su espalda, chillona y nerviosa.

—Quizá deberíamos volver.

De repente, Ned se percató del silencio que reinaba allí. A diferencia de en el resto del pantano, las aves y los insectos de Spanish Island eran silenciosos. Había algo ominoso en aquella quietud. Volvió a mirar la confusión de restos que se amontonaban en el suelo, las extrañas piezas de metal requemado y la retorcida maquinaria. Ese lugar estaba muerto.

Peor aún, lleno de fantasmas.

De pronto, Betterton se dio cuenta de que lo único que deseaba era salir de allí cuanto antes. Dio media vuelta y se encaminó hacia la planeadora. Hiram, al parecer poseído por la misma urgencia, ya estaba preparado. Salieron como alma que lleva el diablo y marcaron a toda prisa las enfangadas aguas del estrecho y serpenteante ramal que llevaba hasta Lake End.

Betterton miró una vez —una sola— por encima del hombro el tupido verdor que dejaban atrás, la misteriosa espesura de enredaderas y plantas acuáticas que parecía formar un impenetrable entramado.

No sabía qué secretos escondía, no sabía qué horribles sucesos habían ocurrido en Spanish Island, pero estaba seguro de una cosa: de una manera o de otra, aquel escurridizo cabrón de Pendergast estaba en el centro de todo.

40

River Pointe, Ohio

La campana de la iglesia episcopaliana de St. Paul, en el barrio de clase media a las afueras de Cleveland, dio las doce de la noche. Las anchas calles estaban silenciosas y desiertas. Las hojas muertas se amontonaban junto a las aceras, empujadas por la brisa nocturna, y un perro ladraba en la distancia.

En la blanca casa de madera de la esquina de Church Street con Sycamore Terrace solo una de las ventanas del primer piso estaba iluminada. Tras ella —cerrada, atrancada y con las cortinas echadas— había una habitación abarrotada de artilugios. Una estantería que iba del suelo al techo albergaba una batería de servidores de Nivel-1, numerosos servidores de Nivel-3, varios conectores Ethernet de cuarenta y ocho gigabits y un dispositivo NAS con varios discos configurados en RAID-2. En otra había dispositivos de monitorización, tanto activos como pasivos, rastreadores e interceptadores de señales de radio civiles y policiales. Todas las superficies disponibles estaban ocupadas por teclados, amplificadores de señal inalámbricos, termómetros digitales de infrarrojos, verificadores de red y extractores Molex. En un estante alto había un antiguo módem con un acoplador acústico que todavía parecía hallarse en uso. El aire estaba cargado de olor a polvo y a mentol. La única iluminación del cuarto provenía de las pantallas de cristal líquido y de los indicadores de los paneles.

En medio de la habitación había una figura encorvada en una silla de ruedas. Vestía un viejo pijama y un albornoz. Se movía lentamente de terminal en terminal, comprobando lecturas, leyendo líneas de código y, de vez en cuando, introduciendo órdenes a toda velocidad en alguno de los numerosos teclados inalámbricos. Tenía una mano medio aplastada, con los dedos encogidos y deformados. Aun así, tecleaba con sorprendente facilidad.

De repente se detuvo. Una luz amarilla se había encendido en un dispositivo situado sobre la pantalla principal.

La figura dirigió la silla rápidamente hasta el terminal e introdujo en el teclado una serie de instrucciones. La pantalla se convirtió en el acto en un mosaico de imágenes en blanco y negro que recogían las señales de las numerosas cámaras de seguridad repartidas por toda la casa y sus alrededores.

Examinó rápidamente las imágenes. Nada.

El pánico que lo había embargado en un instante menguó. Su sistema de vigilancia era de primera y doblemente redundante. De haberse producido una intrusión, una docena de sensores de movimiento y alarmas de proximidad lo habrían alertado al instante. Aquello tenía que ser un fallo electrónico, nada más. Esa misma mañana había hecho un diagnóstico del sistema y...

De pronto una luz roja empezó a parpadear junto a la amarilla y una alarma comenzó a sonar a bajo volumen.

El miedo y la incredulidad se apoderaron de él. ¿Una intrusión en toda regla sin el menor aviso? Eso era imposible, inimaginable. La mano deforme buscó una pequeña caja metálica montada en el brazo de la silla y levantó la cubierta de seguridad del interruptor. Un ganchudo dedo acarició el botón. Cuando lo presionara, ocurrirían varias cosas en muy poco tiempo: el 911 avisaría a la policía, los bomberos y el servicio de ambulancias; unas potentes lámparas de sodio se encenderían por toda la casa; las alarmas se dispararían a todo volumen; una serie de dispositivos desmagnetizadores, repartidos estratégicamente por la habitación, generarían una señal que borraría en quince segundos el contenido de los discos duros; y, por último, se dispararía un generador de pulsos electromagnéticos que freiría tanto los circuitos como los microprocesadores de todos los aparatos electrónicos del primer piso.

El dedo se apoyó en el botón.

—Buenas noches, Mime —dijo una voz inconfundible desde el oscuro pasillo.

La mano se apartó bruscamente.

—¿Pendergast?

El agente especial asintió y entró en la habitación.

Durante unos instantes el individuo de la silla de ruedas fue incapaz de reaccionar.

—¿Cómo has conseguido entrar? ¡Mi sistema de seguridad es inviolable!

—Desde luego que sí. Al fin y al cabo, yo pagué el diseño y la instalación.

El otro envolvió su delgado cuerpo con el albornoz. Había recobrado la calma.

—Teníamos un trato: no encontrarnos cara a cara nunca más.

—Soy consciente de ello, y lamento profundamente haberlo roto. Pero tengo una petición que hacerte y... me pareció que si te la hacía en persona comprenderías mejor su verdadera urgencia.

Una sonrisa cínica se dibujó en las pálidas facciones de Mime.

—Ya veo. Míster agente secreto tiene una petición que hacer al bueno de Mime, una más.

—Nuestra relación siempre ha funcionado... ¿cómo decirlo? basándose en un principio simbiótico. ¿Acaso no fue hace apenas dos meses cuando dispuse lo necesario para que instalaran en esta casa una línea de fibra óptica?

—En efecto, y eso me ha permitido disfrutar de tres mil megas por segundo. Para mí se acabaron las esperas aburridas.

—¿Y acaso no fui decisivo a la hora de que retiraran aquellos molestos cargos que había contra ti? Lo recuerdas, ¿no? Los del Departamento de Defensa que alegaban...

—Está bien, míster agente secreto, no lo he olvidado. ¿Qué

puedo hacer por ti esta noche? El Ciber-Emporio de Mime está abierto para lo que necesites. No hay cortafuegos lo bastante grande ni algoritmo lo bastante encriptado.

—Necesito información sobre cierta persona. Lo ideal sería conocer su paradero, pero cualquier cosa me servirá: historial médico, documentos legales, movimientos bancarios. Desde la fecha de su presunta muerte hacia delante.

El enjuto y extrañamente infantil rostro de Mime pareció animarse al oír aquello.

—¿Su presunta muerte?

—Sí. Estoy convencido de que la mujer en cuestión está viva. Sin embargo, tengo la certeza de que utiliza un nombre falso.

—Pero imagino que sabes el verdadero...

Pendergast tardó en responder.

—Helen Esterhazy Pendergast —dijo al fin.

—Helen Esterhazy Pendergast —repitió Mime. Su rostro revelaba cada vez mayor interés—. Esta sí que no me la esperaba. —Reflexionó unos instantes—. Naturalmente, necesitaré que me facilites toda la información personal que tengas, si quieres que haga una búsqueda amplia de tu... de tu...

—Esposa. —Pendergast le entregó una gruesa carpeta.

Mime la cogió con su mano deforme y la hojeó ávidamente.

—Por lo visto ya has hecho tus propias averiguaciones —dijo.

—Las investigaciones a través de los canales oficiales no han dado resultado.

—Ah. O sea que M-Logos no te ha servido de nada, ¿eh? —Cuando Pendergast no contestó, Mime rió—. Y ahora míster agente secreto quiere que yo lo intente desde el otro lado de la ciber-calle. Que levante las alfombras virtuales y mire qué hay debajo.

—No son unas metáforas demasiado afortunadas, pero sí, esa es la idea.

—Bueno, esto me llevará un rato. Disculpa pero aquí no hay más sillas, si quieres tráete una de la habitación de al aldo. Solo te pido que no enciendas ninguna luz. —Mime señaló un contenedor de comida envasada que había en un rincón—. ¿Un Twinkie? —ofreció.

—No, gracias.

—Como quieras.

Durante los siguientes noventa minutos, ninguno de los dos dijo una sola palabra. Pendergast permaneció sentado en un rincón oscuro, tan quieto como una estatua de Buda, mientras Mime iba de un lado a otro en su silla de ruedas, de terminal en terminal, unas veces tecleando rápidas instrucciones y otras repasando las lecturas que iban apareciendo en las incontables pantallas. A medida que los minutos fueron pasando, la figura de la silla de ruedas parecía cada vez más encogida y preocupada. Los suspiros eran cada vez más frecuentes. De vez en cuando, una mano golpeaba con irritación un teclado.

Al fin, Mime se apartó del terminal principal con aire indignado.

—Lo siento, agente Pendergast —dijo en un tono que casi parecía contrito.

—¿Nada? —Pendergast miró fijamente al hacker, pero Mime estaba vuelto hacia el monitor y le daba la espalda.

—Oh, no, mucho, pero todo anterior a ese viaje a África. Su trabajo en Doctors With Wings, sus archivos académicos, sus exámenes médicos, el registro de los libros que sacó de diferentes bibliotecas... Incluso un poema que escribió en la época de la universidad mientras hacía de canguro de un niño pequeño.

—«A un niño que un día perdió su primer diente» —murmuró Pendergast.

—Ese. Pero después del ataque del león..., nada. —Mime dudó—. Y eso normalmente solo significa una cosa.

—Sí, Mime, gracias —dijo Pendergast. Reflexionó un momento—. Has mencionado archivos académicos y exámenes médicos... ¿No has visto nada extraño, nada que te haya llamado la atención o que pareciera fuera de lugar?

—No. Era la viva imagen de la salud, pero eso ya debías de saberlo. Y al parecer fue buena estudiante. Buenas notas en el instituto y excelentes en la universidad. Incluso en la escuela elemental lo hizo bien, lo cual resulta sorprendente.

—¿Por qué?

—Bueno, pues porque no hablaba inglés.

Pendergast se levantó lentamente de la silla.

—¿Qué?

—¿No lo sabías? Está aquí. —Mime acercó la silla de ruedas al teclado y tecleó rápidamente. En la pantalla apareció la imagen de un documento escrito a máquina con notas manuscritas en la parte inferior—. El Departamento de Educación de Maine digitalizó hace unos años todos sus archivos —explicó Mime—. Mira la anotación que acompaña a las notas de segundo grado de Helen Esterhazy. —Se inclinó hacia la pantalla y leyó—: «Considerando que Helen emigró a Estados Unidos a mediados del año pasado, que su lengua era el portugués y no tenía conocimientos de inglés, sus progresos en el colegio y sus avances en el dominio de la lengua son notables».

Pendergast se acercó y examinó la imagen personalmente; la más absoluta perplejidad se reflejaba en su rostro. Luego se incorporó y recobró el dominio de sí mismo.

—Una cosa más...

—¿Qué, míster agente secreto?

—Me gustaría que entraras en la base de datos de la Universidad de Texas e hicieras una corrección en sus registros. En ellos consta que un tal Frederick Galusha abandonó los estudios en el último año, con lo cual no obtuvo la licenciatura. Quiero que conste que se licenció *cum laude*.

—Eso está chupado, pero ¿por qué *cum laude*? Por el mismo precio puedo hacer que sea *summa cum laude* y Phi Beta Kappa.

—Con *cum laude* bastará. Y asegúrate de que las notas están a la altura de la calificación final, para no dejar cabos sueltos. No hace falta que me acompañes a la puerta.

—Muy amable. Oye, no más visitas sorpresa. Y, por favor, antes de salir no te olvides de activar todo lo que has desconectado.

Cuando Pendergast dio media vuelta, la figura llamada Mime habló de nuevo.

—Ah, Pendergast...

El agente se volvió.

—Solo una cosa más. Esterhazy es un apellido húngaro.

—Así es.

El hacker se rascó la nuca y bajó la cabeza.

—Entonces, ¿cómo es que su lengua materna era el portugués?

Cuando levantó la vista se dio cuenta de que hablaba con una puerta vacía. Pendergast ya había desaparecido.

41

Nueva York

Judson Esterhazy se apeó del taxi y contempló brevemente los opresivos edificios del Bajo Manhattan antes de coger su maletín de piel y pagar al taxista. Caminó por la estrecha acera, con paso tranquilo y confiado, alisándose la corbata, y desapareció en el bajo vestíbulo del Departamento de Salud de Nueva York.

Resultaba agradable volver a llevar traje, aunque siguiera manteniéndose en la clandestinidad. Y aun lo era más pasar a la ofensiva, hacer algo que no fuera huir. El miedo y la incertidumbre que lo habían estado consumiendo casi habían desaparecido por completo y, tras un período de pánico, habían sido sustituidos por un plan claro y decisivo. Un plan que resolvería su problema con Pendergast de una vez por todas. Y lo más importante: ese plan los complacía. Por fin iban a ayudarlo.

«Llegarás a él a través de su zorra.»

Excelente consejo, aunque expresado con excesiva crudeza. Y encontrar a la «zorra» había resultado más fácil de lo esperado. El siguiente desafío consistía en dar con la manera de llegar hasta ella.

Se acercó al directorio de servicios y vio que el Departamento de Salud Mental se encontraba en el séptimo piso. Se dirigió a los ascensores, entró en uno y apretó el botón «7». Las puertas se cerraron silenciosamente, y luego empezó a subir.

Sus conocimientos de las bases de datos médicos habían demostrado ser de gran valor. Al final le habían bastado con unas cuantas búsquedas para conseguir la información que necesitaba y, a partir de ahí, trazar su plan de ataque. El primer acierto había sido un procedimiento en el que Pendergast había sido requerido como parte interesada pero al que había decidido, perversamente, no presentarse. El segundo, un artículo de un tal doctor Felder, aún no publicado pero presentado ante la comunidad médica para su estudio, acerca de un caso sumamente interesante: una mujer encerrada en el correccional para mujeres de Bedford Hills pero pendiente de traslado al hospital Mount Mercy. Aunque el artículo no revelaba la identidad de la paciente, dada la naturaleza del procedimiento averiguar su nombre no había supuesto ninguna dificultad.

Al salir del ascensor, preguntó por el doctor Felder. El psiquiatra estaba trabajando en su pequeño y pulcro despacho y se levantó cuando Esterhazy entró. Era tan pequeño como su lugar de trabajo, iba bien vestido, tenía el pelo entrecano y lucía perilla y bigote.

—¿El doctor Poole? —preguntó, tendiéndole la mano.

—Encantado de conocerle, doctor Felder —dijo Esterhazy estrechándole la mano.

—El placer es mío —repuso Felder; señaló una silla vacía—. Conocer a alguien que cuenta con experiencia en el caso de Constance constituye una suerte inesperada para mi trabajo.

«Para mi trabajo.» Exactamente como Esterhazy lo había imaginado. Contempló el impersonal despacho, con sus libros de consulta y sus acuarelas deliberadamente neutras. Por lo que podía deducir, ser psiquiatra judicial debía de ser un trabajo escasamente gratificante. La mitad de sus pacientes eran vulgares sociópatas, mientras que la otra mitad se limitaban a fingir para obtener una rebaja de la condena. Leyendo el artículo que Felder pretendía publicar, Esterhazy se había hecho una idea más que aproximada de sus aspiraciones. Se trataba de un caso al que se le podía hincar el diente y con el que tal vez incluso se podía hacer carrera. Felder era a todas luces un tipo abierto y confiado, dispuesto a colaborar y, al igual que mucha gente inteligente, un tanto ingenuo. Perfecto.

Aun así, debía proceder con cautela. Si dejaba entrever su ignorancia sobre la paciente y el caso, levantaría de inmediato todo tipo de sospechas. El truco consistía en hacer que ese desconocimiento jugara a su favor.

Quitó importancia a las palabras de Felder con un gesto de la mano.

—La suya es una presentación única, al menos en mi experiencia. Me gustó enormemente leer su artículo, y no solo porque trata de un caso interesante sino porque creo que puede ser importante. Tal vez incluso convertirse en un clásico. Aunque, la verdad, yo no tengo interés en publicar porque mi campo es otro.

A pesar de que Felder se limitó a asentir, Esterhazy creyó ver en sus ojos un destello de alivio. Era importante que el psiquiatra comprendiera que él no representaba una amenaza para sus aspiraciones.

—¿Cuántas veces ha hablado usted con Constance? —preguntó Esterhazy.

—Hasta el momento hemos tenido cuatro sesiones.

—¿Y todavía no ha manifestado amnesia?

Felder frunció el entrecejo.

—No. En absoluto.

—Fue la parte de su tratamiento que me planteó los mayores retos. Acababa una sesión con ella creyendo que había hecho muchos progresos en el tratamiento de sus fantasías más peligrosas, y cuando reaparecía para la siguiente sesión me encontraba con que Constance no conservaba el menor recuerdo de la visita anterior. De hecho, afirmaba que ni siquiera me conocía.

Felder entrelazó los dedos.

—Qué curioso... En mi experiencia, su memoria ha sido siempre excelente.

—La amnesia es disociativa y episódica. Interesante.

Felder empezó a tomar notas.

—Lo que me parece más interesante es que hay poderosos indicios de que nos encontramos ante un caso muy infrecuente de fuga disociativa.

—¿Lo que podría explicar, por ejemplo, el viaje por mar?

—Exacto, al igual que los inexplicables estallidos de violencia. Esa es la razón, doctor Felder, de que calificara el caso de único. Opino que tenemos, bueno, que usted tiene la oportunidad de hacer progresar de modo sustancial los conocimientos médicos en este campo.

Felder escribía cada vez más deprisa.

Esterhazy cambió de postura en la silla.

—A menudo me he preguntado si las... digamos inusuales relaciones personales de su paciente pueden haber sido un factor de consideración en sus desórdenes.

—¿Se refiere a su tutor, el tal Pendergast?

—Bueno... —Esterhazy pareció dudar—. Es cierto que el señor Pendergast utiliza el término «tutor»; sin embargo, hablando de colega a colega, la relación ha sido mucho más íntima de lo que el término da a entender. Lo cual, a mi parecer, podría explicar por qué el señor Pendergast no compareció la última vez que se requirió su presencia.

El doctor Felder dejó de escribir y alzó la vista. Esterhazy asintió despacio y significativamente.

—Eso es muy interesante —dijo Felder—. Ella lo niega rotundamente.

—Es natural —repuso Esterhazy en voz baja.

—¿Sabe...? —Felder se interrumpió un instante, como si sopesara algo—. Si de verdad hubo un trauma emocional grave, algún tipo de coacción sexual o incluso abusos, eso no solo explicaría su estado de alienación, sino también sus extrañas ideas acerca del pasado.

—¿Extrañas ideas acerca del pasado? —preguntó Esterhazy—. Eso es una novedad.

—Bueno, por decirlo claramente, doctor Poole, Constance insiste en que tiene ciento cuarenta años.

Esterhazy tuvo que hacer esfuerzos para mantener la seriedad.

—¿En serio? —logró decir.

Felder asintió.

—Afirma que nació en 1870, que creció en Water Street, a unas pocas manzanas de donde nos encontramos ahora mismo, que tanto su padre como su madre murieron siendo ella niña y que vivió durante años en una mansión que pertenecía a un hombre llamado Leng.

Esterhazy siguió esa pista.

—Esa podría ser la otra cara de la moneda de su amnesia disociativa y de su estado de alienación.

—Lo cierto es que su conocimiento del pasado, al menos del período en que asegura que creció, es notablemente vívido y exacto.

«Menudas tonterías», se dijo Esterhazy.

—Constance es una persona muy inteligente, a pesar de sus problemas.

Felder contempló sus notas con aire pensativo y después miró a Esterhazy.

—¿Podría pedirle un favor, doctor?

—Por supuesto.

—¿Le interesaría acompañarme a una sesión?

—Estaría encantado.

—Me gustaría contar con una segunda opinión. Su anterior experiencia con la paciente y sus observaciones serían sin duda de gran ayuda.

Esterhazy sintió un estremecimiento de alegría.

—Solo estaré un par de semanas en Nueva York, en Columbia, pero me complacerá ayudarlo en lo que pueda.

Felder sonrió por primera vez.

—Teniendo en cuenta la amnesia episódica que he mencionado —dijo Esterhazy—, creo que sería mejor que me la presentara como si no nos hubiéramos visto antes. Así podremos observar su reacción. Será interesante comprobar si su amnesia ha persistido durante su estado de alienación.

—Desde luego.

—Tengo entendido que en la actualidad se encuentra internada en el hospital Mount Mercy.

—Así es.

—Y supongo que usted podrá ocuparse de que yo disponga de la acreditación necesaria.

—Eso creo. Como es natural, necesitaré su currículum vitae, su carnet de colegiado, el papeleo de costumbre... —Felder, incómodo, no dijo más.

—Claro. Resulta que creo que llevo encima todos los papeles necesarios. Los he traído para el personal de Columbia. —Abrió su maletín y sacó una carpeta que contenía toda una serie de documentos primorosamente falsificados por gentileza de la Alianza. Existía en efecto un doctor Poole, por si acaso a Felder se le ocurría comprobarlo, pero dada su confiada naturaleza no parecía probable que lo hiciera—. Y aquí tiene además un resumen de mi trabajo con Constance —añadió sacando una segunda carpeta cuyo contenido estaba destinado más a despertar el apetito de Felder que a proporcionarle ninguna información real.

—Gracias. —Felder abrió la primera carpeta, examinó su contenido de un vistazo y luego se la devolvió. Tal como Esterhazy había esperado, había sido una simple formalidad—. Creo que mañana podré decirle algo acerca de la acreditación.

—Aquí tiene mi número de móvil. —Esterhazy deslizó una tarjeta en la mesa.

Felder se la guardó en el bolsillo de la americana.

—No sabe cuánto me alegra contar con su colaboración en este caso, doctor Poole.

—Créame, doctor Felder, el placer es todo mío —contestó Esterhazy levantándose y estrechando la mano del psiquiatra. Luego le obsequió con su mejor sonrisa y se marchó.

42

Plantación Penumbra, distrito de St. Charles

—Bienvenido a casa, señor Pendergast —dijo Maurice, abriendo la puerta, como si Pendergast se hubiera ausentado unos minutos en lugar de dos meses—. ¿Deseará cenar algo, señor?

El agente del FBI entró, y el mayordomo cerró la puerta a la gélida niebla invernal.

—No, gracias. Pero me encantaría una copa de amontillado en el salón de arriba.

—La chimenea está encendida.

—Estupendo.

Pendergast subió la escalera que conducía al salón, donde un fuego ardía en el hogar y mitigaba la habitual humedad que reinaba en la casa. Se sentó en el sillón orejero que había al lado y, un instante después, Maurice entró llevando una bandeja de plata con una copa de jerez.

—Gracias, Maurice.

Cuando el sirviente de blancos cabellos se disponía a marcharse, Pendergast dijo:

—Sé que estaba preocupado por mí.

El mayordomo se detuvo pero no dijo nada.

—Cuando descubrí las circunstancias de la muerte de mi esposa, me puse fuera de mí —prosiguió Pendergast—. Imagino que debió de asustarse.

—Estaba preocupado —repuso Maurice.

—Gracias. Lo sé. Pero vuelvo a ser el de siempre, y no es necesario que nadie controle mis idas y venidas ni que las mencione a mi cuñado. —Hizo una pausa—. Supongo que ha hablado con Judson acerca de mi situación...

Maurice se ruborizó.

—Es médico, señor, y me pidió que lo ayudara con lo que supiera sobre sus movimientos. Temía que usted cometiera alguna locura. Teniendo en cuenta el historial familiar... —Su voz se apagó.

—Desde luego, desde luego. Sin embargo, ocurre que es posible que Judson no estuviera pensando en lo más conveniente para mí. Me temo que entre los dos se ha producido cierto distanciamiento. Como he dicho, estoy plenamente recuperado. De modo que, como ve, no hay razón para que en adelante comparta ninguna información con él.

—Por supuesto, señor. Confío en que mis confidencias al doctor Esterhazy no le hayan causado inconvenientes...

—En absoluto.

—¿Desea algo más?

—No, gracias. Buenas noches, Maurice.

—Buenas noches, señor.

Una hora más tarde, Pendergast se hallaba sentado, inmóvil, en el reducido espacio que había sido el vestidor de su madre. La puerta estaba cerrada con llave. El antiguo y pesado mobiliario había sido retirado y sustituido por una mecedora y una mesa auxiliar de caoba. El elegante papel pintado William Morris había sido arrancado y en su lugar había un grueso aislante acústico de color azul oscuro. No había nada en aquella habitación que pudiera suscitar el menor interés o curiosidad. La única iluminación a falta de ventanas la proporcionaba una solitaria vela que proyectaba su parpadeante claridad sobre las lisas paredes. Era la habitación más reservada de toda la casa.

Rodeado del más completo silencio, Pendergast fijó su mirada en la llama al tiempo de aminoraba deliberadamente su respiración y sus pulsaciones. Mediante la esotérica disciplina meditativa de Chongg Ran, que había aprendido en el Himalaya años atrás, estaba preparándose para entrar en el plano mental superior conocido como *stong pa nyid*. Pendergast había combinado aquella antigua práctica budista con la idea del palacio de la memoria recogida por Giordano Bruno en su *Ars Memoria* para crear su propia y exclusiva forma de concentración mental.

Miró fijamente la llama y —despacio, muy despacio— dejó que su mirada penetrara en su parpadeante corazón. Y mientras permanecía allí sentado, dejó que su conciencia se adentrara en la llama, fuera consumida por ella, se uniera a ella en un todo orgánico y, más adelante, a medida que los minutos fueron pasando, alcanzó un nivel aún más fundamental, hasta que llegó un momento en que las mismísimas moléculas de su ser sensible se fundieron con las de la llama.

El parpadeante calor creció hasta llenar todo su ojo mental con un fuego infinito e inagotable. Y entonces, de repente, se apagó y una oscuridad absoluta ocupó su lugar.

Pendergast aguardó con absoluta calma a que surgiera su palacio de memoria: el almacén de recuerdos y conocimientos al que podía retraerse cuando necesitaba guía o consuelo. Pero los familiares muros de mármol no se alzaron entre las sombras. Se encontró, por el contrario, en una especie de oscuro recinto de techo inclinado y muy bajo. Ante él se alzaba una puerta de rejilla que daba a un corredor de servicios. Tras él había un muro lleno de diagramas al estilo Rube Goldberg y mapas del tesoro dibujados por manos infantiles.

Aquel era el escondrijo conocido como La caverna de Platón, situado bajo las escaleras de la vieja casa de Dauphine Street, donde él y su hermano, Diógenes, solían refugiarse para tramar sus infantiles travesuras..., antes del Evento que acabó para siempre con su camaradería.

Era la segunda vez que una experiencia de meditación lo llevaba inesperadamente a aquel lugar. Se asomó con repentina aprensión al oscuro espacio de la parte de atrás de La caverna de Platón y..., como no podía ser de otro modo, allí estaba su hermano, a los nueve o diez años, vestido con el blazer y el pantalón corto que constituían el uniforme del Lusher, el colegio al que iban. Estaba hojeando un libro de pinturas de Caravaggio. Alzó la vista, miró a Pendergast con aire socarrón y volvió al libro.

—Otra vez tú —dijo Diógenes; el niño hablaba extrañamente con voz de adulto—. Justo a tiempo. Maurice acaba de ver un perro rabioso corriendo por la calle, cerca de la casa de los frailes. Vamos a ver si podemos engañarlo para que entre en el convento de Santa Maria, ¿te parece? Solo es mediodía. Seguro que están reunidos en misa.

Como Pendergast no respondió, Diógenes pasó otra página del libro.

—Mira, esta es una de mis favoritas —dijo—. *La decapitación de San Juan Bautista*. Fíjate en cómo la mujer de la izquierda baja el cesto para recoger la cabeza. ¡Cuánta amabilidad! Y qué me dices del noble que está de pie sobre el Bautista, dirigiendo los acontecimientos, ¡qué aire de tranquila autoridad! Ese es precisamente el aspecto que deseo tener cuando... —Calló de repente y volvió la página.

Pendergast seguía sin decir nada.

—Deja que lo adivine —dijo Diógenes—. Esto tiene que ver con tu difunta esposa.

Pendergast asintió.

—La vi una vez, ¿sabes? —continuó Diógenes sin levantar la vista del libro—. Estabais los dos en la glorieta del jardín, jugando al backgammon. Yo os observaba desde detrás de unos arbustos. Príapo entre la maleza y esas cosas. Era una escena idílica. Ella tenía tanta clase, tanta elegancia en sus movimientos... Me recordaba a la virgen de *La Inmaculada Concepción* de Murillo. —Hizo una pausa—. ¿Así que piensas que sigue con vida, *frater*?

Pendergast habló por primera vez:

—Judson me lo dijo, y no tenía motivos para mentir.

Diógenes no levantó la vista.

—¿Motivos? Claro que sí. Deseaba causarte el mayor dolor posible antes de que murieras. Causas ese efecto en la gente. —Pasó otra página—. Supongo que la has exhumado...

—Así es.

—¿Y?

—El ADN coincidía.

—¿Y aun así sigues creyendo que está viva? —Se rió por lo bajo.

—Los registros dentales también coincidían.

—¿Y al cadáver le faltaba una mano?

Se hizo una larga pausa.

—Sí, pero las pruebas dactilares no fueron concluyentes.

—Supongo que el cuerpo debía de estar en bastante mal estado. Qué terrible para ti tener esa imagen metida en el cerebro..., tu última imagen de ella. ¿Has encontrado su partida de nacimiento?

Aquella pregunta sorprendió a Pendergast. No recordaba haber visto nunca dicho documento y tampoco le había parecido importante. Siempre había dado por hecho que Helen había nacido en Maine, pero en esos momentos estaba claro que se trataba de una mentira.

—*La crucifixión de San Pedro* —dijo Diógenes dando unas palmaditas en una hoja—. Me pregunto cómo debe afectar en la continuidad de los procesos mentales el hecho de que te crucifiquen boca abajo. —Alzó la vista—. *Frater*, tú la llevabas en tus entrañas, por decirlo crudamente. Eras su alma gemela, ¿no?

—Eso pensaba.

—Bueno, busca en tus sentimientos. ¿Qué te dicen?

—Que sigue viva.

Diógenes soltó una risotada, con la boca muy abierta y la cabeza echada hacia atrás. Una risa grotescamente adulta. Pendergast aguardó a que acabara. Al fin, Diógenes calló, se alisó el pelo y dejó el libro a un lado.

—¡Es muy gracioso! Los viejos y perversos genes de los Pendergast están apareciendo ante tus ojos igual que una marea putrefacta. Ahora ya tienes tu propia obsesión. Felicidades y ¡bienvenido a la familia!

—Si es la verdad, no es una obsesión.

—¡Ja!

—¿Qué sabrás tú? Estás muerto.

—¿Realmente lo estoy? *Et in Arcadia ego!* Llegará el día en que todos los Pendergast uniremos las manos en una gran reunión familiar en el círculo más bajo del infierno. ¡Menuda fiesta será! ¡Ja, ja, ja!

Con un repentino y violento acto de voluntad, Pendergast interrumpió el trance meditativo. Estaba nuevamente en el viejo vestidor, sentado en la mecedora, con la parpadeante luz de la vela por toda compañía.

43

Pendergast regresó a la sala de estar del primer piso tomando pequeños sorbos de su jerez en silencio. A pesar de que le había dicho a Maurice que se había recuperado del todo, en el fondo se trataba de una mentira, y nada lo evidenciaba más claramente que el descuido que en esos momentos comprendía que había cometido.

En sus anteriores indagaciones entre los papeles de Helen, se le había pasado por alto que faltaba un documento importante: su partida de nacimiento. El descubrimiento de que se había matriculado en segundo grado hablando únicamente portugués le había sorprendido tanto que se había olvidado por completo de considerar la embarazosa cuestión de su partida de nacimiento o, mejor dicho, de la falta de esta. Helen debía de haberla escondido en algún lugar accesible y al mismo tiempo seguro; lo cual sugería que debía de hallarse en algún rincón de la última casa en la que había vivido.

Tomó otro sorbo de jerez y admiró su ambarino color. Penumbra era una mansión grande y laberíntica, con un casi ilimitado número de lugares donde esconder un papel. Además, Helen era astuta. Pendergast iba a tener que devanarse los sesos.

Lentamente empezó a descartar escondites potenciales. Debía de estar en un sitio donde ella pasara tiempo, es decir, donde su presencia no resultara inusual. Un sitio donde se sintiera cómoda. Un sitio donde nadie la molestara. Además, la partida debía de estar guardada en algún rincón o en algún mueble que nadie moviera, vaciara, limpiara o aireara.

Permaneció en el salón durante varias horas, sumido en sus pensamientos, registrando mentalmente todos los cuartos y rincones de la casa. Luego, cuando su búsqueda quedó reducida a una única estancia, se levantó en silencio y bajó a la biblioteca. Se detuvo en el umbral y su mirada recorrió las cabezas disecadas de los trofeos de caza, la gran mesa de refectorio, las estanterías y las obras de arte, mientras consideraba y descartaba posibles escondrijos.

Después de media hora más de reflexión, había reducido su búsqueda mental a un único mueble.

El gran armario que albergaba el libro favorito de Helen —el *Double Elephant Folio* de Audubon— se hallaba junto a la pared de la izquierda. Entró en la biblioteca, cerró las puertas correderas y fue hasta el mueble. Tras examinarlo brevemente, abrió el cajón inferior donde se guardaban los dos volúmenes del libro, los sacó, los llevó a la mesa y los dejó uno junto al otro. Luego volvió al armario, retiró el cajón y le dio la vuelta.

Nada.

Pendergast se permitió una leve sonrisa. En el armario solo había dos escondites lógicos, y el primero estaba vacío. Eso quería decir que la partida de nacimiento tenía que estar escondida necesariamente en el otro.

Metió la mano en el hueco dejado por el cajón y palpó las esquinas; sus dedos recorrieron las maderas superiores, laterales e inferiores hasta lo más profundo.

De nuevo, nada.

Pendergast se apartó del armario como si este quemara. Se quedó ahí de pie mirándolo fijamente. Se llevó una mano a los labios; las puntas de los dedos temblaban ligeramente. Luego, tras un largo momento, se dio la vuelta y contempló la biblioteca con expresión inescrutable.

Maurice solía madrugar. Tenía por costumbre levantarse a las seis para que le diera tiempo de ordenar, limpiar y preparar el desayuno. Sin embargo esa mañana se quedó en cama hasta pasadas las ocho.

Apenas había logrado conciliar el sueño. Durante toda la noche, mientras permanecía tumbado en la cama, había oído como Pendergast hacía todo tipo de ruidos amortiguados: subiendo y bajando las escaleras, cambiando cosas de sitio, dejando caer objetos al suelo, arrastrando muebles de un sitio a otro. Había escuchado con creciente preocupación los golpeteos, los roces, las idas y venidas de habitación en habitación, de un piso a otro, de la buhardilla hasta el sótano, hora tras hora. En ese momento, aunque el sol ya estaba alto en el cielo y la mañana avanzada, Maurice casi temía salir de su habitación y ver la casa. Debía de haber un caos tremendo.

Sin embargo, no podía aplazarlo eternamente. Con un suspiro, apartó las sábanas y se sentó en la cama.

Se levantó y fue hasta la puerta. Reinaba un profundo silencio. Giró el picaporte —la puerta crujió al abrirse— y asomó la cabeza al pasillo.

Se hallaba impecable.

Sin hacer ruido, Maurice recorrió habitación tras habitación. Todo estaba en su sitio. Penumbra estaba en orden. Y Pendergast no estaba por ninguna parte.

44

A diez mil metros sobre Virginia Oeste

—¿Otro zumo de tomate, señor?

—No, gracias. No deseo nada más.

—Como guste. —La azafata siguió su recorrido por el pasillo central.

En su asiento de primera clase, Pendergast examinó el amarillento documento que, tras varias horas de agotadora búsqueda, había encontrado al fin en el sitio más inesperado: enrollado dentro del cañón de una vieja escopeta. Otra prueba de lo poco que conocía a su esposa.

Sus ojos releyeron de nuevo el documento.

República Federativa do Brasil
Registro Civil das Pessoas Naturais

Certidão de Nascimento

Nome: Helen von Fuchs Esterházy

Local de Nascimento: Nova Godói, RIO GRANDE DO SUL
Filiação Pai: András Ferenc Esterházy
Filiação Mãi: Leni Faust Schmid

Helen había nacido en Brasil, en un lugar llamado Nova Godói. Nova Godói, Nova G. Recordaba el nombre del requemado trozo de papel que él y Laura Hayward habían encontrado entre las ruinas del laboratorio farmacéutico de Longitude.

Mime le había dicho que la lengua materna de Helen era el portugués. Todo encajaba.

«Brasil», pensó Pendergast. Helen había pasado casi cinco meses en ese país antes de casarse con él, durante una misión para Doctors With Wings. Al menos eso fue lo que ella le dijo entonces. Había aprendido por las malas que no podía estar seguro de nada que concerniera a Helen.

Contempló de nuevo la partida de nacimiento. Al final de la página había un recuadro titulado OBSERVAÇÕES / AVERBAÇÕES (observaciones/anotaciones). Lo examinó con detenimiento y acto seguido sacó una lupa de bolsillo para verlo más de cerca.

Lo que había habido en el interior de aquel recuadro no había sido simplemente borrado: habían recortado con mucho cuidado el papel y lo habían sustituido por un fragmento en blanco del mismo tipo, con la misma marca de agua, que habían cosido microscópicamente con la mayor precisión. Era el trabajo de un verdadero profesional.

En ese momento aceptó por fin que en realidad no había conocido a su amada esposa. Como a tantos otros seres humanos, el amor lo había cegado. Ni siquiera había logrado penetrar el misterio de su identidad.

Con un cuidado rayano en la reverencia, dobló el certificado y se lo guardó en lo más profundo de un bolsillo de su traje.

45

Nueva York

El doctor John Felder subió lentamente la escalera de la sucursal de la calle Cuarenta y dos de la Biblioteca Pública de Nueva York. Era por la tarde, y la escalinata estaba abarrotada de estudiantes y turistas cámara en ristre. Felder hizo caso omiso de su presencia, pasó entre los leones de mármol que montaban guardia ante la fachada, y entró en el amplio y resonante vestíbulo.

Durante años había utilizado aquella sucursal de la biblioteca como lugar de recogimiento. Le encantaba cómo convivían allí la investigación erudita y una sensación de elegancia y riqueza. Había crecido siendo un ratón de biblioteca pobre, su padre había sido vendedor de productos textiles, y su madre, maestra, y aquella biblioteca siempre había constituido su refugio del barullo de Jewel Avenue. Ahora tenía a su alcance todo el material del Departamento de Salud, y aun así volvía a la biblioteca una y otra vez. El mero hecho de entrar en sus confines con olor a libros era un acto reconfortante, sentía que dejaba el sórdido mundo atrás y entraba en un mundo mejor.

Pero no ese día. La sensación ese día fue diferente.

Subió los dos tramos de escalera que llevaban a la sala de lectura principal y pasó ante un sinfín de largas mesas de roble hasta que llegó a un rincón alejado. Dejó su maletín en la arañada superficie de madera, acercó un teclado cercano y luego se quedó quieto.

Hacía más o menos medio año desde que se había implicado en el caso de Constance Greene. Al principio había sido simple rutina: una entrevista más ordenada por los tribunales con una criminal con trastornos mentales. Pero enseguida se convirtió en algo más. Constance no se parecía a ninguna otra paciente que hubiera tenido, y Felder se había sentido fascinado, asombrado, desorientado, intrigado y... caliente.

«Caliente.» Sí, eso también. Al final no había tenido más remedio que admitirlo. Pero no se trataba únicamente de la belleza de Constance, era también su extraña naturaleza, como de otro mundo. Había algo único en ella, algo que iba más allá de su evidente demencia. Y ese algo era lo que guiaba a Felder, lo que lo impulsaba a intentar comprenderla. De un modo que no acertaba a comprender, Felder sentía la imperiosa necesidad de ayudarla, de curarla; una necesidad que el aparente desinterés de Constance en recibir ayuda no hacía más que acrecentar.

Y en ese confuso polvorín de emociones acababa de introducirse el doctor Ernest Poole. Felder tenía plena conciencia de que sus sentimientos hacia aquel colega eran encontrados. Hasta cierto punto sentía que Constance le pertenecía, y la idea de que otro psiquiatra la hubiera tenido como paciente le resultaba turbadoramente molesta. Sin embargo, la experiencia de Poole con ella, tan distinta en apariencia de la suya, parecía brindarle una oportunidad única de adentrarse en sus misterios. El hecho de que las evaluaciones clínicas de Poole fueran tan diferentes resultaba a la vez sorprendente y estimulante, ya que podían ofrecerle una ventajosa perspectiva de lo que sin duda iba a ser el caso más importante de su carrera.

Apoyó los dedos en el teclado y volvió a quedarse quieto. «Es cierto que nací en Water Street en la década de los setenta..., de 1870.» Tenía gracia: la convicción de Constance unida a su conocimiento casi fotográfico —aunque inexplicado— del viejo vecindario había estado a punto de hacerle creer que realmente tenía ciento cuarenta años. Pero los comentarios de Poole acerca de sus lagunas de memoria y su fuga disociativa lo habían devuelto a la realidad. No obstante, creía que debía conceder a Constance el beneficio de la duda y llevar a cabo una última investigación.

Tecleó rápidamente y accedió a la hemeroteca de la biblioteca. Haría una búsqueda en los años setenta del siglo xix y en adelante, la época en que Constance afirmaba haber nacido.

Movió el cursor hacia «Parámetros de búsqueda» e hizo una pausa para consultar sus notas. «Cuando mis padres y mi hermana murieron, me convertí en una huérfana sin hogar. En aquella época, la casa del señor Pendergast, del 891 de Riverside Drive, estaba ocupada por un tal señor Leng. Al final quedó libre y viví allí.»

Centraría su búsqueda en tres asuntos: Greene, Water Street y Leng. Sin embargo, sabía por experiencia que era mejor no concretar demasiado los términos de la búsqueda. Los diarios escaneados eran famosos por sus erratas, de modo que creó una búsqueda y tecleó:

```
SELECT WHERE (match) = = "Green*" &&"Wat*St*"&&"Leng*"
```

El resultado fue inmediato, pero solo daba una concordancia: un artículo publicado tres años antes ni más ni menos que en el *New York Times*. Lo hizo aparecer en pantalla, empezó a leerlo y la incredulidad le hizo contener la respiración.

Carta recién descubierta arroja luz sobre asesinatos del siglo xix

Por William Smithback Jr.
Nueva York, 8 de octubre. En los archivos del Museo de Historia Natural de Nueva York se ha encontrado una carta que puede explicar el macabro osario hallado la semana pasada en el Bajo Manhattan.

Una cuadrilla de operarios que trabajaba en la construcción de un edificio residencial en la esquina de Henry Street con Catherine Street desenterró accidentalmente un túnel subterráneo que contenía los restos de treinta y seis hombres y mujeres. Un análisis forense preliminar demostró que las víctimas habían sido diseccionadas —o que se les había practicado una autopsia— y posteriormente desmembradas. Una datación inicial efectuada por Nora Kelly, arqueóloga del Museo de Historia Natural, indica que los asesinatos ocurrieron entre 1872 y 1881, cuando en la esquina se levantaba un edificio de tres plantas que albergaba un museo particular conocido como «El gabinete de producciones naturales y curiosidades de J. C. Shottum». El museo desapareció en un incendio, en 1881, en el que también pereció el señor Shottum.

En las investigación posteriores, la doctora Kelly descubrió la carta, la cual había sido escrita de puño y letra por el propio señor Shottum poco antes de su muerte. En ella este describe su descubrimiento de los experimentos médicos llevados a cabo por su inquilino, un químico y taxonomista llamado Enoch Leng. En la carta, Shottum alegaba que Leng realizaba experimentos quirúrgicos con seres humanos en el intento de hallar el modo de prolongar su propia vida.

Los restos humanos hallados fueron trasladados a la oficina del forense, pero no están disponibles para ser examinados. El túnel subterráneo fue destruido poco después por Moegen-Fairhaven Inc., la empresa constructora del edificio, durante el desarrollo normal de las obras.

En el lugar se encontró una prenda de ropa, un vestido, que fue llevado al museo para que fuera examinado por la doctora Kelly. Esta encontró un trozo de papel cosido entre los pliegues de la prenda, seguramente una nota de autoidentificación escrita por una joven que, al parecer, creía que le quedaba poco tiempo de vida. La nota decía lo siguiente: «Me llamo Mary Greene, tengo [sic] diecinueve años y soy del n.º 16 de Watter [sic] Street». Las pruebas han demostrado que la nota estaba escrita con sangre.

El FBI se ha interesado en el caso. El agente especial Pendergast, de la oficina de Nueva Orleans, ha sido visto en el lugar de los hechos. Ni las oficinas de Nueva York ni las de Nueva Orleans han querido hacer comentarios al respecto.

«El n.º 16 de Watter Street.» Mary Greene había escrito mal el nombre de la calle. Por eso él no lo había encontrado antes.

Felder leyó el artículo varias veces. Luego, se echó hacia atrás lentamente y se agarró a los brazos de la silla con tanta fuerza que le dolieron los nudillos.

46

Nueve pisos y exactamente cuarenta y ocho metros por debajo de la me... de la sala principal de lectura, en la que se hallaba el doctor ... elder, el agente especial Pendergast escuchaba atentamente ... viejo investigador y bibliófilo llamado Wren. Si este tenía ... n nombre de pila, nadie, ni siquiera Pendergast, sabía cuál era. ... oda la historia de Wren —dónde vivía, de dónde venía, qué hac... a exactamente todas las noches y la mayor parte de los días er... los sótanos más profundos de la biblioteca— constituía un r ...sterio. Años sin la luz del sol habían dado a su piel el color del ...ergamino, y todo él olía ligeramente a polvo y cola de encuadernar. Sus cabellos formaban un halo blanco alrededor de su cabeza, y sus ojos eran tan negros y chispeantes como los de un pájaro. Pero a pesar de su excéntrico aspecto, tenía dos cualidades que Pendergast valoraba por encima de todo: un don innato para la investigación y un profundo conocimiento de los aparentemente inagotables archivos que albergaba la Biblioteca Pública de Nueva York.

En esos momentos, sentado en una pila de papeles como un escuálido Buda, Wren hablaba rápida y animadamente, acompañando sus palabras con gestos breves y secos.

—He rastreado su linaje —dijo—, lo he rastreado cuidadosamente, *hypocrite lecteur.* Y ha resultado un trabajo considerable. Según parece, la familia se ha tomado grandes molestias para que no se hicieran públicos los detalles de su ascendencia.

Gracias a Dios que contamos con la Heiligenstadt Aggregation.

—¿La Heiligenstadt Aggregation? —repitió Pendergast.

Wren hizo un rápido asentimiento de cabeza.

—Se trata de una colección mundial de genealogías que fue donada a la biblioteca a comienzos de los años ochenta por un genealogista bastante excéntrico que vivía en Heiligenstadt, Alemania. En realidad, la biblioteca no la quería, pero cuando el coleccionista donó unos cuantos millones para el cuidado de la colección, los administradores la aceptaron. Huelga decir que la relegaron de inmediato a un rincón oscuro y olvidado para que languideciera allí. Pero ya conoces mi afición a los rincones oscuros y olvidados. —Rió y dio una cariñosa palmada al montón de hojas impresas que había junto a él—. La colección es especialmente exhaustiva cuando se trata de familias alemanas, austríacas y estonias, y me fue de gran ayuda.

—Muy interesante —dijo Pendergast con mal disimulada impaciencia—. Tal vez podrías iluminarme con tus descubrimientos...

—Por supuesto. Pero... —Wren se interrumpió brevemente—, temo que lo que voy a contarte no te guste.

Pendergast entornó los ojos.

—Mis gustos aquí son irrelevantes. Los detalles, por favor.

—¡Claro, claro! —Wren se frotó las manos, estaba disfrutando del momento—. ¡Uno vive para los detalles! Verás, la madre de Wolfgang Faust era la bisabuela de Helen. El parentesco funciona de la siguiente manera: Leni, la madre de Helen, se casó con András Esterházy que, casualmente, también era médico. En aquella época, los padres de Helen hacía tiempo que habían muerto. —Titubeó—. Por cierto, ¿sabías que Esterhazy es un apellido húngaro de abolengo? Durante el reinado de los Habsburgo...

—Mejor dejamos los Habsburgo para otro momento.

—Como quieras. La abuela de Helen era Mareike Schmid —Wren levantaba un huesudo dedo para subrayar cada detalle—, nacida Von Fuchs. Wolfgang Faust era el hermano de Mareike. El pariente que compartían era la bisabuela de Helen, Klara von Fuchs. Fíjate en la línea materna de sucesión.

—Sigue —dijo Pendergast.

—En otras palabras —Wren extendió las manos—, el doctor Wolfgang Faust, criminal de guerra médico de las SS en Dachau y fugitivo nazi en Sudamérica era... el tío abuelo de tu mujer.

Pendergast pareció no reaccionar.

—Te he hecho un esquema del árbol genealógico de la familia.

El agente del FBI cogió el papel lleno de diagramas, lo dobló y lo guardó en el bolsillo de su chaqueta sin mirarlo siquiera.

—Aloysius...

—¿Sí?

—Esta vez casi habría preferido que mi búsqueda no hubiera dado frutos.

47

Coral Creek, Mississippi

Ned Betterton detuvo el coche en el aparcamiento de YouSave Rent-A-Car, se apeó y caminó a paso vivo, con su mejor sonrisa, hacia el edificio. Durante los últimos días no había dejado de toparse con todo tipo de revelaciones afortunadas. Y una de aquellas revelaciones era esta: Ned Betterton era un periodista de la hostia. Los años que había pasado cubriendo almuerzos del Club Rotario, reuniones de la parroquia, concursos de barbacoas, funerales y desfiles del Cuatro de Julio habían sido un entrenamiento mejor que dos años en la escuela de periodismo de Columbia. Increíble. Kranston había protestado como un loco por el tiempo que Betterton estaba dedicando a aquella historia, pero Ned había conseguido acallar, aunque temporalmente, al viejo tomándose unas vacaciones. Eso Kranston no podía impedírselo. Hacía años que ese cabronazo tenía que haber contratado a un segundo periodista. Si ahora tenía que encargarse él mismo de todo el trabajo, era culpa suya.

Cogió el tirador de la puerta de cristal y la abrió. Había llegado el momento de seguir la pista a otra de sus corazonadas y ver si la suerte le seguía acompañando.

Hugh Fourier, detrás de uno de los dos mostradores rojos, acababa de atender a un cliente de última hora. Betterton había compartido habitación con él durante el primer año en la Universidad de Jackson, y ahora Fourier dirigía la única empresa de alquiler de coches que había en un radio de cien kilómetros de Malfourche, otra feliz coincidencia que convenció a Betterton de que estaba en racha.

Aguardó a que Fourier entregara los papeles y las llaves a su cliente y luego se acercó al mostrador.

—¡Ned, tío! —La sonrisa profesional de Fourier se convirtió en una expresión de genuino afecto cuando reconoció a su antiguo compañero de habitación—. ¿Cómo te va?

—Tirando —dijo Ned estrechando la mano que el otro le tendía.

—¿Traes noticias frescas para compartir? ¿Alguna exclusiva sobre el concurso de redacción de la escuela de primaria? —Fourier rió de su propia ocurrencia.

Betterton rió a su vez.

—¿Y a ti cómo te va con el alquiler de coches?

—Atareado. Muy atareado. Y encima Carol se ha puesto enferma esta mañana, así que parezco un cojo en un campeonato de patear culos.

Betterton se acordó de que Hugh había sido el gracioso de la clase y le rió la gracia. No le sorprendió saber que YouSave marchaba viento en popa. Desde que habían empezado las obras en el aeropuerto internacional de Gulfport-Biloxi, en el aeropuerto local había mucho más movimiento.

—¿Sigues viendo a alguno de los antiguos compañeros de Jackson? —preguntó Fourier al tiempo que igualaba por los bordes un montón de papeles.

Charlaron unos minutos acerca de los viejos tiempos y Betterton luego fue al grano.

—Oye, Hugh —dijo apoyándose en el mostrador—, me preguntaba si podrías hacerme un favor.

—Claro, ¿qué necesitas? Te puedo conseguir una tarifa estupenda para un descapotable.

—Tengo curiosidad por saber si cierto individuo te alquiló un coche.

La sonrisa de Fourier se desvaneció.

—¿Cierto individuo? ¿Qué quieres saber?

—Soy periodista.

—Vaya, no me dirás que es para un artículo... ¿Desde cuándo te dedicas al periodismo de investigación?

Betterton se encogió de hombros con la mayor despreocupación que pudo.

—Es solo una pista que estoy siguiendo.

—Sabes que no puedo facilitar información sobre nuestros clientes.

—No te estoy pidiendo gran cosa. —Betterton se acercó un poco más—. Escucha. Yo te describo al tipo, y te digo qué coche conducía. Lo único que te pido es que me digas cómo se llamaba y con qué vuelo llegó.

Fourier frunció el entrecejo.

—No sé si...

—Te juro que no te mencionaré para nada, ni a ti ni a la empresa.

—Tío, me estás pidiendo algo muy serio. En este negocio la confidencialidad es muy importante...

—El hombre del que te hablo era extranjero. Hablaba con un acento de Europa. Era alto y delgado. Tenía una verruga debajo de un ojo. Llevaba una gabardina cara. Te alquiló un Ford Fusión azul oscuro, probablemente el 28 de octubre.

La expresión de Fourier reveló a Ned que había dado en la diana.

—Lo recuerdas, ¿verdad?

—Ned...

—Vamos, Hugh.

—No puedo.

—Mira, ya has visto que sé mucho sobre ese tipo. Solo necesito que tú me digas un par de cosillas más. Por favor...

Fourier titubeó. Luego suspiró.

—Sí, me acuerdo de él. Era como lo has descrito. Tenía un acento muy marcado, alemán.

—¿Y fue el 28?

—Supongo que sí. Hará una o dos semanas.

—¿Podrías comprobarlo?

Betterton confiaba en que, si Fourier verificaba la información en la pantalla del ordenador, quizá él pudiera echarle un vistazo. Pero el otro no mordió el anzuelo.

—No, no puedo.

«Vaya por Dios.»

—¿Y recuerdas el nombre?

Fourier volvió a vacilar.

—Era... Falkoner. Conrad Falkoner, creo. No..., Klaus Falkoner.

—¿Y de dónde venía?

—De Miami, con Dixie Airlines.

—¿Cómo lo sabes? ¿Viste el billete?

—Siempre pedimos a nuestros clientes que nos comuniquen con qué vuelo llegan para que en caso de retraso podamos mantenerles la reserva.

Al ver la expresión de Fourier, Betterton comprendió que no conseguiría sonsacarle nada más.

—De acuerdo, Hugh. Gracias, te debo una.

—Desde luego —repuso Fourier volviéndose para atender con visible alivio al cliente que acababa de entrar.

Sentado en su Nissan, en el aparcamiento de YouSave, Betterton encendió su portátil, comprobó que tenía buena conexión a internet y echó un rápido vistazo a la página web de Dixie Airlines. Vio que la compañía únicamente realizaba dos vuelos diarios al aeropuerto local: uno proveniente de Miami y otro de Nueva York. Ambos llegaban con una diferencia de menos de una hora.

«Llevaba una gabardina muy chula, como las que salen en las películas de espías», le había dicho Billy B.

Otra búsqueda en la web le informó de que el 28 de octubre

había hecho sol y calor en Miami. En cambio en Nueva York había sido un día frío y lluvioso.

Así pues, ese hombre —Betterton estaba casi convencido de que se trataba del asesino— había mentido acerca de su procedencia. No era para sorprenderse. Por supuesto, cabía la posibilidad de que también hubiera mentido acerca de la aerolínea o que hubiera dado un nombre falso. Pero le parecía que eso era llevar la paranoia demasiado lejos.

Cerró el ordenador portátil con aire pensativo. Falkoner había llegado de Nueva York, y Pendergast vivía en Nueva York. ¿Estarían compinchados? Estaba completamente seguro de que Pendergast no había ido a Malfourche en misión oficial, no si había volado una tienda de artículos de pesca y hundido un puñado de barcas. Además, estaba esa policía de Nueva York... Los polis de Nueva York tenían fama de corruptos y de estar implicados en el tráfico de drogas. Empezaba a hacerse una idea de la situación: el río Mississippi, el laboratorio de las marismas arrasado por las llamas, la conexión con Nueva York, el brutal asesinato de los Brodie, agentes de la ley corruptos...

Puñeta, aquello era una operación antidroga a gran escala.

Eso lo hizo decidirse: iría a Nueva York. Sacó el móvil del bolsillo y marcó.

—*Ezerville Bee* —dijo una voz chillona—. Le habla Janine.

—Janine, soy Ned.

—¡Ned! ¿Cómo van esas vacaciones?

—Muy instructivas, gracias.

—¿Vuelves mañana al trabajo? El señor Kranston necesita que alguien cubra el concurso de salchichas de...

—Lo siento, Janine, pero me voy a tomar unos días más de descanso.

Una pausa.

—Bueno, ¿y cuándo piensas volver?

—No lo sé. Puede que dentro de tres o cuatro días. Te llamaré. De todas maneras, todavía me queda una semana.

—Sí, pero no estoy segura de que el señor Kranston opine lo mismo.

—Ya te llamaré.

—Betterton cortó la comunicación antes de que la secretaria pudiera decir nada más.

48

Nueva York

Judson Esterhazy, en su papel de doctor Ernest Poole, caminaba a paso rápido por uno de los pasillos del hospital Mount
Mercy; Felder iba a su lado. Seguían al doctor Ostrom, director
de la institución, que parecía educado, discreto y sumamente
profesional, cualidades todas ellas excelentes para un hombre de
su posición.

—Creo que la visita de esta mañana le parecerá de lo más
interesante —dijo Esterhazy a Ostrom—. Como he explicado
al doctor Felder, las probabilidades de que manifieste amnesia
selectiva cuando me vea son altas.

—Estoy impaciente por comprobarlo —repuso Ostrom.

—Supongo que no le ha hablado de mí ni la habrá preparado
en ningún sentido para la visita.

—No le he dicho nada.

—Excelente. Creo que lo mejor sería que el encuentro fuera
breve. Tanto si afirma que me conoce como si no me conoce, la
presión emocional a la que estará sometida, por muy inconsciente que sea en origen, sin duda será intensa.

—Me parece una sabia precaución —convino Felder.

Doblaron una esquina, llegaron a una puerta de hierro y esperaron a que un celador la abriera.

—Seguramente se sentirá incómoda en mi presencia —siguió Esterhazy—. Lo cual estará obviamente relacionado con su desasosiego por los recuerdos borrados de mi anterior terapia con ella.

Ostrom asintió.

—Una última cosa —añadió Esterhazy—. Me gustaría quedarme un momento a solas con la paciente cuando acabe la visita.

Ostrom lo miró con expresión de extrañeza.

—Tengo curiosidad por comprobar si su actitud cambia cuando no estén ustedes presentes o si la falsa idea de que no me conoce se mantiene.

—Por mí no hay problema —dijo Ostrom. Se detuvo ante una puerta, marcada como todas las demás con un simple número, y llamó con los nudillos.

—Puede entrar —dijo una voz desde el interior.

Ostrom abrió con la llave y después se apartó y dejó pasar a Felder y a Esterhazy a una pequeña habitación sin ventanas. El único mobiliario eran una cama, una mesa, una estantería con libros y una silla de plástico. Una mujer joven estaba leyendo un libro sentada en la silla. Cuando los tres hombres entraron, alzó la vista.

Esterhazy la observó con curiosidad. Se había preguntado qué aspecto tendría la pupila de Pendergast, y su interés se vio satisfecho. Constance Greene era muy atractiva, sumamente atractiva. Delgada, menuda, melena corta color castaño, piel de porcelana y ojos de un azul violáceo, llenos de vida pero extrañamente insondables. La joven miró a los tres hombres, uno por uno. Cuando llegó a Esterhazy, su mirada se posó en él un momento, pero su expresión no cambió.

A Esterhazy no le preocupaba la posibilidad de que ella lo reconociera como cuñado de Pendergast. El agente del FBI no era la clase de persona que tenía la casa llena de fotos de la familia.

—Doctor Ostrom —dijo Constance, dejando el libro y levantándose educadamente—. Y doctor Felder, es un placer volver a verlos.

Esterhazy se fijó en que el libro era *El ser y la nada*, de Sartre. Estaba intrigado. Su manera de hablar, sus ademanes, todo en ella tenía ecos de una época anterior y más elegante. No le habría extrañado que les ofreciera un té y sándwiches de pepino. No parecía en absoluto una loca asesina de niños encerrada en un hospital para enfermos mentales.

—Por favor, Constance, siéntese —dijo Ostrom—. Solo nos quedaremos un minuto. Ocurre que el doctor Poole, aquí presente, está de paso en la ciudad y pensamos que quizá a usted le apetecería verlo.

—Doctor Poole —repitió ella tomando asiento. Miró nuevamente a Esterhazy; una chispa de curiosidad brilló en su extraña y distante mirada.

—Así es —dijo Felder.

—¿No me recuerda? —preguntó Esterhazy en tono de comprensiva benevolencia.

Ella frunció ligeramente el entrecejo.

—Nunca he tenido el placer de que me fuera presentado, señor.

—¿Nunca, Constance? —repuso Esterhazy, añadiendo cierto tono de decepción.

La joven negó con la cabeza.

Con el rabillo del ojo, Esterhazy vio que Ostrom y Felder cruzaban una mirada de complicidad. Todo estaba saliendo como había planeado.

Constance lo observó con atención. Luego se volvió hacia el director del centro.

—¿Qué le hizo pensar que yo desearía ver a este caballero?

Ostrom se ruborizó un poco y miró a Esterhazy.

—Verá, Constance —dijo este—, yo la traté a usted hace años, a petición de su tutor.

—Eso es mentira —replicó la joven en tono cortante. Se volvió nuevamente hacia Ostrom; la inquietud y la confusión se habían apoderado de su expresión—. Doctor Ostrom, nunca había visto a este hombre. Le agradecería que le hiciese salir de mi habitación.

—Lamento mucho la confusión, Constance. —Ostrom miró con curiosidad a Esterhazy. En respuesta, este le indicó con un gesto que era hora de marcharse.

—Nos vamos ahora mismo, Constance —dijo Felder—. El doctor Poole nos ha pedido que le dejemos un momento a solas con usted, así que lo esperaremos fuera.

—Pero... —empezó a decir Constance, luego se quedó callada. Lanzó una mirada a Esterhazy y a este le sorprendió la hostilidad que vio en sus ojos.

—Por favor, doctor Poole, apúrese —dijo Ostrom al tiempo que abría la puerta. Salió; Felder lo siguió. La puerta volvió a cerrarse.

Esterhazy se alejó un paso de Constance, dejó caer las manos y adoptó una postura lo menos amenazadora posible. Había algo en aquella joven que hacía sonar un timbre de alarma en su cabeza. Debía tener cuidado..., mucho cuidado.

—Tiene usted razón, señorita Greene —dijo bajando la voz—. No me había visto nunca. Jamás ha sido paciente mía. Todo ha sido un engaño.

Constance lo miraba fijamente desde detrás de la mesa; toda ella irradiaba desconfianza.

—Me llamo Judson Esterhazy. Soy cuñado de Aloysius.

—No le creo —dijo Constance—. Aloysius nunca ha mencionado su nombre. —Hablaba en voz baja y neutra.

—Eso es típico de él, ¿no le parece? Escuche, Constance, Helen Esterhazy era mi hermana. Su muerte entre las fauces de un león ha sido seguramente lo peor que le ha ocurrido a Aloysius en su vida, aparte quizá del fallecimiento de sus padres en aquel incendio en Nueva Orleans. Usted debe de conocerlo lo bastante para saber que no es alguien que hable del pasado y menos aún de un pasado tan doloroso. Sin embargo, me pidió ayuda porque soy la única persona en quien puede confiar.

Constance no dijo nada, se limitaba a mirarlo desde el otro lado de la mesa.

—Si no me cree —prosiguió Esterhazy—, aquí tiene mi pasaporte. —Lo sacó y se lo mostró—. Esterhazy no es un apellido muy común. Yo conocí a la tía abuela Cornelia, la envenenadora, que vivió en este mismo cuarto. He estado en la plantación Penumbra. He ido de caza con Aloysius a Escocia. ¿Qué más pruebas necesita?

—¿Qué ha venido a hacer aquí?

—Aloysius me ha enviado para que la ayude a salir de este lugar.

—Eso no tiene sentido. Él hizo lo necesario para que yo estuviera aquí, y sabe que estoy del todo satisfecha.

—No me ha entendido. Aloysius no me ha enviado para que yo la ayude a usted, sino porque él necesita su ayuda.

—¿Mi ayuda?

Esterhazy asintió.

—Verá, resulta que ha hecho un descubrimiento terrible. Según parece, su mujer, mi hermana, no murió accidentalmente.

Constance frunció el ceño.

Esterhazy comprendió que su única oportunidad radicaba en mantenerse tan cerca de la verdad como le fuera posible.

—El día de la cacería, alguien cargó el rifle de Helen con balas de fogueo, y Pendergast se ha embarcado en la tarea de descubrir al responsable. Pero los acontecimientos se han disparado y están fuera de control. No puede hacerlo solo. Necesita la ayuda de aquellos en quien más confía. Y eso quiere decir de usted y de mí.

—¿Y qué hay del teniente D'Agosta?

—El teniente lo estaba ayudando, pero recibió un balazo que le pasó rozando el corazón. No murió, pero quedó muy malherido.

Constante dio un respingo.

—Así es. Como le he dicho, la situación está fuera de control. Pendergast se encuentra superado y corre un terrible peligro. Por eso no he tenido más remedio que dar los pasos necesarios para ponerme en contacto con usted. Fingí que la conocía y fingí que conocía su caso. Obviamente, todo era una treta.

Constance seguía mirándolo. La hostilidad había desaparecido de sus ojos, pero en ellos seguía brillando la duda.

—Encontraré la manera de sacarla de aquí. Entretanto, le ruego que siga diciendo que no me conoce, aunque también podría fingir que empieza a recordarme vagamente..., lo que le resulte más fácil, pero sígame el juego. Lo único que le pido es que me ayude a sacarla de aquí porque el tiempo se nos acaba. Pendergast necesita su inteligencia, sus instintos y sus dotes como investigadora. Cada hora cuenta. No puede imaginarse, y ahora no tengo tiempo de explicárselo con detalle, las fuerzas que se alzan contra él.

Constance seguía mirándolo fijamente. En su rostro se leía una mezcla de desconfianza, preocupación e indecisión. Esterhazy decidió que lo mejor era marcharse y dejar que lo meditara. Se dio la vuelta y golpeó la puerta con los nudillos.

—Doctor Ostrom, doctor Felder. Ya he terminado.

49

Myrtle Beach, Carolina del Sur

El hoyo dieciocho del Palmetto Spray Golf Links era uno de los más difíciles de la costa Este: un par-5 de quinientos diez metros, con un complicado *dogleg* y una calle bordeada de temibles búnkeres.

Meier Weiss empujó su silla de ruedas hasta el *tee*, retiró la manta que cubría sus esqueléticas piernas, cogió las muletas que llevaba en la bolsa de los palos y se puso trabajosamente en pie.

—¿Le importaría que le diera un consejo? —preguntó, bloqueando las articulaciones artificiales de sus piernas.

Aloysius Pendergast dejó su bolsa en el suelo.

—Hágalo, se lo ruego.

—Este hoyo es muy largo, pero tenemos el viento a favor. Normalmente, yo juego un *fade* controlado. Con un poco de suerte, colocará la bola a la derecha de la calle y de ese modo alcanzará el *green* en dos.

—Por desgracia, soy bastante escéptico en lo que al concepto «suerte» se refiere.

El anciano se pasó la mano por el curtido y bronceado rostro y soltó una risita.

—Siempre me gusta jugar dieciocho hoyos con alguien antes de sentarme a hacer negocios con esa persona. De ese modo sé todo lo que necesito saber de ella. He visto que ha mejorado notablemente en los últimos hoyos. Simplemente recuerde seguir el movimiento del swing, como le he enseñado.

Weiss cogió el *driver* y fue hasta el *tee* de salida. Colocó la bola y, apoyándose en las muletas, levantó el palo y la golpeó en un arco perfecto. La bola salió volando con un golpe seco, describió una ligera curva hacia la derecha y se perdió de vista en la dirección correcta, más allá de la línea de árboles.

Pendergast observó su vuelo y acto seguido se volvió hacia Weiss.

—La suerte no ha tenido nada que ver en ese lanzamiento.

Weiss dio una palmada a sus piernas artificiales.

—Son muchos años jugando con ellas. He tenido tiempo de sobra para perfeccionar mi swing.

Pendergast subió al *tee*, preparó el golpe y lanzó su bola. El *driver* impactó con la cara ligeramente abierta y lo que debía ser un *fade* se convirtió en algo más parecido a un *slice*.

El anciano meneó la cabeza, chasqueó la lengua con pesar pero fue incapaz de ocultar su satisfacción.

—Puede que nos cueste un poco encontrar esa bola.

Pendergast reflexionó un instante y luego preguntó:

—Supongo que no me concederá un *mulligan...**

—Señor Pendergast, me sorprende usted. Nunca lo habría creído como un hombre de *mulligans*.

En el rostro de Pendergast se dibujó una leve sonrisa mientras Weiss caminaba con la ayuda de las muletas hasta su silla de ruedas. El anciano se sentó, se impulsó con sus musculosos brazos, y la silla casi salió disparada por el camino asfaltado. El hecho de que prefiriera recorrer los dieciocho hoyos en su silla de ruedas en lugar de en un cómodo coche eléctrico era una faceta del carácter enérgico del cazador de nazis. Había sido un largo recorrido, pero no daba la menor muestra de cansancio.

Vieron las bolas cuando bordearon la calle y dejaron atrás el *dogleg*. La de Weiss estaba perfectamente colocada para llegar al

---

* En golf, repetir el primer golpe de salida. (*N. del T.*)

green con un golpe. La de Pendergast había caído en la arena de un búnker. Weiss la señaló con la cabeza.

—Le toca.

Pendergast se acercó al búnker dando un rodeo, luego se arrodilló junto a la bola y calculó la trayectoria. Aguardó el consejo de Weiss.

—Si yo fuera usted escogería el *lob-wedge* —dijo este al poco—. Perdona más que el *pitch*.

Pendergast rebuscó entre los Ping, sacó el *wedge* e hizo un par de swings de práctica antes de golpear. La bola salió volando entre una explosión de arena y acabó a medio metro del búnker.

Weiss chasqueó la lengua.

—No piense tanto en el golpe. Intente imaginar la sensación física de un swing bien hecho.

Pendergast volvió a colocarse y dio un golpe mucho más controlado. La bola pareció volar lejos, pero el *backspin* la paró en seco en la parte trasera del *green*.

—*Mazel tov!* —exclamó Weiss, radiante.

—Pura suerte, me temo —dijo Pendergast.

—Ah, pero usted ha dicho que no cree en la suerte... No ha seguido mi consejo y ya ha visto el resultado.

Weiss eligió un hierro siete y dejó su bola a menos de dos metros de la bandera. Pendergast, que estaba a unos seis metros, falló dos *putts* y acabó firmando un *bogey*. Por su parte, Weiss embocó en uno y consiguió un *eagle*.

Pendergast anotó el resultado y entregó la tarjeta a Weiss.

—Ha firmado un recorrido de sesenta y nueve. Felicidades.

—Este campo es mi casa. Estoy seguro de que, si sigue los consejos que le he dado, mejorará rápidamente. Tiene un físico ideal para el golf. Ahora, vayamos a charlar.

Cumplida la formalidad del juego, fueron a descansar a casa de Weiss, que se hallaba frente al *tee* del hoyo quince. Se sentaron en el jardín, y Heidi, la mujer de Weiss, les llevó un par de julepes de menta.

—Y ahora hablemos de asuntos serios —dijo Weiss, dejándose de jovialidades—. Así pues, Wolfgang Faust es la razón de que haya venido a verme.

Pendergast asintió.

—Entonces ha acudido a la persona adecuada, señor Pendergast, porque he dedicado mi vida a perseguir al médico de Dachau. Solo estas me impidieron que diera con él. —Señaló las piernas cubiertas por la manta. Acto seguido, dejó la bebida y cogió una carpeta que había en un extremo de la mesa—. Aquí está el trabajo de toda una vida, señor Pendergast —dijo, dando una palmada en la carpeta—. Me lo sé de memoria. —Tomó un sorbo de su julepe—. Wolfgang Faust nació en Ravensbrück, Alemania, en 1908, y estudió en la Universidad de Munich, donde conoció a Josef Mengele y se convirtió en su protegido; Mengele era tres años mayor que él. En 1940, Faust trabajó durante tres años como ayudante de Mengele en el Instituto de Biología Hereditaria e Higiene Racial de Frankfurt. Terminó la carrera de medicina y se unió a la SS. Más adelante, gracias a la recomendación de su maestro, trabajaron juntos en el hospital de Auschwitz. ¿Sabe qué tipo de trabajo hacía Mengele?

—Vagamente.

—Operaciones brutales, crueles, inhumanas, a menudo sin anestesia. —El alegre rostro de Weiss se había transformado en un semblante duro e implacable—. Amputaciones innecesarias. Dolorosísimos experimentos en niños que los mataban o los desfiguraban. Tratamientos de choque. Esterilización. Cirugía del cerebro para alterar la percepción del tiempo. Inyección de venenos y sustancias tóxicas. Congelación hasta la muerte. A Mengele le fascinaba todo lo excepcional y anómalo: la heterocromía, el enanismo, los gemelos, el polidactilismo. Los gitanos eran sus sujetos favoritos. Inyectó la lepra a un centenar de ellos en el intento de desarrollar un arma biológica. Y cada vez que finalizaba uno de sus diabólicos experimentos, mataba a la víctima inyectándole cloroformo en el corazón y le hacía la autopsia para documentar la patología, como a una rata de laboratorio.

Tomó otro trago de su bebida.

—Faust destacó hasta tal punto en Auschwitz que lo enviaron a Dachau para que montara su propio departamento. No se sabe gran cosa de los experimentos que llevó a cabo allí porque fue mucho más expeditivo que Mengele a la hora de destruir los archivos y liquidar a los testigos, pero lo poco que sabemos resulta tan espeluznante o más que las atrocidades de su mentor. Prefiero no entrar en detalles, pero si desea saber hasta qué punto puede llegar la depravación humana, los encontrará en la carpeta. Hablemos de lo que ocurrió después de la guerra. Tras la caída de Berlín, Faust vivió en la clandestinidad en Alemania gracias a la ayuda de simpatizantes nazis. Irónicamente se refugió en una buhardilla, como Anna Frank. Sus amigos estaban bien relacionados y eran gente de recursos.

—¿Cómo lo sabe?

—Porque eran capaces de proporcionar documentos falsos de la mayor calidad. Certificados de matrimonio, partidas de nacimiento, documentos de identidad y cosas parecidas. Fueron ellos los que proporcionaron a Faust un pasaporte falso con el nombre de Wolfgang Lanser. A finales de la década de 1940, la fecha exacta se desconoce, lo sacaron a escondidas de Alemania y lo llevaron a Sudamérica. Su primer destino allí fue Uruguay. Descubrir todo esto que acabo de explicarle me costó diez años de trabajo.

Pendergast inclinó la cabeza.

—Faust se instaló en una serie de pueblos apartados y se ganó la vida prestando atención médica a los aldeanos, pero parece que no tardó en ganarse la enemistad de la gente. Por lo visto, cobraba unos precios desorbitados y de vez en cuando le daba por aplicar ciertas «curas» que a menudo acababan matando al paciente.

—Un investigador impenitente —murmuró Pendergast.

—En 1958 conseguí localizarlo en Uruguay, pero de alguna manera él se enteró de que iba tras él y cambió nuevamente de identidad: Willy Linden. Se hizo una operación facial y se fue a

Brasil. Allí es donde termina su rastro. En 1960 desapareció por completo. No logré averiguar nada más, ni su paradero ni sus actividades. De hecho, no fue hasta veinticinco años más tarde, en 1985, cuando encontré el lugar donde estaba enterrado, y fue más una afortunada coincidencia que el resultado de un concienzudo trabajo de investigación. Los restos fueron identificados por la dentadura y, posteriormente, por un análisis de ADN.

—¿Cuándo murió? —preguntó Pendergast.

—En algún momento de finales de la década de los setenta, en 1978 o 1979, es lo máximo que se ha podido precisar.

—¿Y no tiene idea de qué estuvo haciendo durante esos últimos veinte años?

Weiss se encogió de hombros.

—Dios sabe que intenté averiguarlo, vaya si lo sabe. —Apuró su bebida con una mano ligeramente temblorosa.

Durante unos minutos, los dos hombres permanecieron en silencio. Luego Weiss miró a Pendergast.

—Dígame, señor Pendergast, ¿a qué se debe su interés por Wolfgang Faust?

—Tengo motivos para creer que pudo estar... relacionado con una muerte ocurrida en mi familia.

—Ah, sí. Claro. Faust llevó a la muerte a miles de familias. —Hizo una pausa—. Cuando descubrí sus restos mortales, el caso quedó prácticamente cerrado. Los demás cazadores de nazis ya no tenían interés en aclarar las lagunas que quedaban en la vida de Faust. El hombre estaba muerto, así que ¿para qué molestarse? Pero encontrar un cuerpo o llevar al culpable ante la justicia no basta. Creo que debemos averiguar todo lo que podamos acerca de esos monstruos. Tenemos el deber y la responsabilidad de entender. Y, en cuanto a Faust, siguen habiendo tantas preguntas sin respuesta... ¿Por qué fue enterrado en un lugar medio abandonado y en una simple caja de pino? ¿Por qué nadie de los alrededores sabía quién era? Ninguna de las personas a las que interrogué, en un radio de veinte kilómetros, había oído hablar nunca de Willy Linden. Pero después de mi accidente..., nadie quiso proseguir las investigaciones. Todo el mundo me decía: «Meier, ese hombre está muerto. Encontraste su tumba. ¿Qué más quieres?». Intento no amargarme la vida.

De repente, Weiss dejó el vaso vacío en la mesa y empujó la carpeta hacia Pendergast.

—¿Quiere saber más acerca de ese hombre? ¿Quiere saber qué hizo durante los últimos veinte años de su vida? Pues averígüelo. Prosiga mi trabajo donde yo lo dejé. —Agarró a Pendergast por la muñeca. Era paralítico, pero a pesar de su amable rostro, tenía la fuerza y la ferocidad de un león. Pendergast hizo ademán de zafarse, pero Weiss lo retuvo—. Prosiga mi trabajo —repitió—. Averigüe qué clase de monstruo era Faust y a qué se dedicaba y quizá podamos dar carpetazo al expediente del médico de Dachau. —Lo miró a los ojos—. ¿Lo hará?

—Haré lo que pueda —repuso Pendergast.

Al cabo de un momento, Weiss se relajó y le soltó la muñeca.

—Pero tenga cuidado. Las alimañas como el doctor Faust todavía tienen partidarios..., y esos están dispuestos a guardar los secretos de los nazis incluso más allá de la tumba.

Pendergast asintió.

—Tendré cuidado.

El impetuoso arrebato había pasado, el rostro de Weiss volvía a irradiar calma y amabilidad.

—Entonces, lo único que nos queda por hacer es tomar otra copa, si le apetece.

—Desde luego. Le ruego que le diga a su esposa que prepara unos julepes excelentes.

—Viniendo de alguien del Profundo Sur, eso es todo un cumplido. —Y el anciano rellenó los vasos.

50

Nueva York

El despacho del doctor Ostrom en Mount Mercy había sido la consulta del alienista del hospital, y a Esterhazy le pareció de lo más adecuado. Todavía conservaba algunas características de la época en que el centro había sido un hospital privado para la gente adinerada: una gran chimenea de mármol de estilo rococó, molduras en las paredes y ventanas de cristales emplomados tras los que se apreciaban los barrotes. Esterhazy casi esperaba que en cualquier momento entrara un mayordomo de etiqueta llevando unas copas de jerez en una bandeja de plata.

—Bueno, doctor Poole —dijo Felder, inclinándose hacia delante en su asiento y apoyando las manos en las rodillas—, ¿qué le ha parecido la entrevista?

Esterhazy miró al psiquiatra y tomó nota de su viva e inteligente mirada. Ese hombre estaba tan obsesionado con Constance Greene y su caso que estaba perdiendo su natural prudencia y objetividad profesional. A Esterhazy, por su parte, Constance y sus perversiones solo le interesaban en la medida en que podían serle útiles. Y el hecho de que le trajera sin cuidado le concedía una ventaja enorme.

—Creo que la trató usted con mucho tacto, doctor —contestó—. Negarse a tratar sus fantasías directamente y hacerlo solo en el contexto de una realidad mayor constituye sin duda una estrategia beneficiosa. —Hizo una pausa—. Reconozco que cuando fui a verlo por primera vez con relación a este caso, tenía ciertas dudas. Usted conoce tan bien o mejor que yo la prognosis a largo plazo de la esquizofrenia paranoica. Y mi anterior terapia con Constance fue, como ya le expliqué, escasamente satisfactoria. Sin embargo, soy el primero en reconocer que, donde yo fracasé, usted está teniendo un éxito que nunca creí posible.

Felder se ruborizó ligeramente e hizo una inclinación de cabeza a modo de agradecimiento.

—¿Se ha fijado usted en que su amnesia selectiva parece haber disminuido? —preguntó Esterhazy.

Felder se aclaró la garganta.

—Sí, me he fijado.

Esterhazy esbozó una sonrisa.

—Está claro que esta institución ha desempeñado un papel importante en los progresos de la paciente. El ambiente acogedor e intelectualmente estimulante de Mount Mercy ha marcado una gran diferencia. En mi opinión, ha hecho mucho por convertir una prognosis francamente reservada en otra mucho más optimista.

Ostrom, sentado en un sillón orejero contiguo, hizo un gesto de reconocimiento. Era más reservado que Felder y, aunque ese caso sin duda le interesaba, no estaba obsesionado como su colega. Esterhazy debía tener mucho tacto con él, pero el halago siempre daba resultado.

Esterhazy ojeó los gráficos que Ostrom le había proporcionado e intentó deducir de ellos alguna información de utilidad.

—Veo que Constance parece reaccionar favorablemente a dos actividades: las horas de biblioteca y los paseos por los jardines del hospital.

Ostrom asintió.

—Parece sentir una atracción casi decimonónica hacia los paseos al aire libre.

—Es una buena señal, y creo que deberíamos fomentarla.

—Esterhazy dejó la carpeta a un lado—. ¿No ha pensado en organizar alguna excursión fuera del hospital, algo así como, por ejemplo, un paseo por el Jardín Botánico?

Ostrom lo miró con curiosidad.

—Reconozco que no se me había ocurrido. Normalmente las salidas de ese tipo requieren una autorización judicial.

—Lo comprendo. Ha dicho usted «normalmente». Creo que si el hospital determina que Constance no constituye un riesgo ni para ella misma ni para los demás, y, sobre todo, si se considera que una excursión fuera del recinto sería beneficiosa para ella, no sería necesaria una autorización judicial.

—No solemos hacer así las cosas —repuso Ostrom—. La responsabilidad es demasiado grande.

—Pero piense en la paciente. Piense en el bien que le haría a la paciente.

En ese momento, tal como Esterhazy esperaba, Felder intervino:

—Estoy totalmente de acuerdo con el doctor Poole. Constance no ha mostrado la menor tendencia agresiva ni inclinaciones suicidas. Tampoco hay riesgo de que se fugue, más bien al contrario. Estoy seguro de que convendrá usted conmigo en que, además de reforzar su interés por las actividades al aire libre, semejante demostración de confianza por nuestra parte ayudaría notablemente a que la paciente bajara sus defensas.

Ostrom sopesó el comentario.

—Creo que el doctor Felder está en lo cierto —dijo Esterhazy—. Pensándolo bien, me parece que el zoológico de Central Park podría ser una elección de lo más acertada.

—Aun suponiendo que no fuera necesaria una autorización judicial —objetó Ostrom—, debido a la condena por asesinato quiero contar con la aprobación de los tribunales antes de autorizar nada.

—Eso no tiene por qué ser un inconveniente —replicó Felder—. Puedo tramitarlo yo mismo desde mi cargo en la Comisión de Salud.

—Estupendo. —Esterhazy esgrimió una sonrisa radiante—. ¿Cuánto tiempo cree que le llevará eso?

—Un día, puede que dos.

Ostrom se tomó su tiempo para contestar.

—La acompañarán los dos. Y la salida se reducirá a una mañana.

—Una medida muy prudente —repuso Esterhazy—. Doctor Felder, ¿será tan amable de llamarme al móvil cuando tenga los papeles necesarios?

—Será un placer.

Esterhazy se levantó.

—Muchas gracias. Caballeros, ahora les ruego que me disculpen, el tiempo no espera.

Dicho lo cual, estrechó la mano a ambos médicos y se marchó.

51

El hombre que se hacía llamar Klaus Falkoner estaba tranquilamente sentado en la cubierta superior del *Vergeltung*. Hacía una tarde agradable, y el puerto deportivo de la calle Setenta y nueve, iluminado por un tardío sol de otoño, estaba en calma. En una mesita que tenía al lado había un paquete de Gauloises, una botella sin abrir de Cognac Roi de France Fine Champagne y una copa de coñac.

Sacó un cigarrillo del paquete, lo encendió con un mechero Dunhill de oro, dio una larga calada y contempló la botella. Con un cuidado exquisito retiró el sello de lacre del siglo XIX y lo dejó en el cenicero. El coñac brillaba al sol del atardecer como caoba líquida, un tono notablemente oscuro para ese licor. En las bodegas del *Vergeltung* había una docena más de botellas como esa, un minúsculo porcentaje del botín amasado por los antecesores de Falkoner durante la ocupación de Francia.

Exhaló el humo y miró alrededor con satisfacción. Otro pequeño porcentaje de aquel botín —joyas, oro, obras de arte, cuentas bancarias y antigüedades requisadas hacía más de sesenta años— había servido para pagar el *Vergeltung*. Y era un yate realmente especial: tres cubiertas, cuarenta metros de eslora de flotación, ocho metros de manga y seis lujosas suites. Sus depósitos de gasoil alimentaban dos motores de ochocientos caballos que le permitían cruzar sin escalas todos los mares del mundo salvo el Pacífico. Esa autonomía, esa facultad para moverse al margen de la ley y de los radares eran decisivas para las tareas a las que se dedicaban Falkoner y su organización.

Dio otra calada al cigarrillo y lo aplastó a medio terminar en el cenicero. Estaba impaciente por catar el coñac. Vertió con suma delicadeza una pequeña cantidad en la copa tulipa —que por su delicadeza había escogido en lugar de la habitual copa balón—, se la llevó a los labios y tomó un sorbo. El licor estalló en su paladar con toda su aromática complejidad, sorprendentemente robusto para tratarse de una botella tan antigua: el legendario Comet Vintage de 1811. Cerró los ojos y tomó un sorbo mayor.

Unos discretos pasos sonaron sobre el suelo de teca, seguidos de un carraspeo respetuoso a su espalda. Falkoner miró por encima del hombro. Se trataba de Ruger, uno de los miembros de la tripulación. Sostenía un teléfono.

—Tiene una llamada, señor —dijo en alemán.

Falkoner dejó la copa en la mesita.

—A menos que se trate de herr Fischer, no quiero que me molesten.

Herr Fischer. Ese sí que era un hombre que inspiraba miedo de verdad.

—Es el caballero de Savannah, señor. —Ruger mantenía el aparato a una prudente distancia.

—*Verflucht!** —maldijo Falkoner cogiendo el teléfono—. ¿Sí? —La irritación porque le hubieran interrumpido su ritual añadió un tono de aspereza a su voz. Aquel tipo estaba dejando de ser una molestia para convertirse en un problema.

—Me dijo que me ocupara de Pendergast definitivamente —dijo la voz al otro extremo de la línea—, y estoy a punto de hacerlo.

—No me interesa saber lo que va a hacer. Lo que quiero es oír que ya lo ha hecho.

—Usted me ofreció ayuda. El *Vergeltung*.

---

* En alemán, «maldita sea». *(N. del T.)*

—¿Y?

—Tengo pensado llevar una visita a bordo.

—¿Una visita?

—Una visita a la fuerza. Una persona muy próxima a Pendergast.

—¿Debo suponer que se trata del cebo?

—Así es. Atraerá a Pendergast a bordo. Una vez allí podremos acabar con él definitivamente.

—Suena arriesgado.

—Lo tengo todo controlado hasta el último detalle.

Falkoner dejó escapar un suspiro.

—Espero discutir todo esto con usted en persona, no por teléfono.

—Muy bien, pero entretanto necesitaré material. Ya sabe, bridas de plástico, mordazas, esas cosas.

—Guardamos todo eso en nuestro piso franco. Tendré que mandar a buscarlo. Pase por aquí esta noche y revisaremos los detalles.

Falkoner colgó, devolvió el teléfono a Ruger y esperó a que el tripulante desapareciera. Luego, volvió a coger la copa y la expresión de satisfacción reapareció lentamente en su rostro.

52

Ned Betterton conducía su Chevy Aero por la autopista FDR sintiéndose profundamente desconsolado. Debía devolver el coche en el aeropuerto en una hora y esa noche tomaría un vuelo de regreso a Mississippi.

Su pequeña aventura como reportero de investigación se había acabado.

Le costaba creer que apenas un par de días antes hubiera estado en racha. Había conseguido una pista del «amigo extranjero» llamando a Dixie Airlines y haciéndose pasar por policía. De ese modo había obtenido la dirección del tal Klaus Falkoner, que había volado a Mississippi dos semanas antes: el 702 de East End Avenue.

Fácil. Pero después se había topado con un muro. Para empezar, el 702 de East End Avenue no existía. La calle, situada a lo largo del East River, apenas tenía diez manzanas y su numeración no llegaba tan lejos.

A continuación había seguido el rastro del agente Pendergast hasta un edificio de apartamentos llamado el Dakota. Sin embargo, aquel lugar había resultado ser una especie de fortaleza a la que era imposible acceder. Siempre había un portero en la garita de la entrada y unos cuantos porteros más en la recepción y cerca de los ascensores, y todos ellos habían rechazado, cortés pero firmemente, sus numerosos intentos y estratagemas para entrar en el edificio o conseguir información.

Luego había intentado averiguar algo acerca de la capitán de la Policía de Nueva York, pero resultó que había varias mujeres policía con ese mismo rango y, por mucho que preguntó, no logró saber cuál de ellas había hecho pareja con Pendergast o había viajado a Nueva Orleans; solo que la agente en cuestión debía de haberlo hecho estando fuera de servicio.

La principal dificultad había sido la condenada ciudad de Nueva York. La gente se mostraba reservada hasta el extremo en lo tocante a información y paranoica en lo que consideraban su intimidad. Se hallaba muy lejos del Profundo Sur. No sabía cómo se hacían allí las cosas, ni siquiera cuál era la manera correcta de aproximarse a la gente y hacerle preguntas. Hasta su acento era un problema, les causaba rechazo.

Luego había vuelto a centrarse en Falkoner y casi encontró algo. Apostando a la posibilidad de que este hubiera dado un número falso de su verdadera calle, se había pateado East End Avenue de cabo a rabo, llamando a las puertas, preguntando a la gente de la calle si conocían a un hombre rubio y alto que vivía en el vecindario, un hombre con acento alemán y una fea verruga bajo un ojo. La mayoría —típicos neoyorquinos— se negó a hablar con él o lo mandó a la mierda; pero algunos, los más viejos del lugar, se mostraron más amistosos. Gracias a ellos, Betterton se enteró de que aquel barrio, conocido como Yorkville, había sido un enclave alemán. Le hablaron de restaurantes como el Die Lorelei y el Café Mozart, de los deliciosos pasteles del Kleine Konditorei y de los pintorescos salones de baile donde todas las noches se podía bailar la polca. Pero todo eso había desaparecido, reemplazado por vulgares cafeterías y supermercados.

Y sí, varias personas le dijeron que creían haber visto a un hombre como ese. Un viejo aseguró incluso que lo había visto entrar y salir de un edificio clausurado de East End Avenue, entre las calles Noventa y uno y Noventa y dos, en el extremo norte del parque Carl Schurz.

Betterton se había apostado ante el edificio, pero no tardó

en comprobar que era imposible merodear por los alrededores sin llamar la atención o despertar sospechas. Eso lo obligó a alquilar un coche y a observar desde la calle. Pasó tres agotadores días vigilando el lugar. Horas y horas de vigilancia; nadie salió ni entró. El dinero se le estaba acabando, y también el tiempo de vacaciones. Aún peor: Kranston lo llamaba todos los días para preguntarle dónde demonios estaba y lo amenazaba con despedirlo.

Al final, el tiempo en Nueva York se le acabó. Su billete de vuelta no admitía cambio; si perdía el avión, tendría que pagar cuatrocientos dólares, cantidad de la que no disponía.

Por ese motivo, en ese momento, a las cinco de la tarde, Betterton conducía por la autopista FDR, rumbo al aeropuerto, para coger un avión de vuelta a casa. Sin embargo, cuando vio el cartel de salida hacia East End Avenue, una absurda e irreprimible esperanza lo obligó a desviarse. Un último vistazo, el definitivo, y se marcharía.

No encontró donde aparcar, de modo que empezó a dar vueltas y vueltas alrededor de la manzana. Estaba cometiendo una estupidez: iba a perder el avión. Pero cuando dobló la esquina por cuarta vez, vio que un taxi se había detenido ante el edificio. Intrigado, aparcó en doble fila un poco por delante del taxi, sacó un mapa y fingió consultarlo mientras vigilaba por el retrovisor la entrada del edificio.

Pasaron cinco minutos y entonces la puerta principal se abrió. Una figura salió cargando con una bolsa de viaje en cada mano. Betterton contuvo el aliento. Era alto, delgado y rubio. Incluso a aquella distancia pudo ver la verruga bajo el ojo derecho.

—Santa María —susurró.

El hombre metió las bolsas en el taxi, subió a él y cerró la puerta. Segundos más tarde, el vehículo arrancaba y pasaba junto al Chevy de Betterton. Este soltó un suspiro de alivio, se secó las sudorosas manos en la camisa y dejó el mapa a un lado. Luego, armándose de valor, agarró el volante y empezó a seguir al taxi en el momento en que este giraba por la calle Noventa y uno y enfilaba en dirección oeste.

53

El doctor John Felder sentía que estaba haciendo el papel de carabina mientras veía a Poole pasear por el zoológico de Central Park llevando a Constance del brazo. Habían visitado las focas, los osos polares y en esos momentos ella acababa de decir que deseaba ver los monos de la nieve japoneses. Felder nunca la había visto tan efusiva. No podía decir que pareciera emocionada —alguien de temperamento tan flemático difícilmente lo estaría— pero sí que había bajado la guardia hasta cierto punto. Felder no estaba seguro de cómo se sentía ante el hecho de que Constance, que en un primer momento había parecido desconfiar de Poole, se mostrara tan afectuosa con él.

«Tal vez demasiado afectuosa, pensó amargamente mientras caminaba un paso por detrás de ellos.

Cuando se aproximaron al foso de los monos, oyó los gritos y chillidos de los animales que jugaban saltando por las rocas del foso y zambulléndose en el agua con gran escándalo.

Miró a Constance. El viento le echaba el cabello hacia atrás y le daba un ligero rubor en sus mejillas, normalmente pálidas. Observaba a los monos y sonreía ante las acrobacias de uno en concreto que se tiraba a la piscina desde una roca, como haría un niño, y volvía a salir para repetirlo.

—Es curioso que no tengan frío —comentó Constance.

—Por eso se les llama macacos de la nieve —contestó Poole, riendo—. Están acostumbrados a vivir en climas muy fríos.

Mientras observaban a los animales, Felder miró disimuladamente la hora. Todavía disponían de media hora, pero lo cierto era que estaba impaciente porque Constance regresara a Mount Mercy. Aquel entorno era demasiado abierto, y le parecía que el doctor Poole, entre las risas, los comentarios chistosos y el contacto físico con la joven, no mantenía la adecuada distancia entre médico y paciente.

Constance murmuró alguna cosa a Poole, y este se volvió hacia Felder.

—Me temo que debemos hacer una visita al aseo de señoras. Creo que está por allí, en el edificio de la Zona Tropical.

—Muy bien.

Siguieron el camino que conducía hasta el edificio y entraron. El interior recreaba una jungla tropical, con pájaros y otros animales en sus respectivos hábitats. Los aseos estaban al final de un largo pasillo. Felder se quedó al principio del pasillo, mientras que Poole acompañó a Constance hasta la puerta del servicio de señoras, la abrió y se quedó fuera, esperando.

Pasaron varios minutos. Felder volvió a mirar la hora. Las once y cuarenta. La salida debía finalizar a las doce. Miró por el pasillo y vio a Poole cruzado de brazos ante la puerta y con aire pensativo.

Transcurrió un rato más y Felder, intranquilo, fue en busca de Poole.

—¿No deberíamos entrar? —dijo.

—Tal vez sí. —Poole se inclinó hacia la puerta y gritó—: ¡Constance! ¿Se encuentra bien?

No llegó ninguna respuesta.

—¡Constance! —Poole golpeó la puerta con los nudillos.

Seguía sin haber respuesta. Poole miró a Felder con expresión de gran inquietud.

—Será mejor que entre.

Felder, haciendo un esfuerzo por controlar el creciente pánico, asintió. Poole empujó la puerta y entró ruidosamente para anunciar su presencia. La puerta se cerró, y Felder lo oyó llamar a Constance, mientras abría la puerta de los retretes. Segundos después reapareció con el rostro descompuesto.

—¡Ha huido! ¡Y la ventana de atrás está abierta!

—¡Dios mío! —exclamó Felder.

—No puede haber ido lejos —dijo Poole, hablando precipitadamente—. Tenemos que encontrarla. Salgamos. Usted irá por la izquierda y yo por la derecha. Rodearemos el edificio y..., por el amor de Dios, ¡abra bien los ojos!

Felder corrió hacia la salida, abrió la puerta y giró a la izquierda. Rodeó el edificio a todo correr mientras buscaba con la mirada la figura de Constance. Nada.

Llegó a la parte trasera del edificio, donde estaban los aseos. Allí vio la ventana abierta del servicio de señoras. Pero tenía barrotes.

¿Barrotes?

Miró a su alrededor con los ojos desorbitados, a la espera de que Poole apareciera por el otro lado. Pero Poole no llegaba. Soltando una maldición, Felder volvió a echar a correr alrededor del edificio y, segundos más tarde, alcanzó la entrada.

Ni rastro de Poole.

Obligó a su cerebro a ir más despacio, a pensar en el problema desde un punto de vista lógico. ¿Cómo era posible que Constance hubiera salido por una ventana con barrotes? ¿Dónde demonios estaba Poole? ¿Persiguiéndola? Seguramente. Recordó que todo el zoo estaba vallado y que únicamente tenía dos salidas: una en la esquina de la calle Sesenta y cuatro y otra en su extremo sur. Corrió hacia esta última, pasó por el torno y recorrió con la mirada la arboleda del parque y sus largos caminos. Había muy poca gente paseando. Teniendo en cuenta la hora del día, el parque parecía extrañamente desierto.

La llamativa figura de Constance no se veía por ninguna parte. Y la del doctor Poole tampoco.

Estaba claro que seguía en el zoo. O tal vez había escapado por la otra salida. De repente Felder fue consciente del alcance de la situación: Constance era una asesina que había sido declarada mentalmente perturbada por los tribunales. Él había organizado aquella salida por su cuenta, gracias a su posición. Si ella la había aprovechado para escapar estando a su cuidado, aquello podía significar el final de su carrera.

¿Debería llamar a la policía? No, todavía no. Imaginó los titulares de los periódicos y la cabeza le dio vueltas.

«Contrólate», se dijo. Seguramente Poole había encontrado a Constance. Tenía que haberla encontrado. Lo único que Felder debía hacer era dar con Poole.

Corrió hasta la salida de la calle Sesenta y cuatro, salió del recinto y volvió a entrar para encaminarse de nuevo hacia la Zona Tropical. Buscó por todas partes, dentro y fuera, mientras se decía que Poole debía de tenerla controlada, que la había atrapado y la estaría reteniendo en algún lugar cercano. Quizá necesitara ayuda.

Sacó el móvil y marcó el número de Poole, pero enseguida le salió el contestador automático.

Volvió al servicio de señoras y entró sin miramientos. La ventana seguía abierta, pero los barrotes quedaban claramente a la vista. Se detuvo en seco, mirándola fijamente, mientras las implicaciones de lo que veía penetraban lentamente en su cerebro.

Podía jurar que había oído cómo Poole abría los retretes uno tras otro y llamaba a Constance, pero ¿qué sentido tenía hacer eso si la ventana tenía barrotes y no había escape posible? Contempló el pequeño aseo. Allí no había lugar donde esconderse.

Fue entonces cuando comprendió con repentina y terrible claridad que solo había una explicación posible: Poole tenía que estar implicado en la desaparición de Constance.

54

Tumbada en la cama, con los auriculares puestos mientras escuchaba a Nine Inch Nails, Corrie Swanson oyó el débil sonido de su móvil. Se incorporó de un salto, se quitó los auriculares y buscó entre la ropa amontonada en el suelo hasta que encontró el teléfono.

La llamada entrante correspondía a un número que no conocía.

—¿Sí?

—Hola. —Era una voz masculina—. ¿Hablo con Corinne Swanson?

¿«Corinne»? Aquel hombre tenía acento del Profundo Sur, no tan refinado y melodioso como el de Pendergast, pero muy parecido. Aquello la puso en guardia al instante.

—Sí, soy Corinne.

—Corinne, me llamo Ned Betterton.

Corrie esperó.

—Soy periodista.

—¿Para qué periódico trabaja?

Hubo un instante de vacilación.

—Para el *Ezerville Bee*.

Al oír aquello, Corrie no pudo evitar reírse.

—Está bien, ¿de qué va todo esto y cuál es la broma? ¿Es usted amigo de Pendergast?

Al otro lado de la línea siguió un momentáneo silencio.

—No se trata de ninguna broma, pero resulta que Pendergast es la razón de que la haya llamado.

Corrie aguardó.

—Le pido disculpas por ponerme en contacto con usted de esta manera, pero tengo entendido que usted es quien actualiza la página web del agente especial Pendergast...

—Sí —dijo Corrie en guardia.

—Ahí fue donde conseguí su nombre —dijo él—. Hasta hoy no he sabido que estaba usted en la ciudad. Estoy haciendo un reportaje sobre un doble asesinato ocurrido en Mississippi y me gustaría hablar con usted.

—Hable.

—Por teléfono, no. En persona.

Corrie vaciló; su instinto le decía que colgara, pero la conexión con Pendergast la intrigaba.

—¿Dónde?

—Apenas conozco Nueva York. ¿Qué tal el Carnegie Deli?

—No me gusta el *pastrami*.

—He oído que tienen una tarta de queso estupenda. ¿Qué le parece dentro de una hora? Llevaré una bufanda roja.

—Como quiera.

En el Carnegie Deli había unas diez personas con bufanda roja, y para cuando Corrie consiguió localizar a Betterton su buen humor se había esfumado. Él, cuando la vio acercarse, se levantó y le apartó la silla.

—Puedo sentarme yo solita, gracias. No soy una indefensa damisela sureña —dijo Corrie quitándole la silla de las manos y tomando asiento.

El periodista tendría veintimuchos años, era menudo pero fornido, tenía antiguas cicatrices de acné pero era atractivo. Vestía una chaqueta hortera, llevaba el pelo castaño corto y en punta, y parecía que alguna vez le habían roto la nariz. Intrigante.

Betterton pidió una ración de pastel de queso con trufas,

y Corrie un sándwich de beicon, lechuga y tomate, un BLT. Cuando la camarera se alejó, Corrie cruzó los brazos y miró fijamente a Betterton.

—Bueno, ¿de qué va todo esto?

—Hará un par de semanas, un matrimonio, Carlton y June Brodie, fue brutalmente asesinado en Malfourche, Mississippi. Torturados y después asesinados, para ser exactos.

Sus palabras quedaron momentáneamente ahogadas por el grito de un camarero pidiendo una comanda y el entrechocar de los platos.

—Continúe —dijo Corrie.

—El crimen sigue sin resolver, pero he encontrado cierta información y he decidido seguirla. No es nada concluyente, ya me entiende, pero sí interesante.

—¿Qué papel tiene Pendergast en todo esto?

—Enseguida llegaremos a eso. Esta es la historia. Hará unos diez años, los Brodie desaparecieron. La mujer fingió un suicidio, y luego el marido se evaporó. Hace un par de meses los dos reaparecieron como si nada hubiera ocurrido, regresaron a Malfourche y reanudaron su vida. Ella explicó que su fingido suicidio se había debido a ciertos problemas conyugales y profesionales, y contaron a todo el mundo que habían pasado ese tiempo regentando un hotelito en México. Pero no era verdad. Mintieron.

Corrie se inclinó hacia delante. Aquello estaba resultando más interesante de lo que esperaba.

—Poco antes de la reaparición de los Brodie, Pendergast llegó a Malfourche acompañado por una mujer con el grado de capitán de la policía de Nueva York.

Corrie asintió. Tenía que ser Hayward.

—Nadie ha podido decirme para qué o por qué fueron allí —prosiguió Betterton—. Al parecer, Pendergast sentía curiosidad acerca de un lugar que hay en mitad de un pantano cercano, un sitio llamado Spanish Island. —Betterton le explicó lo que sabía y sus sospechas de que se trataba de una operación de refinado y tráfico de drogas.

Corrie hizo un gesto afirmativo con la cabeza. Así pues, ese era el asunto en el que Pendergast estaba trabajando con tanto secreto.

—Hace menos de dos semanas apareció por Malfourche un tipo con acento alemán. Los Brodie fueron brutalmente asesinados. He seguido la pista de ese hombre hasta Nueva York. Utilizaba una dirección falsa, pero he conseguido vincularlo con una casa del 428 de East End Avenue. He hecho algunas averiguaciones por el vecindario. Ese edificio está en el núcleo de un antiguo barrio de habla alemana llamado Yorkville, y es propiedad de la misma empresa desde 1940. Una empresa inmobiliaria. Por lo visto, dicha compañía tiene también un yate amarrado en el Boat Basin, un yate de los grandes. He seguido a ese hombre desde la casa hasta el yate.

Corrie asintió de nuevo y se preguntó cuándo iba Betterton a pedirle información a cambio.

—¿Y? —preguntó.

—Y creo que ese tal Pendergast, de quién usted parece saber tanto, es la clave de todo este asunto.

—Seguro. Este debe de ser el caso tan importante en el que estaba trabajando.

Se produjo un silencio incómodo.

—No es eso lo que yo creo.

—¿A qué se refiere?

—A que un agente del FBI que trabaja en un caso no vuela por los aires una tienda de artículos de pesca, hunde varias barcas y prende fuego a un laboratorio clandestino perdido en un pantano. No, Pendergast ha hecho todo eso por su cuenta y riesgo.

—Es posible. A menudo investiga de manera... independiente.

—Eso no fue una investigación. Fue una... venganza. Creo que ese tal Pendergast es el cerebro que se oculta detrás de toda la operación.

Corrie lo miró fijamente.

—¿El cerebro de qué?

—Del asesinato de los Brodie. De la operación de tráfico de drogas, si eso es lo que es. Se trata de algo muy gordo y muy ilegal, eso está claro.

—A ver, un momento. ¿Me está diciendo que Pendergast es un capo de la droga o incluso un asesino?

—Digamos que su participación despierta mis peores sospechas. Todo lo ocurrido hasta el momento me hace pensar en un asunto de drogas, y ese agente del FBI parece estar metido hasta el cuello en...

Corrie se levantó bruscamente; su silla se cayó al suelo.

—¿Está usted chiflado? —dijo en voz alta.

—Por favor, siéntese...

—¡No pienso sentarme! ¿Pendergast metido en el tráfico de drogas? —Su tono de disgusto e incredulidad hizo que los clientes del abarrotado local se giraran para mirarla, pero a ella no le importó.

Betterton pareció encogerse ante semejante reacción.

—Baje la voz...

—Pendergast es una de las personas más íntegras que podría llegar a conocer. Usted no le llega ni a la suela de los zapatos.

Vio que Betterton se ruborizaba de vergüenza. Ahora todo el mundo tenía la mirada puesta en ella. Algunos camareros y algunas camareras se acercaban a toda prisa. Había algo casi gratificante en todo aquello.

Su larga frustración por la desaparición de Pendergast y su enfado porque le hubieran hecho creer que había muerto parecían haberse concentrado en un único objetivo: Betterton.

—¿Y usted se llama a sí mismo «periodista»? —gritó—. ¡Pero si no sería capaz de informar ni del tiempo que hace! Para que lo sepa, Pendergast me salvó la vida. Pendergast me ha ayudado a ir a la universidad. Y no se le ocurra pensar que hay algo entre él y yo, porque es el hombre más decente del mundo, ¡tonto del culo!

—Perdone, señorita... —Un camarero agitaba las manos como si intentara hacerla desaparecer por arte de magia.

—Ni señorita ni pollas. Ya me voy. —Se volvió y contempló a la horrorizada clientela—. ¿Qué pasa, no les gustan las palabrotas?

Salió airadamente del local y, una vez en la Séptima Avenida, rodeada por la gente que había salido para almorzar, consiguió recobrar el aliento y la compostura.

Aquello era grave. Al parecer, Pendergast estaba metido en un problema, quizá en uno muy gordo. No obstante, Corrie sabía que él siempre había salido airoso de los problemas. Además, ella le había hecho una promesa, le había prometido que no se entrometería, y estaba decidida a cumplirla.

55

Constance estaba sentada en el asiento trasero de un coche que circulaba a toda prisa por Madison Avenue. La había sorprendido la conversación en alemán entre el doctor Poole y el conductor del coche, pero el doctor Poole no le había dado ninguna explicación acerca de los planes que Pendergast y él habían tramado para aquel encuentro. Se moría de ganas de ver a Pendergast y de estar de nuevo en la mansión de Riverside Drive.

Judson Esterhazy, también conocido como doctor Poole, estaba sentado junto a ella, y tanto su porte aristocrático como sus marcadas facciones parecían resaltar bajo el sol de mediodía. La huida había ido sobre ruedas, tal como él la había planeado. Constance lo sentía por el doctor Felder, naturalmente, y comprendía que aquello sería un borrón en su carrera, pero la seguridad de Pendergast estaba por encima de cualquier otra consideración.

Miró a Esterhazy. A pesar del parentesco familiar, había algo en él que no le gustaba. Su lenguaje corporal, su arrogante mirada de triunfo. Si era sincera, debía reconocer que no le había gustado desde el principio..., había algo en sus maneras, en su forma de hablar, que despertaba en ella el instinto de la sospecha.

Nada de eso tenía importancia. Estaba decidida a ayudar a Pendergast de cualquier forma que estuviera a su alcance.

El coche aminoró. A través de los cristales ahumados Constance vio que giraban hacia el este por la calle Noventa y dos.

—¿Adónde vamos? —preguntó.

—Vamos a hacer una parada temporal para completar los preparativos de su... destino final.

A Constance aquella frase no le gustó nada.

—¿Mi destino final?

—Sí. —La arrogante sonrisa de Esterhazy fue a más—. En venganza, ahí es donde todo acabará.

—¿Cómo ha dicho?

—Me gusta cómo suena —repuso Esterhazy—. Sí, «en venganza, ahí es donde todo acabará».

Constance se puso en guardia.

—¿Y Pendergast?

—Olvídese de Pendergast.

La brusquedad de Esterhazy, la forma en que casi escupió el nombre del agente del FBI, disparará todas las alarmas de Constance.

—¿De qué está hablando?

Esterhazy soltó una desagradable carcajada.

—¿Aún no lo ha entendido? Usted no ha sido rescatada, ¡ha sido secuestrada!

Se volvió hacia ella en un único y ágil movimiento y, antes de que pudiera reaccionar, Constance notó que le tapaba la boca con una mano y percibió el dulce hedor del cloroformo.

Recuperó la conciencia poco a poco, como si saliera de una espesa niebla, y esperó pacientemente mientras recobraba todos sus sentidos. Estaba atada a una silla, con los ojos tapados y amordazada. También le habían atado los pies. Entonces empezó a tomar conciencia de lo que la rodeaba, el olor a moho del cuarto, los apagados sonidos de la casa. Se encontraba en una habitación pequeña, sin otro mobiliario que una estantería vacía, un polvoriento escritorio, un somier y la silla en la que estaba sentada. Más abajo, alguien se movía —sin duda, Esterhazy—, y oía el ruido del tráfico del exterior.

Lo primero que sintió fue una oleada de autorreproche. Se había dejado engañar de forma imperdonable, como una tonta, y había cooperado en su propio secuestro.

Intentando mantener su respiración bajo control, hizo un repaso a la situación. La habían atado, no con una cuerda sino con cinta adhesiva, a una silla. Pero cuando movió las manos se dio cuenta de que la cinta no parecía ni muy apretada ni muy firme. Había sido un trabajo apresurado y temporal. El propio Esterhazy se lo había dicho: «Vamos a hacer una parada temporal para completar los preparativos de su destino final».

«Su destino final.»

Empezó a mover los brazos y las muñecas, tirando de la cinta y retorciéndose. Esta empezó a aflojarse gradualmente. Seguía oyendo a Esterhazy abajo. Podía subir a buscarla en cualquier momento.

Con un último tirón, logró romper la cinta. Luego se quitó la venda de los ojos, la mordaza y se desató los tobillos. Se levantó y, procurando hacer el menor ruido posible, se acercó a la puerta e intentó abrirla. Estaba cerrada y bien cerrada, naturalmente.

Se acercó a la única ventana de la habitación, que daba a un jardín abandonado. Estaba cerrada y tenía barrotes. Miró por el sucio cristal. Era el típico patio trasero del East Side, con los jardines separados por muros de ladrillo. El de la casa donde la tenían retenida estaba vacío y lleno de malas hierbas; pero en el jardín de al lado vio a una mujer pelirroja, con un suéter amarillo, leyendo un libro.

Constance trató de hacerle señas, luego golpeó con cuidado el cristal, pero la mujer estaba absorta en la lectura.

Buscó rápidamente por la habitación, abrió los cajones de la mesa y de la cómoda, hasta que encontró un lápiz en el fondo de uno de ellos. Vio un libro viejo en la estantería, arrancó la primera hoja y escribió rápidamente un mensaje; acto seguido, la dobló y escribió otro mensaje en el reverso.

Por favor, lleven este mensaje inmediatamente
al doctor Felder, en el hospital Mount Mercy,
en Little Governor's Island.
¡ES CUESTIÓN DE VIDA O MUERTE!

Lo pensó un momento y añadió:

Felder le recompensará económicamente.

Se acercó de nuevo a la ventana. La mujer seguía leyendo.
Dio un golpecito en el cristal, pero la pelirroja no lo oyó. Entonces, llevada por la desesperación, Constance cogió el libro y
golpeó el cristal con el lomo. El vidrio se hizo añicos, y la mujer
del jardín levantó la vista.

Constance oyó al instante que Esterhazy subía a grandes zancadas la escalera.

Metió la nota doblada dentro del libro, para que no saliera
volando, y arrojó este al jardín vecino.

—¡Coja la nota! —gritó—. ¡Cójala y váyase!

La mujer la miró con expresión de sorpresa cuando el libro
aterrizó a sus pies. Lo último que Constance vio fue a la pelirroja agachándose —caminaba con la ayuda de un bastón— y
recogiéndolo.

Se apartó de la ventana un instante antes de que Esterhazy
entrara en tromba en la habitación, soltando una maldición,
y corriera hacia ella. Constance levantó una mano para arañar-
le los ojos y, aunque él intentó apartársela, consiguió dejarle
dos profundas marcas en la mejilla. Esterhazy gritó de dolor,
pero reaccionó y la tiró al suelo. Se echó encima de ella y forcejearon hasta que consiguió sujetarle los brazos y aplicarle otro
trapo impregnado con cloroformo. Constance sintió que perdía
la conciencia y que la negrura la envolvía de nuevo.

56

Camden, Maine

El solar donde antes se hallaba la antigua residencia se había convertido en una vulgar urbanización del extrarradio: una triste hilera de casas pareadas, vacías, donde flameaban banderas que anunciaban descuentos y promociones.

Pendergast entró en la desierta oficina de ventas e hizo sonar la campanilla del mostrador. Enseguida, una mujer joven de mirada entre sorprendida y soñolienta salió de una habitación trasera y le dio la bienvenida con una sonrisa profesional.

Pendergast se quitó el pesado abrigo y se alisó el traje hasta dejarlo perfecto.

—Buenos días —saludó.

—¿Puedo ayudarlo? —preguntó la mujer.

—Sí, puede. Estoy buscando una casa por la zona.

Aquello debía de ser toda una novedad para la vendedora. Sus cejas se alzaron.

—¿Está interesado en nuestras casas pareadas?

—Sí. —Pendergast dejó el pesado abrigo en una silla y tomó asiento—. Soy del Sur, pero estoy buscando un clima más fresco para mi pronta jubilación. Ya sabe, tanto calor...

—No sé cómo la gente puede aguantarlo —repuso la mujer.

—Desde luego, desde luego. Bueno, dígame qué tiene disponible.

La mujer cogió una abultada carpeta, extrajo varios folletos, que desplegó sobre la mesa y le lanzó su discurso de vendedora.

—Tenemos unidades de uno, dos y tres dormitorios, todas con baños de mármol y electrodomésticos de primera: neveras y lavavajillas Bosch, calderas Wolf...

Mientras parloteaba, Pendergast la animaba a seguir asintiendo levemente y murmurando aprobaciones. Cuando la mujer terminó, él le regaló una radiante sonrisa.

—Estupendo —dijo—. ¿Solo doscientos mil por la casa con dos dormitorios? ¿Y con vistas al mar?

Eso provocó otra larga parrafada, y Pendergast la dejó hablar a sus anchas hasta que hubo acabado. Entonces se apoyó en el respaldo de la silla y entrelazó las manos.

—En cierto modo, instalarme aquí me parece de lo más adecuado —dijo—. Al fin y al cabo, mi madre vivió aquí hace unos años.

Al oír eso, la mujer pareció confusa.

—Esa es una gran noticia, pero... nuestra empresa ha abierto hace poco...

—Por supuesto. Me refería a la residencia que había en este solar antes de que llegaran ustedes. Bay Manor.

—Ah, sí —dijo ella—. Bay Manor.

—¿Lo recuerda?

—Desde luego. Crecí aquí. Cerró cuando..., debió de ser hace siete u ocho años.

—Había una enfermera muy simpática que solía cuidar de mi madre. —Pendergast se mordió el labio—. No conocerá a nadie de los que trabajaban en Bay Manor, ¿verdad?

—No, lo siento.

—Qué lástima. Era una mujer encantadora. Confiaba en hacerle una visita mientras estuviera en la ciudad. —Lanzó una penetrante mirada a la vendedora—. Estoy seguro de que si viera su nombre lo reconocería. ¿Cree que podría ayudarme?

La mujer prácticamente saltó sobre la oportunidad.

—Por lo menos puedo intentarlo. Déjeme hacer un par de llamadas.

—Es usted muy amable. Mientras tanto echaré un vistazo a estos folletos. —Pendergast hojeó uno de los folletos, leía y asentía mientras la mujer descolgaba el teléfono.

Oyó que llamaba a su madre, a una vieja profesora y, por último, a un amigo de su madre.

—Bueno —dijo la vendedora al tiempo que colgaba el teléfono con expresión satisfecha—, he conseguido cierta información. Bay Manor fue derruido hace años, pero me han dado el nombre de tres personas que trabajaron allí. —Con una sonrisa triunfal, puso ante Pendergast un papel con varios nombres.

—¿Siguen viviendo por aquí?

—Solo la primera, Maybelle Payson. Las otras dos murieron.

—Maybelle Payson... Sí, ¡creo que es la mujer que cuidaba a mi madre! —dijo Pendergast con una sonrisa mientras se guardaba el papel.

—Ahora, si le parece, puedo enseñarle la casa que le ha gustado y...

—¡Magnífico! Cuando vuelva con mi mujer estaremos encantados de que nos la enseñe de arriba abajo. Ha sido usted muy amable.

Recogió los folletos, los metió en su chaqueta, se puso el abrigo y salió al tremendo frío.

57

Maybelle Payson vivía en una vieja casa de madera, apartada de la orilla, en el barrio obrero de la ciudad. Sus habitantes se dedicaban principalmente a la pesca de la langosta, y tenían sus barcas aparcadas en los jardines, inmovilizadas y cubiertas con lonas; algunas de ellas eran mayores incluso que las caravanas donde vivían sus propietarios.

Pendergast se acercó por el camino, subió al viejo porche, llamó al timbre y aguardó. Tras el segundo timbrazo, oyó que alguien se movía por la casa hasta que por fin una cara arrugada y seria, rodeada por un halo de cabello azul, apareció tras la puerta de cristal. La mujer lo miró con los ojos muy abiertos, unos ojos casi de niño.

—¿La señora Payson? —preguntó Pendergast.

—¿Quién?

—¿La señora Payson? ¿Puedo pasar?

—No le oigo.

—Me llamo Pendergast. Me gustaría hablar con usted.

—¿Sobre qué? —Los acuosos ojos lo miraron con suspicacia.

—Sobre Bay Manor —gritó Pendergast—. Un familiar mío estuvo internado allí y me habló muy bien de usted, señora Payson.

Oyó como se descorrían varios cerrojos, y la puerta se abrió. Siguió a la menuda anciana hasta un diminuto salón. La casa estaba muy desordenada y olía a gato. La mujer apartó a un felino que dormitaba en el sofá y se sentó.

—Por favor, siéntese —dijo.

Pendergast tomó asiento en un sillón que estaba casi totalmente cubierto de pelos blancos de gato. Su traje negro pareció atraerlos como un imán.

—¿Le apetece un té?

—Oh, no, gracias —se apresuró a contestar Pendergast mientras sacaba una libreta de notas—. Verá, estoy recopilando información sobre la historia de mi familia y deseaba hablar con usted acerca de una pariente que estuvo en Bay Manor hace unos cuantos años.

—¿Cómo se llamaba?

—Emma Grolier.

Se hizo un largo silencio.

—¿La recuerda?

Otra larga pausa. El hervidor de agua empezó a silbar en la cocina, pero la anciana no parecía oírlo.

—Permítame —dijo Pendergast al tiempo que se levantaba para apagar el fuego—. ¿Qué clase de té le apetece, señora Payson?

—Earl Grey. Sin leche.

Pendergast abrió una lata que había en la encimera, sacó una bolsita de té, la puso en una taza y vertió agua hirviendo. Acto seguido se la llevó a la anciana con una sonrisa y luego la dejó en una mesita que había cerca de ella.

—Qué amable... —dijo la mujer; ahora lo miraba con una expresión mucho más amistosa—. Tendrá que venir más a menudo.

Pendergast volvió a sentarse en el sillón con pelo de gato y cruzó una pierna sobre la otra.

—Emma Grolier —dijo la antigua enfermera—. Sí, la recuerdo bien. —Sus acuosos ojos lo miraron con renovada desconfianza—, pero dudo que le hablara bien de mí ni de nadie. ¿Qué quiere saber de ella?

—Estoy reuniendo información sobre la familia por razones personales y estoy interesado en saber todo acerca de ella. ¿Cómo era?

—Ya entiendo. En fin, lamento decirle que era una persona difícil. Una mujer antipática y malhumorada. Una cascarrabias. Lamento ser tan directa. No era una de mis pacientes favoritas. Siempre estaba quejándose, gritando, tirando la comida. Era incluso violenta. Sufría una grave discapacidad cognitiva.

—¿Dice que era violenta?

—Y fuerte. Pegaba a la gente, rompía cosas con furia. Una vez me mordió. En algunas ocasiones tuvimos que atarla.

—¿Recibía visitas de familiares?

—Nadie iba a verla, aunque supongo que tenía familia, porque disfrutaba de los mejores cuidados: un médico especial, salidas pagadas, ropa bonita, regalos en Navidad..., ese tipo de cosas.

—¿Un médico especial?

—Sí.

—¿Recuerda cómo se llamaba?

Un largo silencio.

—Me temo que he olvidado por completo su nombre. Extranjero. Aparecía por Bay Manor un par de veces al año, un tipo alto que se daba aires de importancia, como si fuera el mismísimo Sigmund Freud. ¡Era muy exigente! Nada le parecía nunca bien. Cada vez que llegaba, había follón. Fue un alivio cuando el otro médico vino a buscar a Emma y se la llevó.

—¿Cuándo fue eso?

Otra pausa.

—No me acuerdo. Hubo tantas idas y venidas... Fue hace mucho. Sin embargo recuerdo el día. Se presentó sin avisar, firmó la autorización para llevarse a Emma y eso fue todo. No se llevó ninguna de sus pertenencias personales. Fue muy raro. No volvimos a ver a Emma. Por aquella época el Bay Manor tenía problemas económicos y cerró pocos años después.

—¿Qué aspecto tenía ese médico que se la llevó?

—No sabría decirle con precisión. Alto, atractivo, bien vestido. Al menos así lo recuerdo.

—¿Sabe si por aquí hay alguien más que trabajara en Bay Manor y con quien pudiera hablar?

—No que yo sepa. No se quedaron. Por los inviernos, ya sabe.

—¿Dónde guardan los archivos médicos?

—¿Los de Bay Manor? —La vieja enfermera frunció el entrecejo—. Lo normal es que esas cosas las envíen a Augusta.

Pendergast se levantó.

—Ha dicho antes que tenía una discapacidad. ¿Cuál, exactamente?

—Retraso mental.

—¿Demencia senil?

La anciana lo miró sorprendida.

—¡Claro que no! Emma Grolier era una chica joven. No creo que tuviera más de veintisiete o veintiocho años. —Lo miró con desconfianza—. ¿No ha dicho que era pariente de Emma?

Pendergast permaneció un instante en silencio. Aquella información era sorprendente, aun si su trascendencia todavía no estaba clara. Disimuló su reacción con una sonrisa y se inclinó.

—Le agradezco su tiempo.

Mientras salía al gélido exterior, disgustado por el hecho de que una octogenaria medio sorda lo hubiera ahuyentado, se consoló pensando que en los archivos médicos de Augusta encontraría los detalles que le faltaban.

58

Augusta, Maine

Aloysius Pendergast estaba sentado en el sótano del edificio Maine State Archives rodeado de expedientes de la desaparecida residencia de Bay Manor. Con el ceño fruncido, miraba la pared de hormigón encalada de blanco mientras con una uña muy cuidada tamborileaba en la mesa con evidente irritación.

Una diligente búsqueda en los archivos de Emma Grolier solo había dado como resultado una tarjeta donde se indicaba que su expediente completo había sido transferido por orden médica a un tal doctor Judson Esterhazy, en concreto a su clínica de Savannah, Georgia. La fecha del traspaso era seis meses después de la presunta muerte de Helen en África. En la tarjeta aparecía la firma de Esterhazy, y era auténtica.

¿Qué había hecho Esterhazy con aquellos papeles? No se hallaban en la caja fuerte de su casa de Savannah. Pendergast estaba casi seguro de que los había destruido; eso suponiendo que la teoría que seguía tomando forma en su mente era correcta. Cabía la posibilidad de que las facturas de Bay Manor fueran un descuido.

«Emma Grolier. Y si...»

Se levantó despacio, pensativo, y apartó la silla lentamente.

Mientras subía por la escalera del sótano y salía al frío atardecer, su móvil sonó. Era D'Agosta.

—Constance ha escapado —dijo este sin preámbulos.

Pendergast se quedó de piedra. Por un momento fue incapaz de articular palabra. Luego, abrió la puerta de su coche de alquiler y se metió dentro.

—Imposible. No tenía motivos para escapar.

—Aun así, se ha escapado. Y déjame que te diga que espero que tengas un paraguas a mano porque va a llover mierda.

—¿Cuándo ha sido? ¿Cómo?

—A la hora de la comida. Es raro. Había salido de excursión.

—¿Fuera del hospital?

—Al zoológico de Central Park. Según parece, uno de los médicos que la acompañaba la ayudó a escapar.

—¿El doctor Ostrom? ¿El doctor Felder? Imposible.

—No, ellos no. Tengo entendido que se llama Poole. Ernest Poole.

—¿Quién demonios es ese Poole? —Pendergast puso el motor en marcha—. ¿Y qué narices hacía una asesina de niños confesa fuera de los muros de Mount Mercy?

—Esa es la pregunta del millón. Puedes estar seguro de que la prensa se pondrá las botas si llega a enterarse, y probablemente se enterará.

—Mantén a la prensa alejada cueste lo que cueste.

—Estoy haciendo todo lo que puedo; pero, como es natural, los de Homicidios están por todas partes.

—Pues diles que lo dejen. No puedo tener un montón de detectives husmeando esto.

—Ni hablar. Es obligatorio que haya una investigación. Lo siento, amigo.

Pendergast permaneció callado e inmóvil durante varios segundos, pensando.

—¿Has comprobado el historial de ese doctor Poole?

—Todavía no.

—Si los de Homicidios tienen que meter las narices, diles que se ocupen de eso. Descubrirán que es un impostor.

—¿Sabes de quién se trata?

—Por el momento prefiero no aventurar nada. —Hizo otra pausa—. Fui un imbécil al no prever algo así. Creí que Constance estaría a salvo en Mount Mercy. Ha sido un terrible descuido, uno más.

—Bueno, es probable que no esté en peligro. Tal vez se encaprichó de ese doctor y se escapó en plan aventura amorosa...

D'Agosta dejó la frase sin acabar, incómodo.

—Vincent, ya te he dicho que Constance no se ha escapado. La han secuestrado.

—¿Secuestrado?

—Sí. Y lo ha hecho ese falso Poole. Mantén a la prensa lejos y no permitas que los de Homicidios compliquen las cosas.

—Haré lo que pueda.

—Gracias.

Pendergast aceleró en la helada calle, y el coche de alquiler patinó y salpicó nieve, y se dirigió hacia el aeropuerto y la ciudad de Nueva York.

59

Nueva York

Ned Betterton se hallaba de pie, ante la entrada del Boat Basin de la calle Setenta y nueve, contemplando la cantidad de yates, veleros y embarcaciones de recreo que se mecían suavemente en las tranquilas aguas del Hudson. Llevaba la única americana que tenía —un blazer azul marino— y un pañuelo de cuello muy vistoso que acababa de comprar junto con la gorra de capitán. Faltaba poco para las seis de la tarde, y el sol se hundía rápidamente tras el horizonte de New Jersey.

Con las manos en los bolsillos, observó el barco, anclado lejos de los pantalanes, adonde había visto que llevaban en lancha a su hombre el día anterior. Era un yate bastante grande, de un blanco reluciente, con tres cubiertas recorridas por ventanas ahumadas y de más de cuarenta metros de eslora. No se veía actividad a bordo.

Las vacaciones de Betterton se habían acabado, y las llamadas de Kranston desde el *Bee* habían adquirido un tono amenazador. Estaba furioso por haber tenido que cubrir personalmente la última reunión de la parroquia. ¡Pues que le dieran! Aquel yate era una pista interesante y podía constituir su boleto para alcanzar el éxito.

«¿Y usted se llama a sí mismo "periodista"? ¡Pero si no sería capaz de informar ni del tiempo que hace!» Se ruborizó al recordar el rapapolvo que le había echado Corinne Swanson. Esa era la otra razón por la que había ido al Boat Basin. Sabía que, de un modo u otro, Pendergast estaba involucrado, y no como agente del FBI.

De hecho, lo que le había dado la idea era el blazer azul. Sabía que entre los propietarios de barcos anclados unos cerca de los otros era costumbre hacer visitas de cortesía e invitar a una copa. Así pues se había vestido de capitán de yate y de esa guisa subiría a bordo para ver lo que hubiera que ver. Pero esos tipos eran mala gente, traficantes de drogas..., de modo que tendría que ir con pies de plomo.

Enseguida descubrió que acceder al Boat Basin no era tan sencillo. Todo el lugar estaba vallado, y en la verja de entrada había una garita con un guardia. Un gran cartel decía: VISITANTES SOLO CON INVITACIÓN. El lugar, aislado y exclusivo, apestaba a dinero.

Examinó la valla que recorría la orilla: empezaba junto al agua y desaparecía entre unos matorrales. Se aseguró de que nadie lo observaba y la siguió hasta el final. Hurgó entre la maleza y encontró lo que buscaba: una abertura cerca del suelo.

Se coló a través de ella, se levantó, se sacudió la ropa, volvió a ponerse la gorra de capitán, se alisó la chaqueta y echó a andar por la orilla, junto a la maleza. Cincuenta metros más allá, vio los primeros amarres y una caseta. Volvió a alisarse rápidamente la indumentaria, bajó a la pasarela del pantalán y empezó a caminar con toda tranquilidad, como si fuera un capitán más que había salido a dar una vuelta. Un empleado del puerto deportivo estaba trabajando cerca del embarcadero, donde había amarradas media docena de barcas auxiliares.

—Buenas tardes —saludó Betterton.

El operario levantó la vista, le devolvió el saludo y siguió trabajando.

—Me preguntaba —dijo Betterton— si estaría usted dispuesto a llevarme hasta ese barco.

Sacó un billete de veinte e hizo un gesto con la cabeza para señalar el gran yate blanco anclado a unos cuatrocientos metros del muelle.

El hombre se levantó. Miró el billete y después a Betterton.

—¿Al *Vergeltung*?

—Eso es. Y que me esperara allí para traerme de vuelta. Solo estaré a bordo cinco minutos, diez como mucho.

—¿Y para qué quiere ir?

—Una visita de cortesía. De capitán a capitán. He estado contemplando ese barco y considerando la posibilidad de cambiar el mío por algo así. Estoy amarrado por ahí. —Hizo un gesto impreciso.

—Bueno...

Betterton vio movimiento en el interior de la caseta, y un hombre salió de la oscuridad; tenía unos treinta y cinco años, cabello castaño descolorido por el sol y rostro atezado a pesar de ser el mes de noviembre.

—Yo lo llevaré, Brad —dijo el recién llegado mirando fijamente a Betterton.

—De acuerdo, Vic. Todo tuyo.

—¿Y me esperará mientras yo esté a bordo? —preguntó Betterton.

El hombre asintió, luego señaló una de las barcas auxiliares.

—Suba.

60

El doctor Felder caminaba arriba y abajo ante las ventanas de cristal emplomado del despacho del doctor Ostrom en el hospital Mount Mercy. Se detuvo y suspiró hondo mientras contemplaba las pardas marismas en la distancia y la bandada de patos que volaba en «V» hacia el sur.

Menuda tarde había sido..., menuda tarde tan horrible. La policía de Nueva York había aparecido para hacer todo tipo de preguntas, escudriñar el lugar de arriba abajo, incordiar a los internos y registrar a fondo la habitación de Constance. Un detective se había quedado en el hospital para seguir con la investigación, y en esos momentos estaba fuera del despacho conversando con el doctor Ostrom en voz baja. El director de Mount Mercy vio que Felder lo miraba, frunció el entrecejo en señal de desaprobación y se volvió hacia el detective.

Hasta el momento habían conseguido que la historia no llegara a la prensa, pero eso no iba a ayudarle demasiado y probablemente tampoco duraría mucho. Ya había recibido una llamada del alcalde, que había dicho en términos muy claros que, si Constance no era devuelta al hospital sana y salva y sin escándalo, Felder ya podía empezar a desempolvar su currículo. Por lo visto el doctor Poole había intervenido en la fuga —quizá incluso la había planeado—, y eso no ayudaba en modo alguno a Felder. El nombre que aparecía como firmante del permiso de salida seguía siendo el suyo.

¿Qué podía querer de Constance aquel falso doctor Poole? ¿Por qué había corrido tantos riesgos para sacarla de Mount Mercy? ¿Habría obrado en beneficio de alguna relación desconocida? ¿Estaría Pendergast implicado?

Al pensar en el agente del FBI, Felder se estremeció.

Oyó alboroto al final del pasillo, cerca de la garita del vigilante de la entrada. Un ordenanza con bata blanca se acercó al doctor Ostrom y al detective. Felder dejó de caminar y los observó conversar brevemente.

El director de Mount Mercy se volvió hacia él.

—Una mujer desea verlo.

Felder arrugó las cejas.

—¿Una mujer?

¿Quién podía saber que en ese momento estaba allí aparte del doctor Ostrom y del personal del centro? No obstante, siguió al ordenanza por el pasillo hasta la garita.

En efecto, una mujer esperaba en la entrada: cincuenta y tantos, baja, delgada como un palo, abundante cabello pelirrojo y labios pintados de un brillante rojo. Llevaba al hombro un bolso falso de Burberry. Caminaba con un bastón.

—Soy el doctor Felder. ¿Deseaba verme?

—No —respondió la mujer con voz alta y plañidera.

—Ah. ¿No? —repitió Felder, sorprendido.

—No lo conozco a usted de nada. Localizarlo no ha sido precisamente mi idea de una tarde agradable. No tengo coche, y no se imagina lo difícil que es llegar hasta aquí sin coche. Incluso enterarme de dónde está Mount Mercy ha sido complicado. Little Governor's Island, ¡bah! —Golpeó el suelo de mármol con el bastón para dar énfasis a sus palabras—. Pero me prometieron dinero.

Felder la miró, perplejo.

—¿Dinero? ¿Quién le prometió dinero? ¿Qué tiene que ver todo esto conmigo.

—La chica.

—¿Qué chica?

—La chica que me dio la nota. Me dijo que se la llevara al doctor Felder del hospital Mount Mercy. Y dijo que me pagarían. —Dio otro golpe con el bastón.

—¿Una chica? —repitió Felder. «¡Dios mío, tiene que ser Constance!», pensó—. ¿Dónde vio a esa chica?

—La vi desde el jardín trasero de mi casa, pero eso carece de importancia. Lo que quiero saber es si me va a pagar o no.

—¿Tiene esa nota? —preguntó Felder, sintiendo que se ruborizaba por su impaciencia por verla.

La mujer asintió con aire desconfiado, como si temiera que la registraran.

Con manos temblorosas, Felder sacó la cartera del bolsillo de su americana cogió un billete de cincuenta y se lo entregó.

—He tenido que coger dos taxis —dijo la mujer, guardándose el billete en el bolso.

Felder sacó uno de veinte y se lo dio.

—Y voy a tener que coger un taxi para volver. Me está esperando fuera.

Apareció otro billete de veinte —el último de la cartera de Felder— que se evaporó tan rápidamente como los anteriores. La mujer rebuscó en su bolso y sacó una hoja de papel doblada por la mitad. Uno de los extremos era irregular, como si la hubieran arrancado de un libro. Se la entregó. En ella, escrita con la elegante caligrafía de Constance, se podía leer:

> Por favor, lleven este mensaje inmediatamente
> al doctor Felder, en el hospital Mount Mercy,
> en Little Governor's Island.
> ¡ES CUESTIÓN DE VIDA O MUERTE!
> Felder le recompensará económicamente.

Con manos aún más temblorosas, Felder desdobló la hoja y leyó. Para su sorpresa, el mensaje del interior iba dirigido a otra persona: Pendergast.

Aloysius, he sido secuestrada por un hombre que dice llamarse Judson Esterhazy y que asegura que es tu cuñado. Se hacía pasar por médico con el nombre de Poole. Me retienen en una casa situada en algún lugar del East Side, pero me trasladarán pronto, no sé adónde. Temo que quiera hacerme daño. Hay una frase que me ha dicho más de una vez con especial énfasis: «En venganza, ahí es donde todo acabará». Por favor, perdona mi estupidez y mi ingenuidad. Pase lo que pase, recuerda que te confío el bienestar de mi hijo.

CONSTANCE

Felder alzó la mirada, tenía un montón de preguntas en los labios, pero la mujer ya no estaba allí.

Se asomó fuera. Había desaparecido. Corrió junto al doctor Ostrom y el detective, que lo esperaban.

—¿Y bien? —dijo el director—. ¿Qué quería?

Incapaz de articular palabra, Felder le entregó el papel y vio la sorpresa de Ostrom al leer el contenido de la nota.

—¿Dónde está esa mujer? —preguntó Ostrom inmediatamente.

—Ha desaparecido.

—Dios mío. —El director corrió hasta un teléfono de pared y descolgó—. Soy el doctor Ostrom, póngame con la entrada, ¡rápido!

Bastaron unas pocas frases para averiguar que el taxi que esperaba a la mujer acababa de marcharse. Ostrom hizo una fotocopia de la nota y entregó la original al detective.

—Tenemos que detener a esa mujer. Llame a sus hombres. Hay que atraparla. ¿Lo entiende?

El policía echó a correr al tiempo que daba instrucciones por radio.

Felder se volvió hacia Ostrom.

—Constance dice que su hijo está vivo. ¿A qué se referirá?

Ostrom se limitó a menear la cabeza.

61

Esterhazy observó la repentina actividad que se había desencadenado en la cubierta del *Vergeltung* a resultas del acercamiento inesperado de una lancha desde el puerto deportivo. Cogió unos prismáticos y enfocó el bote desde detrás de los cristales ahumados del salón principal. En un primer momento —a pesar de que una aproximación tan directa no era propia de él— se preguntó si sería Pendergast. Pero no: la persona que iba sentada a proa era un desconocido al que no había visto en su vida.

Falkoner se acercó.

—¿Es él? —preguntó.

Esterhazy sacudió la cabeza.

—No. No sé quién es ese.

—Pues lo averiguaremos. —Falkoner se dirigió hacia popa.

—¡Ah del barco! —gritó el hombre sentado en la proa. Iba vestido, grotescamente vestido, de marino: blazer, gorra, pañuelo al cuello.

—¡Hola! —gritó Falkoner en tono amistoso.

—Soy vecino suyo y estaba admirando su barco. ¿Le molesto?

—En absoluto. ¿Quiere subir a bordo?

—Encantado. —El desconocido se volvió hacia el empleado de Boat Basin que le había llevado en la lancha—. Espéreme.

El otro asintió.

El capitán de yate subió a la plataforma de popa, y Falkoner abrió una portezuela para dejarlo pasar. Una vez en cubierta, el desconocido se alisó el blazer y le tendió la mano.

—Soy Ned Betterton. Mucho gusto.

—Falkoner.

Esterhazy estrechó también la mano de Betterton, y aunque sonrió, no se presentó. Los arañazos de la cara le dolieron al sonreír. Eso sería algo que no se repetiría: Constance estaba encerrada en la bodega, maniatada y amordazada. Sin embargo, un escalofrío le recorrió la espalda al recordar la expresión de la joven en la casa del East Side. En aquella expresión había percibido dos cosas con total claridad: odio y lucidez. Esa mujer no era la chiflada que él había dado por supuesto. Y el odio que había visto en ella resultaba especialmente inquietante por su intensidad asesina. No podía evitar sentirse intranquilo.

—Estoy amarrado por allí —Betterton movió vagamente el pulgar por encima del hombro—, y he pensado pasar un momento para saludar. Para ser sincero, este yate me tiene fascinado.

—Me alegro de que lo haya hecho —repuso Falkoner mirando brevemente a Esterhazy—. ¿Le gustaría que se lo enseñara?

Betterton asintió con ganas.

—Desde luego, gracias.

Esterhazy se dio cuenta de que los ojos del recién llegado recorrían el barco con avidez y tomaban nota de todos los detalles. Le había sorprendido que Falkoner se ofreciera a mostrarle el *Vergeltung*, había en él algo fingido. No parecía un auténtico marinero, llevaba un blazer azul mal cortado y unos zapatos de piel sintética típicos de un marinero de agua dulce.

Entraron en el lujoso salón, y Falkoner empezó a describir las principales características del yate. Betterton escuchaba con una atención casi infantil y sin dejar de mirar alrededor, como si quisiera memorizarlo todo.

—¿Cuánta gente lleva a bordo? —preguntó.

—En la tripulación, ocho personas. Aparte estamos mi amigo, que ha venido a visitarnos unos días, y yo. —Falkoner sonrió—. ¿Qué me dice de su barco?

Betterton hizo un gesto displicente con la mano.

—Tres tripulantes. ¿Ha hecho alguna travesía recientemente?

—No. Llevamos varias semanas anclados aquí.

—¿Y se ha quedado a bordo todo ese tiempo? ¡Sería una lástima, aun en un barco tan magnífico, con todo lo que Nueva York tiene para ofrecer!

—Por desgracia no he tenido tiempo de moverme.

Cruzaron el comedor y entraron en la cocina, donde Falkoner mostró una copia del menú y alabó el talento del chef del yate. Esterhazy los seguía en silencio, preguntándose adónde llevaba todo aquello.

—«Lenguado de Dover con mantequilla de trufas y *mousse* de verduras» —leyó Betterton—. No hay duda de que se cuidan.

—Tal vez le gustaría quedarse a cenar... —ofreció Falkoner.

—Muchas gracias, pero tengo un compromiso.

Siguieron por un pasillo panelado en madera de fresco japonés.

—¿Le apetece ver el puente?

—Por supuesto.

Subieron por una escalera hasta la cubierta superior y entraron en la timonera.

—Le presento al capitán Joachim —dijo Falkoner.

—Encantado —saludó Betterton mirando en derredor—. Realmente impresionante.

—A mí también me gusta —convino Falkoner—. No hay nada como la sensación de independencia que proporciona un yate..., como usted bien sabe. El sistema Loran que tenemos a bordo es el mejor que hay.

—Lo imagino.

—¿Usted también tiene Loran en su barco?

—Desde luego.

—Un invento fantástico.

Esterhazy miró a Falkoner. ¿Loran? Ya hacía mucho que esa tecnología había sido sustituida por el GPS. De repente comprendió las intenciones de Falkoner.

—¿Y qué clase de barco tiene usted? —preguntó este.

—Un... un Chris Craft. Veinticinco metros.

—Un Cris Craft de veinticinco metros. ¿Y tiene autonomía suficiente?

—Oh, sí.

—¿Cuánta?

—Ochocientas millas náuticas.

Falkoner pareció meditar aquella respuesta. Luego cogió a Betterton del brazo.

—Venga, le enseñaré uno de los camarotes principales.

Abandonaron el puente y descendieron dos niveles, hasta los camarotes de la primera cubierta. Sin embargo, Falkoner no se detuvo allí, siguió bajando hacia las entrañas del barco. Luego continuó por un pasillo hasta una puerta sin distintivos.

—Tengo curiosidad —dijo abriendo la puerta—, ¿qué clase de motores lleva su barco y cuál es su siguiente puerto de destino?

Entraron, pero no en un lujoso camarote, sino en un espartano cuarto de almacenamiento.

—Bueno, mis conocimientos náuticos no son gran cosa —contestó Betterton con una risita y haciendo un gesto con la mano—. Esos asuntos se los dejo a mi capitán.

—Qué curioso —repuso Falkoner al tiempo que abría un armario—. Yo prefiero no dejar nada en manos de los demás. —Sacó una lona del armario y la extendió en el suelo.

—¿Esto es un camarote? —preguntó Betterton.

—No —respondió Falkoner cerrando la puerta. Miró a Esterhazy y había algo glacial en esa mirada.

Betterton echó un vistazo a su reloj.

—Bueno, gracias por enseñarme el barco. Creo que ya es hora de que me va...

Se interrumpió en seco cuando vio el cuchillo de combate de doble filo en la mano de Falkoner.

—¿Quién es usted? —preguntó este en voz baja—. ¿Y qué quiere?

Betterton tragó saliva. Sus ojos iban de Falkoner al cuchillo y del cuchillo a Falkoner.

—Ya se lo he dicho. Mi yate está amarrado...

Con la rapidez de una serpiente, Falkoner le cogió una mano y le clavó la punta del cuchillo en el pellejo entre los dedos índice y corazón.

Betterton gritó de dolor e intentó apartar la mano, pero Falkoner lo aferró con más fuerza y lo empujó hacia delante, sobre la lona.

—Estamos perdiendo el tiempo —dijo—. No me obligue a repetir la pregunta. Judson, cúbrame.

Esterhazy sacó su pistola y dio un paso atrás. Sentía náuseas. Aquello le parecía innecesario. Y el evidente placer que Falkoner experimentaba empeoraba la situación.

—Está cometiendo un grave error —empezó a decir Betterton en tono amenazador, pero antes de que pudiera continuar, Falkoner le clavó el cuchillo en la piel entre los dedos corazón y anular.

—Lo mataré —jadeó Betterton.

Esterhazy contempló con creciente horror cómo Falkoner sujetaba con mano de acero la muñeca de su víctima, hundía el cuchillo y retorcía la hoja.

Betterton se tambaleó en la lona, gimió pero no dijo nada.

—Dígame qué hace aquí. —Falkoner hincó más el cuchillo.

—Soy un ladrón —resolló Betterton.

—Una historia muy interesante —dijo Falkoner—, pero no me la creo.

—Yo... —empezó a decir Betterton, pero, con un súbito estallido de violencia, Falkoner le propinó un rodillazo en la entrepierna y, cuando se dobló de dolor, le asestó otro en la cara.

Betterton cayó en la lona, gemía, la sangre le manaba de la nariz rota.

Falkoner cogió una de las esquinas de la lona y, como si fuera una sábana, cubrió con ella el cuerpo de Betterton. Luego lo inmovilizó apoyándole la rodilla en el pecho, cogió el cuchillo y trazó una línea en la blanda piel de debajo del mentón. Betterton, incapaz de levantarse y medio aturdido, gemía incoherencias.

Falkoner suspiró —Esterhazy no supo si de lástima o frustración—, y clavó un poco más el cuchillo justo por encima del cuello, atravesando la carne junto a la mandíbula.

Betterton soltó un alarido y se revolvió. Unos segundos después, Falkoner apartó el cuchillo.

Betterton tosió, escupió sangre.

—Periodista... —dijo al cabo de un momento.

—¿Periodista? ¿Y qué investiga?

—La muerte de... June y Carlton Brodie.

—¿Cómo ha dado conmigo?

—Los lugareños..., el coche... de alquiler..., la aerolínea.

—Eso es más creíble —repuso Falkoner—. ¿Le ha hablado a alguien de mí?

—No.

—Bien.

—Tiene que dejarme ir... Me espera un hombre... en la lancha...

Con un movimiento rápido y brutal, Falkoner le hundió el cuchillo en el cuello con todas sus fuerzas y se echó hacia atrás para evitar el borbotón de sangre.

—¡Dios! —exclamó Esterhazy, retrocediendo con asco y espanto.

Betterton se llevó las manos a la garganta, pero fue un acto reflejo. Mientras un líquido viscoso y carmesí manaba entre sus dedos, Falkoner le envolvió las piernas, que se sacudían ya con los últimos espasmos.

Esterhazy contempló la escena paralizado por el espanto. Falkoner se levantó, limpió el cuchillo en la lona, se alisó la ropa y se limpió las manos mientras miraba al periodista moribundo con una expresión muy parecida a la satisfacción.

Se volvió hacia Esterhazy.

—¿Demasiado fuerte para usted, Judson?

Esterhazy no respondió.

Regresaron arriba. Esterhazy estaba desconcertado por la brutalidad y el evidente disfrute de Falkoner. Atravesaron el salón y continuaron hasta la cubierta de popa. La lancha seguía esperando a la sombra del yate con el motor en marcha.

Falkoner se inclinó sobre la barandilla y se dirigió al tipo rubio que la manejaba y que había llevado a Betterton hasta allí.

—Vic, el cuerpo está en el cuarto almacén de proa. Vuelve cuando haya anochecido y encárgate de hacerlo desaparecer. Discretamente.

—Sí, señor —contestó el hombre de la lancha.

—Si alguien te pregunta por qué tu pasajero no ha vuelto a tierra, di que es un tipo estupendo y que lo hemos invitado a un pequeño crucero.

—Muy bien, señor.

—Te sugiero que dejes el cuerpo en Riverside Park. Allí hay una zona bastante turbia. Que parezca un atraco. Podría arrojarlo al mar pero eso sería más difícil de explicar.

—Sí, señor Falkoner. —El marinero dio gas al motor y regresó hacia el Boat Basin.

Falkoner lo observó alejarse durante un minuto. Luego miró a Esterhazy. Tenía el rostro tenso.

—Un periodista torpe y me ha encontrado. Ha encontrado el *Vergeltung*. —Entrecerró los ojos—. Solo se me ocurre un modo de que haya podido hacerlo: siguiéndolo a usted.

—Imposible. He tenido el máximo cuidado. Además, nunca he estado en Malfourche —replicó Esterhazy con mirada firme.

Falkoner pareció relajarse. Respiró hondo.

—Supongo que podríamos decir que ha sido un buen ensayo en previsión de lo que va a ocurrir, *ja?*

Esterhazy no respondió.

—Estamos preparados para ese Pendergast. Siempre y cuando usted haya utilizado el cebo adecuado y esté seguro de que vendrá...

—Con Pendergast nadie puede estar seguro de nada —dijo por fin Esterhazy.

62

Felder estaba de pie en el rincón más alejado de la habitación de Constance Greene en el hospital Mount Mercy. Allí estaban también el doctor Ostrom, el agente Pendergast y un teniente de la policía de Nueva York llamado D'Agosta. La tarde anterior la policía se había llevado los libros de Constance, sus escritos privados, sus efectos personales e incluso las pinturas de las paredes. Aquella mañana se habían enterado de que Poole era un impostor, y Felder había tenido que aguantar un rapapolvo del verdadero Poole por no haber verificado las credenciales de su suplantador.

Pendergast no se molestó en ocultar su gélido desprecio hacia los responsables de Mount Mercy, que habían permitido que Constance saliera del hospital de aquel modo. Una parte de su disgusto había recaído en el doctor Ostrom, pero Felder se había llevado lo peor de su ira glacial.

—Muy bien, señores, permítanme que los felicite por la primera fuga que se ha producido en los ciento veinte años de historia de Mount Mercy. ¿Dónde les parece que deberíamos colgar la placa conmemorativa?

Silencio.

Pendergast sacó una foto del bolsillo de la americana y se la mostró primero a Ostrom y después a Felder.

—¿Reconocen a este hombre?

Felder la miró con atención. Era una instantánea ligeramente borrosa de un hombre de mediana edad, bastante atractivo.

—Se parece a Poole —dijo—, pero diría que no es la misma persona. ¿Su hermano, quizá?

—¿Y usted, doctor Ostrom?

—No sabría decirle.

Pendergast sacó un fino rotulador del bolsillo, se inclinó sobre la foto y la retocó ligeramente antes de acabar con unas pinceladas de blanco. Luego volvió a mostrarla a los dos doctores sin hacer ningún comentario.

Felder examinó la fotografía y esta vez la sorpresa se reflejó en su rostro. Pendergast había añadido bigote, perilla y unas pocas canas.

—Dios mío, es él. Poole.

Ostrom se limitó a convenir con un triste asentimiento.

—El verdadero nombre de esta persona es Esterhazy —explicó Pendergast arrojando la foto con indignación encima de la mesa vacía.

Se sentó junto a la mesa, apoyó los codos en ella y juntó las puntas de los dedos con la mirada perdida.

—He sido un maldito idiota, Vincent. Creí que lo había obligado a esconderse. No imaginé que me seguiría el rastro y contraatacaría.

El teniente no dijo nada. Su incómodo silencio empezó a adueñarse de la habitación.

—En su nota —dijo por fin Felder—, Constance afirma que su hijo está vivo. ¿Cómo puede ser? La principal razón de su ingreso en Mount Mercy es que admitió haberlo matado.

Pendergast lo fulminó con la mirada.

—Antes de devolver a la vida a un niño, doctor, ¿no le parece que deberíamos recuperar a la madre?

Una pausa. Luego Pendergast se volvió hacia Ostrom.

—¿Ese falso Poole habló del estado de Constance demostrando tener conocimientos de psiquiatría?

—Así es.

—¿Y su análisis era coherente? ¿Creíble?

—Parecía chocante, teniendo en cuenta lo que sé de la señorita Greene. Sin embargo, sus razonamientos eran lógicos y di por hecho que eran correctos. Afirmaba que ella había sido su paciente. No vi motivos para dudar de él.

Pendergast tamborileó con sus largos dedos en el brazo de la silla.

—También me ha dicho que en su primera visita el doctor Poole solicitó estar a solas un momento con Constance.

—Sí.

Pendergast miró a D'Agosta.

—Creo que la situación está clara. Totalmente clara, de hecho.

Para Felder no lo estaba en absoluto, pero no dijo nada.

Pendergast se volvió hacia Ostrom.

—Y fue ese tal Poole quien sugirió que concediera permiso a Constance para salir, ¿no?

—Exacto.

—¿Quién se encargó de tramitar la autorización?

—El doctor Felder.

La mirada que Pendergast le dirigió hizo que Felder se encogiera.

El agente del FBI recorrió con la mirada la habitación de Constance y volvió a dirigirse a D'Agosta.

—Vincent, este cuarto y este lugar ya no tienen interés. Debemos centrarnos en la nota. ¿Puedes enseñármela otra vez, por favor?

D'Agosta sacó del bolsillo la fotocopia que había hecho Ostrom. Pendergast la cogió y la releyó varias veces.

—La mujer que trajo esto... —dijo—. ¿Ha habido suerte en la localización del taxi?

—No. —D'agosta hizo un gesto hacia la nota—. No hay mucho que buscar por ahí.

—No mucho —dijo Pendergast—, pero quizá lo suficiente.

—No te entiendo.

—En esta nota hablan dos voces: una de ellas conoce el destino último de Constance, y la otra no.

—¿Quieres decir que la primera voz es la de Poole, es decir, la de Esterhazy?

—Exacto. Y verás que, quizá inadvertidamente, en algún momento se le escapó la frase que Constance cita: «En venganza, ahí es donde todo acabará».

—¿Y?

—Esterhazy siempre se ha mostrado muy orgulloso de su agudeza. «En venganza, ahí es donde todo acabará.» ¿No te parece una frase curiosa, Vincent?

—No estoy seguro, la verdad. La venganza es el meollo de todo esto.

Pendergast agitó la mano con un gesto de impaciencia.

—¿Y si en vez de a un acto se refiere a un lugar?

Siguió un largo silencio.

—Esterhazy se ha llevado a Constance a cierto sitio llamado Venganza. Podría ser una vieja mansión familiar. Una finca. Un negocio. Es un juego de palabras muy propio de Esterhazy, especialmente en un momento de triunfo, y no hay duda de que para él la ocasión lo era.

D'Agosta menó la cabeza.

—Me parece una conjetura muy poco consistente. ¿Quién llamaría Venganza a algo?

Pendergast volvió sus plateados ojos hacia el escéptico policía.

—¿Tenemos alguna otra pista que seguir?

—No, supongo que no —repuso D'Agosta al cabo de un momento.

—¿Y crees que un centenar de agentes de la policía que vayan por ahí llamando a las puertas, van a tener más posibilidades de éxito que yo siguiendo esta posible pista?

—Es una aguja en un pajar. ¿Cómo vas a dar con ello?

—Conozco a una persona excepcionalmente dotada para dar con algo así. Vamos, el tiempo corre.

Se volvió hacia Felder y Ostrom.

—Nos vamos, caballeros.

Mientras salían, y los médicos avivaban el paso para que Pendergast no los dejara atrás, el agente del FBI cogió el móvil y marcó.

—¿Mime? —dijo—. Soy Pendergast. Tengo otro encargo para ti, uno muy difícil, me temo. —Siguió hablando muy rápido y en voz baja de camino al vestíbulo. Luego cerró el móvil con un golpe seco, se volvió hacia Felder y Ostrom y con un tono teñido de sarcasmo dijo—: Muchas gracias, doctores, estoy seguro de que sabremos encontrar la salida.

63

Constance recobró la conciencia lentamente. Estaba muy oscuro. Sentía náuseas y tenía un dolor de cabeza atroz. Permaneció muy quieta durante un momento, inclinada hacia delante, confundida, mientras se le aclaraba la cabeza. Entonces, de repente, recordó lo que había pasado.

Intentó moverse, pero descubrió que tenía las manos esposadas a una cadena que le rodeaba la cintura y las piernas atadas a algo que había a su espalda, esta vez firmemente sujetas. Un trozo de cinta americana le tapaba la boca. El aire era húmedo y olía a gasoil y a moho. Notó un leve balanceo y el sonido del agua golpeando un casco. Estaba a bordo de una embarcación.

Aguzó el oído. Había gente a bordo..., oyó voces apagadas. Se quedó muy quieta, intentando poner orden en sus pensamientos y calmar los latidos de su corazón. Notaba los brazos y las piernas doloridos y entumecidos: seguramente había estado horas inconsciente, quizá muchas horas.

El tiempo pasó. Y entonces oyó pasos que se acercaban. Se abrió una rendija de luz y un momento después se encendió una bombilla. Constance parpadeó. En el umbral se hallaba el individuo que se llamaba a sí mismo tanto doctor Poole como Esterhazy. La miró, su atractivo rostro estaba marcado por la tensión y por los arañazos que ella le había dejado. Tras él, en un estrecho pasillo, vio una segunda figura.

El hombre se le acercó.

—Vamos a trasladarla. Por su propio bien, no intente hacer nada.

Constance se limitó a fulminarlo con la mirada. No podía moverse, no podía hablar.

Esterhazy sacó un cuchillo y cortó la cinta americana que ataba las piernas de la joven a un poste de una de las bodegas del barco. Segundos después estaba libre.

—Vamos. —Esterhazy le agarró las esposadas muñecas.

Constance se tambaleó, tenía las piernas agarrotadas y los pies entumecidos, pequeñas chispas de dolor centelleaban ante sus ojos con cada movimiento. Esterhazy la sujetó ante él y la ayudó a caminar hacia la puerta. Constance tuvo que agacharse para salir. Esterhazy la seguía.

La figura que esperaba fuera era... una mujer. Constance la reconoció: la pelirroja del jardín trasero. La mujer le devolvió la mirada con una leve sonrisa en los labios.

Así pues, su nota no había llegado a manos de Pendergast. Había sido en vano. De hecho, seguramente se había tratado de algún tipo de artimaña.

—Cójala del otro brazo —dijo Esterhazy a la pelirroja—. Es del todo impredecible.

La mujer la sujetó por el brazo y entre los dos la escoltaron por el pasillo hasta otra compuerta aún más pequeña. Constance no se resistía, se dejaba llevar, con la cabeza gacha. Cuando Esterhazy la soltó y se adelantó para abrirla, Constance se armó de valor: embistió a la mujer y le dio un cabezazo en el estómago. Con un grito ahogado, la pelirroja cayó hacia atrás y se estrelló contra un mamparo. Esterhazy se volvió y Constance intentó derribarlo, pero él la rodeó con un fuerte abrazo y la inmovilizó. La pelirroja se puso en pie, se acercó a ella, la agarró del pelo, tiró de la cabeza hacia atrás y la abofeteó con fuerza dos veces.

—Eso no es necesario —dijo Esterhazy en tono cortante. Luego obligó a Constance a mirarlo a la cara—: Haga lo que le digo o de lo contrario esta gente le hará mucho daño. ¿Entendido?

Ella, incapaz de hablar, le lanzó una mirada de odio mientras se esforzaba por recobrar el aliento.

Esterhazy la empujó dentro de la oscura sala que había tras la compuerta y él y la pelirroja la siguieron. Se hallaban en otra bodega. En el suelo había una escotilla. Esterhazy se agachó, aflojó los pernos y la abrió, revelando un espacio oscuro y pestilente. A pesar de la escasa luz, Constance vio que se trataba de la sentina, donde la quilla formaba una «V». Sin duda estaban cerca de la proa del barco.

Esterhazy se limitó a señalar la negra abertura.

Constance retrocedió.

Sintió un fuerte golpe en el cogote. La mujer la había golpeado con la mano abierta.

—Abajo —ordenó.

—Deje que yo me ocupe —intervino Esterhazy, disgustado.

Constance se sentó, metió los pies por la escotilla y se dejó caer lentamente. El espacio era más grande de lo que le había parecido. Alzó la mirada y vio que la pelirroja se disponía a pegarle de nuevo, esta vez con el puño. Esterhazy le sujetó la muñeca con escasa amabilidad.

—No es necesario —dijo—. No pienso repetírselo.

Una solitaria lágrima asomó en los ojos de Constance y se apresuró a limpiársela. Hacía tanto que no lloraba que no recordaba cuánto, y no tenía intención de que aquella gentuza la viera hacerlo. Sin duda se debía a la sorpresa de haber visto a la mujer pelirroja y haber comprendido que se había aferrado a la vana esperanza que aquella nota le ofrecía.

Se sentó y se apoyó contra un mamparo. La escotilla se cerró, seguida del sonido de los pernos al enroscarse.

Allí abajo la oscuridad era total, mayor que en la bodega anterior. El sonido del oleaje contra el casco llenaba la sentina; tenía la sensación de hallarse bajo el agua.

Se encontraba mal, como si estuviera mareada. Si vomitaba,

la mordaza haría que se tragara su propio vómito, y se ahogaría. No podía permitir que le ocurriera algo así.

Cambió de postura, intentó ponerse cómoda y pensar en otra cosa. Al fin y al cabo, estaba acostumbrada a la oscuridad y a los espacios pequeños. Aquello no era nada nuevo, se dijo. Nada nuevo en absoluto.

64

A las dos y media de la tarde —es decir, justo después de levantarse—, Corrie Swanson salió de su dormitorio, bajó a la calle y se dirigió a su cubículo favorito de la Biblioteca Sealy, en la Décima Avenida. Por el camino se detuvo en la cafetería del barrio. Parecía que el invierno hubiera llegado de repente; un fuerte viento hacía volar los papeles de la acera. Sin embargo, la cafetería era un cálido oasis, con su ruido de platos y su bullicio. Pidió un café y cogió un ejemplar del *New York Times* de la pila de diarios que había en el mostrador. Se disponía a marcharse cuando reparó en el titular del *Post*:

Macabra decapitación en Riverside Park

Cogió también el *Post*, no sin cierto reparo. Siempre había considerado que era un periódico para idiotas, pero a menudo informaba de los crímenes más espantosos que el *Times* solía evitar y que eran su secreta pasión.

Cuando llegó a su cubículo de la biblioteca, tomó asiento, miró en derredor para tener la seguridad de que nadie la observaba y, con una punzada de vergüenza, abrió en primer lugar el *Post*.

Se echó hacia atrás en el acto, horrorizada. La víctima era un tal Edward Betterton, de Mississippi, que estaba de vacaciones en la ciudad y cuyo cuerpo había sido hallado en una zona apartada de Riverside Park, detrás la estatua de Juana de Arco. Le habían cortado el cuello con tanta violencia que casi le habían arrancado la cabeza del tronco. El *Post* añadía que presentaba otras mutilaciones que hacían pensar en un ajuste de cuentas entre bandas, aunque también podía tratarse de un atraco especialmente violento, porque la víctima había sido encontrada con los bolsillos vueltos del revés y sin ningún objeto de valor encima.

Corrie volvió a leer el artículo de principio a fin, esta vez más despacio. Betterton. Eso era espantoso. No le había parecido un mal tipo, solo fuera de lugar. Lo cierto era que se arrepentía de haberle echado aquel rapapolvo.

Pero ese brutal asesinato no podía ser una coincidencia. Aunque estuviera totalmente equivocado en lo tocante a Pendergast, Betterton andaba detrás de algo. Un asunto de drogas, había dicho. Intentó recordar la dirección de la casa de la que le había hablado. Se concentró, temerosa de haberla olvidado, y entonces la recordó: el 428 de East End Avenue.

Dejó el tabloide con gesto pensativo. Pendergast. ¿De qué manera estaba implicado? ¿Sabía algo de Betterton? ¿Estaba realmente trabajando por su cuenta, sin apoyo? ¿De verdad había hecho saltar por los aires una tienda de artículos de pesca?

Le había prometido no interferir. Pero ni siquiera Pendergast diría que comprobar algo, simplemente comprobarlo, fuera «interferir».

65

El agente especial Pendergast, sentado en un coche de alquiler aparcado en la rotonda sobre la calle Setenta y nueve, desde donde se divisaba el puerto deportivo, examinaba con unos prismáticos el yate anclado a cierta distancia de los pantalanes. Con sus más de cuarenta metros, era el más grande del puerto y estaba equipado con los últimos adelantos. Cuando el viento roló, el barco osciló alrededor de la boya y le mostró el nombre y el puerto de origen pintados en la popa.

Vergeltung
Orchid Island, Florida

Un viento frío procendente del mar zarandeó el coche y levantó blancas crestas en el ancho Hudson.

El móvil que había en el asiento del pasajero empezó a sonar. Pendergast bajó los prismáticos y contestó.

—Diga...

—¿Hablo con mi agente secreto favorito? —dijo una voz susurrante desde el otro lado de la línea.

—Hola, Mime —repuso Pendergast—. ¿Cómo te va?

—Has encontrado el yate, ¿no?

—Ahora mismo lo estoy observando.

Una risita de satisfacción sonó a través del aparato.

—Estupendo, estupendo. ¿Crees que lo tenemos?

330

—Desde luego que sí, Mime, y gracias a ti.

—*Vergeltung*, que significa «venganza» en alemán. Fue un verdadero reto. Esa red fantasma de ordenadores zombis de la que me he apropiado por todo Cleveland llevaba bastante tiempo inactiva. Ya era hora de que la pusiera a trabajar en algo útil.

—Preferiría no conocer los detalles, pero tienes toda mi gratitud.

—Me alegro de haberte sido de más ayuda esta vez. Mantén la cabeza fría, muchacho.

Se oyó un clic y la comunicación se cortó.

Pendergast se guardó el móvil en el bolsillo y puso el coche en marcha. Se dirigió hacia el puerto deportivo y se detuvo ante la verja de entrada que daba acceso al pantalán principal. Un hombre de impecable uniforme —sin duda un ex policía— se asomó desde la garita.

—¿En qué puedo ayudarlo?

—Vengo a ver al señor Lowe, el director del puerto.

—¿Y usted es...?

Pendergast sacó su placa y se la mostró.

—Soy el agente especial Pendergast.

—¿Tiene una cita?

—No.

—¿Y el motivo de su visita es...?

Pendergast se limitó a mirarlo fijamente. Luego sonrió.

—¿Hay algún problema? Porque si es así, preferiría saberlo ahora.

El guardia parpadeó.

—Un momento. —Se retiró y habló por teléfono con alguien. Luego abrió la verja—. Entre y deje el coche en el aparcamiento. El señor Lowe saldrá enseguida.

El «enseguida» se demoró algo más de lo esperado. Al fin, un hombre alto y fornido, con aspecto de marinero, salió del edificio principal del puerto y se acercó a grandes zancadas. Su aliento dejaba nubecillas de condensación en el frío aire. Pendergast se apeó del coche y lo esperó junto al vehículo.

—Vaya, vaya, conque del FBI... —dijo el hombre tendiéndole la mano con una sonrisa y un destello en sus ojos azules—. ¿Qué puedo hacer por usted?

Pendergast señaló el gran yate con la cabeza.

—Me gustaría que me diera cierta información sobre ese barco.

—¿A qué se debe su interés? —preguntó Lowe sin perder la sonrisa.

—Un asunto oficial —repuso Pendergast sonriendo a su vez.

—Oficial. Bueno, eso es curioso, porque acabo de hablar con la oficina del FBI de Nueva York para preguntarles si un tal agente Pendergrast está trabajando en algún caso relacionado con este puerto y...

—Pendergast.

—Disculpe. Pendergast. Me han dicho que se ha tomado un permiso y que no está trabajando en ningún caso. Así que debo suponer que está obrando por su cuenta y utilizando su placa de modo indebido, lo cual va en contra de las normas del FBI, si no me equivoco.

La sonrisa de Pendergast no vaciló.

—No se equivoca.

—En ese caso, yo ahora regresaré a mi despacho y usted se marchará con viento fresco. Y si vuelvo a verlo por aquí, llamaré al FBI e informaré de que uno de sus agentes especiales va por ahí utilizando su placa para intimidar a los ciudadanos que respetan la ley.

—¿Intimidar? Cuando empiece a intimidarlo, sabrá lo que es eso.

—¿Es una amenaza?

—Es una predicción. —Pendergast señaló con la cabeza las aguas del puerto—. Supongo que ve ese yate de ahí. Tengo motivos para pensar que se va a cometer un grave delito a bordo. Y si ese delito se produce, yo me haré cargo del caso con todas las prerrogativas de mi cargo, y usted, naturalmente, será investigado como cómplice colaborador.

—Amenaza en vano. Usted sabe perfectamente que no soy ningún cómplice colaborador. Si se va a cometer un delito, señor Prendergast, le recomiendo que llame a la policía.

—Pendergast. —Su tono fue razonable—. Lo único que le estoy pidiendo, señor Lowe, es un poco de información acerca de ese barco, de su tripulación y de sus idas y venidas; información que quedará estrictamente entre nosotros porque veo que es usted una persona amigable a quien le gusta cooperar con los representantes de la ley.

—Si esto es lo que usted llama «intimidación», no le está funcionando. Mi trabajo consiste en proteger la intimidad de los clientes que patrocinan este puerto deportivo, y eso es lo que pretendo hacer. Si usted vuelve con una orden judicial, estupendo. Si viene la policía de Nueva York, estupendo también. Entonces cooperaré. Pero no quiero saber nada de agentes del FBI que enseñan su placa en sus horas libres. Y ahora piérdase.

—Cuando investiguemos este crimen, mis colegas, la sección de Homicidios de la policía de Nueva York, querrán saber por qué aceptó dinero de la gente de ese yate.

Una duda asomó al rostro de Lowe.

—Las propinas forman parte de este negocio. Es como con los taxistas. No hay nada malo en ello.

—Desde luego que no, al menos hasta que la propina alcanza cierta cantidad. Entonces se convierte en un pago. Quizá incluso en un soborno. Y cuando dicho soborno se hace con el propósito de mantener alejadas a las autoridades, entonces quien lo acepta, usted, señor Lowe, se convierte en cómplice colaborador. Más aún si llega a saberse que no solo amenazó con matarme si no me marchaba del puerto, sino que también insultó a lo más granado de la policía con un lenguaje ofensivo.

—¿Qué demonios está diciendo? Yo no lo he amenazado a usted ni a la policía.

—Sus palabras exactas han sido: «Tengo amigos que le meterán una bala en la cabeza si no se larga de aquí, y esto también vale para los cerdos de la pasma».

—¡Yo no he dicho nada parecido! ¡Es usted un cabrón embustero!

—Cierto. Pero eso solo lo sabemos usted y yo. Todos los demás creerán a pies juntillas lo que yo les diga.

—¡No se saldrá con la suya! ¡Se está marcando un farol!

—Soy un hombre desesperado, señor Lowe, y estoy actuando fuera de las normas. Haré lo que sea, mentir, coaccionar y engañar, para obligarlo a cooperar. —Sacó el móvil—. Mire, voy a llamar a Emergencias del FBI para informarles de sus amenazas y solicitar refuerzos. Cuando lo haga, su vida cambiará para siempre, a menos que... —Arqueó una ceja y alzó el móvil.

Lowe lo fulminó con la mirada, temblaba de rabia.

—Maldito hijo de puta.

—Interpretaré eso como un «sí». ¿Qué le parece si vamos a su despacho? Se ha levantado un viento de lo más desagradable procedente del Hudson.

66

El edificio de East End Avenue no era una antigua casa de piedra. Era de ladrillo, estrecho y solo tenía un par de pisos. En todo el East Side no habría sido posible encontrar nada más viejo y abandonado, pensó Corrie mientras lo observaba, apoyada en el árbol de la acera de enfrente, bebiendo café y fingiendo leer un libro.

Las ventanas tenían las persianas echadas y, a juzgar por lo amarillentas que estaban, debían de llevar mucho tiempo así. Los marcos estaban sucios y protegidos por barrotes. El pórtico se veía agrietado, y ante la puerta del sótano se acumulaba la basura. Sin embargo, a pesar de su ruinosa apariencia, el edificio parecía cuidadosamente cerrado: los candados de la puerta principal brillaban de tan nuevos que eran, y tampoco los barrotes de las ventanas parecían viejos.

Acabó el café, guardó el libro y empezó a caminar por la calle. El barrio, en otro tiempo alemán, era conocido con cierta guasa como «el gueto de las chicas» porque se había convertido en la zona favorita de muchas jóvenes licenciadas, recién llegadas a Manhattan, que buscaban un lugar tranquilo donde instalarse. Era limpio, tranquilo y seguro. Las calles estaban llenas de atractivas jóvenes, muchas de ellas con aspecto de trabajar en Wall Street o en los grandes bufetes de abogados de Park Avenue.

Corrie arrugó la nariz y siguió hasta el final de la manzana. Betterton había dicho que había visto a alguien salir del edificio, pero ella tenía la impresión de que hacía lustros que de allí no salía nadie.

Dio media vuelta y caminó en dirección contraria. No estaba convencida. La casa formaba parte de una larga hilera de antiguos edificios de piedra, y sin duda todos tenían su jardín trasero. Si encontrara la manera de echar un vistazo a la parte de atrás de la casa podría valorar mejor la situación. Naturalmente, cabía la posibilidad de que todo fuera fruto de la imaginación desbocada de Betterton. No obstante, había algo creíble en la historia que le había contado de que Pendergast había hecho saltar por los aires un local, arrasado un laboratorio de drogas y hundido unas cuantas barcas. Y aunque Betterton se equivocaba, debía reconocer que le había parecido un tipo duro e inteligente, no de los que se dejaban matar fácilmente. Sin embargo, muerto estaba.

Cuando llegó a mitad de la manzana, contempló los edificios de piedra que flanqueaban la casa del número 428. Eran los típicos edificios del East Side, con varios apartamentos por planta. Los estaba observando cuando una joven salió de uno de ellos; vestía un elegante traje chaqueta y llevaba un maletín. La chica pasó junto a ella mirándola de soslayo y dejó tras de sí un rastro de perfume caro. Otras jóvenes iban y venían por las aceras, y todas parecían cortadas por el mismo patrón: profesionales vestidas con traje o equipadas para hacer jogging. Corrie comprendió entonces que, con su aspecto gótico —pelo en punta, pendientes, anillos y tatuajes—, llamaba penosamente la atención.

«¿Qué puedo hacer?», se preguntó. Entró en una tienda de *bagels*, pidió un *bialy* de salmón y se sentó junto a una ventana desde la que podía observar la calle. Si conseguía trabar amistad con alguno de los inquilinos de los pisos a nivel de calle, quizá podría convencerlo para que le enseñara el jardín trasero. Pero en Nueva York uno no se acercaba así como así a un desconocido y lo saludaba. Ya no estaba en Kansas.

Entonces vio que del edificio situado a la derecha del 428

salía una chica con el pelo largo y negro vestida con una minifalda de cuero y botas altas negras.

Dejó rápidamente unos cuantos billetes encima de la mesa, salió corriendo de la tienda de *bagels* y echó a andar por la acera balanceando el bolso, mirando el cielo y manteniendo una deliberada trayectoria de colisión con la colega gótica que se le acercaba de frente.

Había sido muy fácil. En ese momento el sol se ponía y Corrie estaba tranquilamente sentada en la pequeña cocina del apartamento a nivel de la calle, bebiendo té verde y escuchando a su nueva amiga quejarse de los yuppies del barrio. Se llamaba Maggie y trabajaba de camarera en un club de jazz mientras intentaba abrirse paso en el mundo del teatro. Era simpática, inteligente y estaba hambrienta de compañía.

—Me encantaría mudarme a Long Island o a Brooklyn —decía—, pero mi padre es de los que creen que cualquier sitio de Nueva York que no sea el Upper East Side está lleno de violadores y asesinos.

Corrie rió.

—Quizá tenga razón. El edificio de aquí al lado parece de lo más siniestro. —Se sintió fatal por manipular a una chica a la que le gustaría tener de amiga.

—Creo que está abandonado. Me parece que nunca he visto entrar o salir a nadie. Es raro, porque debe de valer una pasta. Una magnífica propiedad inmobiliaria desaprovechada.

Corrie removió su té y se preguntó cómo se las iba a arreglar para salir al patio trasero, saltar el muro divisorio para acceder a la vieja casa de al lado y... forzar la entrada.

«Forzar la entrada.» ¿De verdad iba a hacer eso? Por primera vez se detuvo a pensar por qué, exactamente, estaba allí y qué se proponía. Se había dicho a sí misma que examinaría la situación, nada más. Estaba estudiando derecho en John Jay, ¿era sensato considerar siquiera cometer allanamiento de morada?

Y eso era solo la mitad de la historia. Desde luego, en Medicine Creek había forzado multitud de puertas porque sí, pero, si Betterton estaba en lo cierto, esa gente eran traficantes de droga realmente peligrosos. Y Betterton estaba muerto. Además, claro, estaba la promesa que le había hecho a Pendergast...

No la rompería, por supuesto que no, pero haría una pequeña comprobación. No se la jugaría, miraría por las ventanas y mantendría la distancia. Al primer indicio de problemas o de peligro, se largaría.

Se volvió hacia Maggie y suspiró.

—Me gusta este piso. Ojalá tuviera algo parecido. Pasado mañana termina mi contrato de alquiler y no tendré el nuevo apartamento hasta dentro de una semana. Supongo que buscaré un hotel barato o algo así.

El rostro de Maggie se iluminó.

—¿Necesitas un sitio donde instalarte unos días?

—¡Vaya si lo necesito! —contestó Corrie con una sonrisa.

—Pues a mí me encantaría tener a alguien aquí. A veces vivir sola da un poco de cosa... ¿Sabes?, anoche, cuando volví a casa, tuve la extraña sensación de que alguien había entrado aquí mientras yo estaba fuera...

67

A las diez de la noche, el viento había arreciado y levantaba blancas crestas en la superficie del río Hudson. La temperatura se mantenía unos pocos grados por encima de cero. La marea se retiraba y las aguas del río fluían suavemente hacia el puerto de Nueva York. Las luces de New Jersey se reflejaban en la negra corriente.

Diez manzanas al norte del puerto deportivo de la calle Setenta y nueve, una oscura silueta se movió en la orilla, bajo la West Side Highway. Arrastraba una especie de balsa hecha con viejas tablas de madera y fragmentos de espuma de poliuretano atados entre sí. La echó al agua, se subió encima y se cubrió con un trozo de lona vieja. Acto seguido, sacó un palo con un extremo aplanado; en el agua resultaba prácticamente invisible y podía utilizarlo como timón de lo que parecía un montón de basura flotante.

Empujándose con el palo, el hombre se apartó de la orilla, se dejó arrastrar por la corriente y se unió a otros restos que flotaban en la superficie del río.

Siguió alejándose hasta estar a unos cincuenta metros de la orilla y después se dejó llevar y giró despacio hacia un grupo de yates anclados cerca cuyas luces de fondeo atravesaban la oscuridad. Lentamente, los restos flotantes pasaron entre las embarcaciones, golpeando suavemente un casco y luego otro, en su viaje aparentemente azaroso. Poco a poco se fue acercando al yate más grande, chocó ligeramente contra el casco y se deslizó hacia la popa. Al pasar junto a ella se oyó cierto movimiento, un crujido y un chapoteo, y después se hizo de nuevo el silencio mientras los restos flotantes, ya sin su ocupante, dejaban atrás el yate y se perdían en la oscuridad.

Pendergast, vestido con un traje de neopreno, se agachó en la plataforma de baño situada en la popa del *Vergeltung* y aguzó el oído. Todo estaba en silencio. Al cabo de un momento, levantó la cabeza y se asomó por encima de la borda. Divisó a dos hombres en la oscuridad. Uno estaba tranquilamente sentado en la cubierta de popa fumando un cigarrillo; el otro caminaba por la zona delantera de la cubierta, apenas visible desde aquel ángulo.

Mientras Pendergast observaba, el hombre de la cubierta de popa sacó una botella y dio un buen trago. Unos minutos después, se levantó con paso vacilante, dio una vuelta por la cubierta, se detuvo a menos de un metro de Pendergast, contempló el agua y luego volvió a su asiento y dio otro trago. Apagó el cigarrillo y encendió otro.

Pendergast sacó la Les Baer.45 que llevaba en su bolsa de submarinismo y la comprobó rápidamente. Luego volvió a guardarla en la bolsa y cogió un tubo de goma.

Aguardó y observó. El hombre seguía bebiendo y fumando, hasta que por fin se levantó, fue hacia una puerta, la abrió y desapareció en el interior del yate, cuyas luces brillaban a través de las ventanas.

En un abrir y cerrar de ojos, Pendergast subió a la cubierta trasera y se ocultó tras un par de botes auxiliares.

Gracias a su nuevo amigo Lowe, Pendergast sabía que a bordo solo había unos pocos miembros de la tripulación. La mayoría había bajado a tierra aquella tarde, y el director del puerto creía que en el barco quedaban cuatro personas. Estaba por ver cuán fiable era esa información.

Según la descripción de Lowe, uno de ellos era sin duda Esterhazy. Además, entre los suministros que Lowe había visto cargar había dos grandes cajas estancas lo bastante grandes para esconder en ellas a una persona inconsciente o incluso un cadáver.

Pendergast pensó brevemente qué le haría a Esterhazy si ya había matado a Constance.

Esterhazy estaba sentado en un compartimiento de la sala de máquinas, junto a Falkoner, la mujer pelirroja —cuyo nombre desconocía— y otros cuatro hombres armados con subfusiles Beretta 93R configurados para que dispararan ráfagas de tres tiros. Falkoner había insistido en que se retiraran a la sala de máquinas —el lugar más seguro del barco— mientras durara la operación. Nadie hablaba.

Unos pasos amortiguados se acercaron a la puerta y alguien llamó con tres golpecitos rápidos y luego otros dos. Falkoner se levantó y abrió. Un hombre con un cigarrillo en los labios entró.

—Apague eso —ordenó Falkoner.

El hombre se apresuró a obedecer.

—Está a bordo —anunció.

—¿Desde cuándo?

—Desde hace unos cinco minutos. Lo ha hecho muy bien. Llegó con un montón de restos flotantes. Por poco no lo veo. Trepó a la plataforma de baño y ahora está en la cubierta de popa. Vic lo vigila desde su puesto del *flybridge* con el sistema de visión nocturna por infrarrojos.

—¿Sospecha algo?

—No. Fingí que estaba borracho, como usted me dijo.

—Perfecto.

Esterhazy se levantó.

—Maldita sea, si ha tenido la oportunidad de matarlo tendría que haberla aprovechado. No pretendan ponerse chulos con él. Ese hombre vale por media docena de ustedes. A la primera oportunidad, disparen.

—No —dijo Falkoner.

Esterhazy lo miró fijamente.

—¿Qué quiere decir «no»? Ya lo habíamos hablado y...

—Lo quiero vivo. Tengo unas cuantas preguntas que hacerle antes de que lo matemos.

Esterhazy le sostuvo la mirada.

—Está cometiendo un grave error. Aunque consiga capturarlo con vida, él no responderá a ninguna pregunta.

Falkoner le regaló una sonrisa brutal que estrechó el repulsivo lunar.

—Nunca he tenido problemas para que la gente respondiera a mis preguntas. Pero me pregunto, Judson, por qué eso supone un problema para usted. ¿Teme que descubramos algo que preferiría mantener en secreto?

—No tiene ni idea de con quién se enfrenta —repuso Esterhazy rápidamente; una familiar punzada de miedo se sumó a su nerviosismo—. Será usted un loco si no lo mata a la primera oportunidad, antes de que él pueda intuir lo que está ocurriendo.

Falkoner lo miró aviesamente.

—Somos una docena de hombres, todos bien armados y entrenados. ¿Qué pasa, Judson? ¿Hemos cuidado de usted durante todos estos años y ahora no confía en nosotros? Me sorprende y me ofende.

Su voz estaba cargada de sarcasmo. Esterhazy notó que el miedo crecía en el fondo de sus tripas.

—Estaremos en aguas abiertas y en nuestro barco —prosiguió Falkoner—. El factor sorpresa está de nuestra parte... Pendergast no sabe que se ha metido en una trampa. Y tenemos a esa mujer maniatada en la sentina. Ese agente del FBI se halla a nuestra merced.

Esterhazy tragó saliva. «Lo mismo que yo», pensó.

Falkoner conectó el intercomunicador portátil.

—Llévenos a alta mar —dijo. Luego, miró a los hombres reunidos en la sala de máquinas y añadió—: Dejaremos que los otros se ocupen de él. Si las cosas se tuercen, intervendremos.

Pendergast, todavía agachado tras los botes auxiliares, notó que una vibración recorría el yate. Los motores se habían puesto en marcha. Oyó voces a proa y que soltaban amarras. Luego vio que la proa giraba en dirección oeste y hacia el canal navegable del río. Los motores aceleraron a plena potencia.

Sopesó si la partida del yate y su llegada podían deberse a una simple coincidencia y llegó a la conclusión de que no.

68

A *bordo del* Vergeltung

Esterhazy esperó con Falkoner en la sala de máquinas. Los dos motores diésel, que funcionaban a velocidad de crucero, llenaban de ruido el reducido espacio.

Miró el reloj. Habían pasado diez minutos desde que Pendergast había subido a bordo. La tensión en el ambiente era palpable. Aquello no le gustaba, no le gustaba nada. Falkoner le había mentido.

Había puesto exquisito cuidado en atraer a Pendergast hacia allí. Constance había hecho exactamente lo que esperaba de ella: librarse de sus débiles ataduras, escribir una nota de socorro y arrojarla por la ventana al jardín de la casa vecina. Y el hecho de que Pendergast se encontrara a bordo significaba que se había tragado el anzuelo que con tanto cuidado había preparado: «venganza», en alemán «*vergeltung*». Había dado a Pendergast la información suficiente para que localizara el barco, pero no tanta como para que sospechara una trampa. Una jugada maestra.

Pero ahora Falkoner insistía en capturar a Pendergast con vida. Sintió ganas de vomitar. Sabía que una de las razones de Falkoner era que disfrutaba torturando. Aquel hombre era un perturbado, y su arrogancia y su sadismo podían complicarlo todo.

Sintió que su antiguo miedo y paranoia iban en aumento.

344

Comprobó su pistola. Si Falkoner no iba hasta el final a la primera oportunidad, tendría que encargarse él. Acabar lo que había empezado en los páramos de Escocia. Y hacerlo antes de que Pendergast revelara —intencionadamente o no— el secreto que Esterhazy había ocultado a la Alianza durante la última década. Dios..., si Pendergast no hubiera examinado aquel viejo rifle... Si hubiera dejado las cosas como estaban... El agente del FBI no tenía ni idea, ni la menor idea de la locura que había desatado. Quizá tendría que haber compartido ese terrible secreto con Pendergast años atrás, cuando se casó con su hermana.

Ahora era demasiado tarde.

El intercomunicador de Falkoner chisporroteó.

—Soy Vic —dijo una voz—. No sé cómo ha ocurrido, pero parece que lo hemos perdido. Ya no está detrás de las barcas auxiliares.

—*Verdammter Mist!* —maldijo Falkoner, irritado—. ¿Cómo demonios habéis podido perderlo?

—No lo sé. Estaba escondido en un sitio donde no podíamos verlo. Esperamos un rato y, como no ocurría nada, dejé a Berger vigilando la cabina principal, subí al puente para tener mejor ángulo de visión y... ya no estaba ahí. No sé cómo lo ha hecho. Haya ido hacia donde haya ido, tendríamos que haberlo visto.

—Tiene que estar en alguna parte por ahí abajo —dijo Falkoner—. Todas las puertas están cerradas con llave. Envía a Berger a la cubierta de popa y cúbrelo desde tu posición en el *flybridge*.

Esterhazy habló a través de su radio.

—Una puerta cerrada con llave no es un obstáculo para Pendergast.

—No puede haber cruzado la puerta de la cabina principal sin que lo hayamos visto —dijo Viktor.

—Oblíguenlo a salir —ordenó Falkoner—. Capitán, ¿cuál es nuestra posición?

—Nos estamos acercando al puerto de Nueva York.

—Mantenga la velocidad de crucero y diríjase a mar abierto.

Viktor se agachó en el *flybridge* del *Vergeltung*, tres pisos por encima del nivel del mar. El yate acababa de dejar atrás el nuevo World Trade Center en construcción y estaba rodeando el extremo sur de Manhattan. The Battery quedaba a estribor, iluminado por una batería de reflectores. Los edificios del barrio financiero se alzaban como racimos de luces que bañaban el agua y el barco con su resplandor.

Debajo de él, la cubierta de popa del *Vergeltung* quedaba ligeramente iluminada por la claridad de los rascacielos. Dos barcas auxiliares con motor fuera borda, que se usaban para ir y volver de tierra cuando el yate estaba fondeado, descansaban en el lado de babor, una junto a otra en sus plataformas de botadura y cubiertas por una lona. Era imposible que Pendergast hubiera ido hacia proa sin que lo vieran cruzar la cubierta. Y la habían vigilado como halcones. Tenía que seguir necesariamente en la zona de popa.

Con sus gafas de visión nocturna, vio a Berger salir de la cabina principal con el subfusil preparado. Viktor se bajó las gafas y apuntó con su arma para cubrirlo.

Berger se detuvo un momento entre las sombras, armándose de valor. Luego corrió agazapado hasta el primer bote auxiliar y se agachó junto a su proa.

Viktor esperó, listo para vaciar el cargador de su Beretta al menor movimiento. Era un ex soldado, y la orden de Falkoner de capturar a aquel hombre con vida le traía sin cuidado. Si aquel tipo asomaba la cabeza, se la atravesaría de un balazo. No tenía intención de arriesgar la vida de sus compañeros por atrapar vivo a ese tipo.

Poco a poco, Berger fue arrastrándose junto al bote, hacia la popa.

La radio de Viktor crepitó.

—No hay rastro de él detrás de las barcas auxiliares —dijo la voz de Berger.

—Asegúrate bien. Y ten cuidado, podría estar de nuevo tras el espejo de popa, preparado para abalanzarse sobre cualquiera que se acerque.

Sin dejar de apuntar con su arma, Viktor observó como Berger se arrastraba de la primera barca a la segunda.

—Aquí tampoco está —dijo por radio.

—Entonces es que ha vuelto a la plataforma de popa —repuso Viktor.

Vio que Berger avanzaba agachado hacia la barandilla de popa y de repente se levantaba bruscamente y apuntaba con su metralleta hacia la plataforma de baño que había detrás.

—Nada —dijo Berger agachándose de nuevo.

Viktor reflexionó a toda velocidad. Aquello era una locura.

—Dentro. Tiene que estar dentro de una de las barcas, bajo la lona —dijo apuntando el arma hacia los botes.

Berger se acercó al bote más próximo, se apoyó un momento contra la hélice antes de levantarse para descorrer la lona.

Por el intercomunicador, Viktor oyó un débil clic y un pitido. ¡Conocía ese sonido!

—¡Berger! —gritó.

Un atronador rugido surgió del fueraborda del bote. Berger aulló, y un oscuro borbotón salpicó la cubierta cuando su cuerpo fue arrojado a un lado por la hélice, con el costado abierto en canal.

Tras un segundo de horror paralizante, Viktor roció la barca con una serie de ráfagas de su Beretta, la barrió de un lado a otro hasta vaciar el cargador. Los proyectiles desgarraron la lona y atravesaron la embarcación, cualquiera que estuviese escondido dentro acabaría hecho trizas. Segundos después, unas llamas se alzaron en la popa del bote. El cuerpo de Berger seguía donde había caído; una oscura mancha se extendía bajo él.

Viktor sacó el cargador vacío con manos temblorosas y metió uno nuevo.

—¿Qué ocurre? —preguntó la voz de Falkoner por la radio—. ¿Qué estás haciendo?

—¡Ha matado a Berger! —gritó Viktor—. ¡Lo ha...!

—¡Alto el fuego, imbécil! ¡Estamos en un barco! ¡Podrías provocar un incendio!

Viktor contempló las llamas que lamían la lona de la barca. Oyó una explosión amortiguada y una llamarada mucho mayor brotó del agujereado depósito de gasolina.

—Mierda, un incendio...

—¿Dónde?

—En uno de los botes.

—¡Pues lánzalo al agua! ¡Lánzalo ya!

—¡Sí, señor!

Viktor bajó a toda prisa a la cubierta principal y corrió hacia la barca auxiliar. No vio al tal Pendergast por ninguna parte. Sin duda yacía en el interior del bote, acribillado a balazos. Retiró los cables que lo sujetaban, abrió el espejo de popa y apretó el botón del chigre. El bote se movió hacia atrás y empezó a deslizarse por los raíles de botadura. Viktor se acercó a la proa y empujó para darle un impulso adicional. Cuando la popa en llamas rozó la estela del yate, la ola zarandeó el bote y lo arrancó de la cubierta. Viktor perdió momentáneamente el equilibrio, pero se las arregló para agarrarse a la barandilla y se recompuso rápidamente. La barca en llamas cayó al mar, empezó a dar vueltas y a hundirse, llevándose con ella el fuego y sin duda el cuerpo sin vida de Pendergast. Viktor se sintió profundamente aliviado.

Hasta que notó que lo empujaban por detrás al tiempo que le arrancaban el dispositivo de radio de la cabeza, y cayó a las agitadas aguas, tras el bote auxiliar en llamas.

69

Agachado tras el costado de babor del segundo bote auxiliar, Pendergast observó como la barca en llamas desaparecía a medida que las oscuras aguas del puerto de Nueva York se cerraban sobre ella. Los gritos del hombre al que había arrojado por la borda se fueron haciendo cada vez más débiles, y enseguida quedaron ahogados por el ruido de los motores, el viento y el mar. Se colocó los auriculares y el micrófono y empezó a escuchar las voces de alarma. Enseguida se hizo una imagen mental del número de jugadores, de sus respectivas ubicaciones y de sus distintos estados de ánimo.

De lo más revelador.

Mientras escuchaba, se quitó el mojado y molesto traje de neopreno y lo arrojó por la borda. Sacó la ropa que llevaba en la bolsa de submarinismo, se vistió rápidamente y se deshizo también de esta. Minutos después se arrastró hacia la proa del bote auxiliar. El *flybridge* que se hallaba encima de los botes parecía desierto. Un único hombre armado patrullaba en esos momentos el puente superior, y desde ambos extremos disponía de una posición dominante sobre el puente de popa.

Pendergast vio que el hombre miraba hacia el lugar donde se había hundido el bote auxiliar y hablaba por el intercomunicador. Al cabo de un momento, entró en el salón superior y empezó a caminar arriba y abajo frente a la timonera, vigilando. Pendergast contó los segundos que tardaba en ir y venir y calculó sus propios movimientos. Esperó el momento oportuno y cruzó corriendo el puente principal hacia la entrada trasera del salón principal y se agachó al pie de la puerta. El voladizo del *flybridge* impedía que lo vieran desde arriba. Probó a abrir la puerta, pero estaba cerrada con llave. La ventana era de cristal ahumado y el salón se hallaba a oscuras, de modo que era imposible ver en su interior.

La cerradura cedió enseguida a sus manipulaciones. El ruido ambiente ensordecía sus movimientos. Aunque había forzado la cerradura, no abrió la puerta todavía. Por las conversaciones de la radio sabía que había más hombres a bordo de lo que había creído inicialmente. Se dio cuenta de que habían engañado a Lowe y de que él había caído en una trampa. El yate se dirigía hacia los Narrows y el mar abierto que se extendía más allá.

Mala suerte.

Sí, mala suerte para las posibilidades de supervivencia de los que se hallaban a bordo.

Escuchó nuevamente las conversaciones por radio y, aunque no se dijo nada del paradero de Constance, Pendergast se hizo un detallado panorama de la situación. Un hombre, sin lugar a dudas el que estaba al mando, se expresaba en una combinación de inglés y alemán desde un lugar donde había mucho ruido de fondo, tal vez la sala de máquinas. Los demás estaban desperdigados por el yate, en sus posiciones, esperando órdenes. No oyó la voz de Esterhazy.

Por lo que pudo deducir, no había nadie en el salón principal. Entreabrió la puerta con sumo cuidado y se asomó al oscuro y elegante interior; las paredes revestidas de caoba, los sofás de cuero blanco, el bar con la encimera de granito y la gruesa moqueta apenas eran visibles en la penumbra. Echó un rápido vistazo alrededor para asegurarse de que estaba desierto.

Oyó pasos apresurados en la escalerilla y el chisporroteo de una radio. Varios hombres se acercaban y llegarían al salón en cualquier momento.

Retrocedió rápidamente y cerró la puerta con sigilo. Se agachó de nuevo tras ella y pegó el oído contra el panel de fibra de vidrio. Los pasos entraron en el salón desde la proa. Por las conversaciones por radio supo enseguida que solo eran dos. Iban a ver qué pasaba con Viktor; lo último que sabían de él era que estaba en el puente de popa, y no había contestado a sus llamadas desde que había lanzado al mar la barca en llamas.

Perfecto.

Se arrastró fuera de su escondite y se pegó a la pared trasera, protegido por el voladizo. Todo volvía a estar en silencio en el salón. Los dos hombres aguzaban el oído y aguardaban, evidentemente asustados.

Desplazándose con sumo cuidado, Pendergast alcanzó la escalerilla que llevaba a la cubierta superior, subió sigilosamente y al llegar arriba se deslizó por la cubierta, oculto a la vista del *flybridge* por un tubo de ventilación.

Reptando por el suelo de fibra, se asomó al voladizo, alargó el brazo y arañó brevemente la puerta con el cañón de la pistola. Sin duda, el ruido habría sonado mucho más fuerte en el interior del salón.

No hubo respuesta. En esos momentos los dos hombres estarían aún más nerviosos que antes. No tenían modo de saber si el ruido había sido una casualidad o si había alguien detrás de la puerta. Esa incerteza los mantendría en el mismo sitio durante unos segundos más.

Se deslizó hacia atrás, siempre oculto tras el tubo de ventilación, apretó el cañón de su Les Baer contra el suelo de fibra de vidrio y disparó. Se oyó una tremenda explosión en el salón cuando el proyectil expansivo de calibre 45 abrió un agujero en el techo, llenando la sala con polvo de fibra y de resina. Pendergast bajó rápida y sigilosamente de la cubierta y volvió a situarse tras la puerta mientras los dos aterrorizados marineros abrían fuego contra el techo con sus metralletas, agujereando la zona que él acababa de abandonar y desvelando su posición en el salón. Uno de ellos hizo lo que era de esperar: salió por la puerta sin dejar de disparar. Pendergast, escondido detrás, lo golpeó en las espinillas y lo remató con un golpe de karate en la nuca. El hombre cayó de bruces, sin sentido.

—¡Hammar! —gritó su compañero desde el salón.

Sin perder tiempo, el agente del FBI entró por la puerta, ahora abierta, del salón. El hombre disparó una ráfaga, pero Pendergast, que lo había previsto, se lanzó al suelo, rodó sobre sí mismo y le atravesó el pecho con un único balazo. El hombre salió despedido hacia atrás contra un gran televisor de plasma y se desplomó bajo una lluvia de cristales.

Pendergast se puso rápidamente en pie, giró hacia la izquierda, salió por la puerta de babor del salón y se pegó a la pared exterior. Oculto por un saliente, se detuvo de nuevo para escuchar las conversaciones por radio. No tardó en volver a hacerse una imagen mental de la situación en el barco y de las variaciones en la posición de los marineros.

—¡Szell, responda! —dijo la voz de la persona al mando. Otras voces saturaron la frecuencia preguntando aterrorizadas por los disparos, hasta que el alemán las mandó callar—. ¡Szell! —repitió—. ¿Me oye?

Pendergast pensó con satisfacción que Szell ya no podía oír nada.

70

Esterhazy escuchaba con creciente alarma como Falkoner hablaba por el intercomunicador.

—¡Szell, Hammar! ¡Respondan!

La estática fue lo único que sonó por el altavoz.

—¡Maldita sea! —estalló Esterhazy—. Se lo he dicho: ¡lo está subestimando! —Golpeó el mamparo en un gesto de frustración—. ¡No tiene la menor idea de a quién se enfrenta! ¡Los matará a todos! ¡Y después vendrá por nosotros!

—Son una docena de hombres armados contra uno solo.

—¡Ya no tiene una docena! —replicó Esterhazy.

Falkoner escupió en el suelo, luego habló por el intercomunicador:

—Capitán, informe.

—Aquí el capitán, señor. —La voz sonaba serena—. Acabo de oír disparos en el salón y uno de los botes auxiliares se ha incendiado.

—Todo eso ya lo sé. ¿Cuál es la situación en el puente de mando?

—Aquí todo está en orden. Gruber está conmigo. Hemos cerrado y atrancado la puerta y estamos bien armados. ¿Qué demonios está pasando ahí abajo?

—Pendergast se ha cargado a Berger y a Vic Klemper. He enviado a Szell y Hammar al salón principal pero no consigo comunicar con ellos. Abra bien los ojos.

—Sí, señor.

—Mantenga el rumbo y espere órdenes.

Esterhazy lo miró. Las duras facciones de Falkoner seguían tranquilas e imperturbables. El alemán se volvió hacia él.

—Su hombre parece anticiparse a todos nuestros movimientos. ¿Cómo es eso?

—Es un demonio —respondió Esterhazy.

Falkoner entrecerró los ojos y dio la impresión de que iba a decir algo, pero luego volvió la cabeza y habló a través del intercomunicador.

—¿Baumann?

—Aquí estoy, señor.

—¿Cuál es su posición?

—En el camarote principal, con Eberstark.

—Klemper ha caído, ahora está usted al mando. Quiero que los dos se reúnan con Nast en el puente superior. Usted suba por la escalerilla delantera; Eberstark, por la trasera. Si el objetivo está allí, abátanlo con fuego cruzado. Muévanse con suma precaución. Si no lo ven, peinen el puente de proa a popa y olvídense de lo que les dije. Disparen a matar.

—Sí, señor. Disparar a matar.

—Quiero a Zimmermann y a Schultz en el puente principal, en posición para emboscar a cualquiera que baje por una de las dos escalerillas. Si ustedes no lo matan en el puente superior, su movimiento de pinza lo obligará a bajar y a ir hacia proa, donde ellos lo estarán esperando.

—Sí, señor.

Esterhazy caminaba por la estrecha sala de máquinas pensando frenéticamente. El plan de Falkoner parecía bueno. ¿Cómo iba alguien, incluso Pendergast, a escapar de cinco hombres armados con metralletas que le disparasen con fuego cruzado en el confinado espacio de un barco?

Observó a Falkoner; seguía hablando con calma por la radio. Recordó con horror su mirada ansiosa mientras torturaba y mataba al periodista. Era la primera vez que había visto a Falkoner disfrutar con algo. Entonces se acordó de sus ojos cuando le habló de capturar a Pendergast: la misma mirada ansiosa. Sedienta. A pesar del calor que reinaba en la sala de máquinas, tembló. Empezaba a comprender que, aunque consiguieran matar a Pendergast, sus problemas con la Alianza estarían lejos de haber terminado. De hecho, acabarían de empezar.

Montar aquella operación a bordo del *Vergeltung* había sido un grave error: también él se había puesto a su merced.

71

Pendergast trepó por el costado del barco, agarrándose como una lapa a los vierteaguas de las ventanas y utilizándolos a modo de peldaños. Llegó justo debajo de las ventanas del puente. Los cristales de los camarotes eran ahumados, por lo que no se veía nada del interior, pero los del puente eran claros. Se asomó al borde y, bajo la débil luz de los instrumentos electrónicos, vio quién estaba en la sala de mando: el capitán y un hombre armado que pilotaba el barco. Más allá, en el salón del puente situado tras la cabina, un centinela montaba guardia, caminando arriba y abajo, armado con un subfusil. De vez en cuando salía al exterior, hacía un recorrido por el puente y volvía a su puesto. La parte descubierta del puente superior estaba despejada salvo por una pequeña piscina vacía y unas cuantas tumbonas.

El puente de mando estaba cerrado con llave. Un yate como aquel sin duda contaba con altas medidas de seguridad. A juzgar por su grosor, los cristales de las ventanas eran a prueba de balas. No había forma de que pudiera entrar en la cabina de mando, ninguna.

Avanzó pegado a la inclinada pared hasta situarse justo debajo del perfil de aluminio donde las puertas correderas de vidrio del salón se abrían al puente superior.

Metió la mano en el bolsillo, sacó una moneda y la lanzó contra el cristal de las puertas.

El marinero que montaba guardia se quedó muy quieto y enseguida se agachó, con el arma preparada.

—Aquí Nast —dijo por el intercomunicador—. Acabo de oír algo.

—¿Dónde?

—Aquí, en el puente superior.

—Compruébelo —fue la respuesta—. Tenga cuidado. Baumann y Eberstark, prepárense para cubrirlo.

Pendergast vio asomarse la silueta del hombre, agazapado tras las puertas correderas. Cuando el centinela estuvo seguro de que en el puente no había nadie, se levantó, abrió la puerta y salió cautelosamente, con el arma preparada. Pendergast agachó la cabeza por debajo del nivel del puente y, hablando por su radio con un susurro ronco imposible de identificar, dijo:

—Nast. La amura de babor, a la altura de la barandilla. Compruébela.

Aguardó. Al cabo de un momento, la oscura silueta de la cabeza del marinero se asomó a la barandilla, justo encima de él, y miró hacia abajo. Entonces Pendergast le disparó en toda la cara.

Con un grito ahogado, la cabeza dio un latigazo hacia atrás y el cuerpo se desplomó hacia delante; Pendergast lo agarró y lo ayudó a caer por encima de la barandilla. Cayó contra la barandilla del puente inferior y quedó con medio cuerpo fuera y el otro medio espatarrado en el pasillo. Agarrándose a un poste, Pendergast saltó al puente superior en el momento en que su radio volvía a sonar. Se metió en la piscina vacía y se agachó. Acababa de oír que dos hombres se dirigían hacia allí.

Perfecto.

Irrumpieron en el puente casi al mismo tiempo, uno por la proa y el otro por la popa. Pendergast esperó a que estuvieran correctamente alineados y entonces saltó fuera de la piscina al tiempo que disparaba una vez para asustarlos. Tal como había previsto, los dos hombres dispararon sus armas automáticas y uno de ellos cayó abatido por los proyectiles del fuego cruzado de su compañero. Este, al ver lo ocurrido, se lanzó al suelo y siguió disparando en vano.

Pendergast lo liquidó con un único disparo, a continuación saltó por encima de la barandilla y cayó en el pasillo del puente principal. El cadáver de Nast le proporcionó un mullido aterrizaje. Luego pasó al otro lado de la barandilla de cubierta y se agarró a dos candeleros para no caer al mar. Durante unos instantes sus piernas se balancearon sobre el agua, pues el casco se inclinaba suavemente hacia dentro. Haciendo un rápido esfuerzo, encontró un punto de apoyo en el borde inferior de un ojo de buey.

Se quedó allí, agarrado al casco, por debajo del nivel del puente principal, escuchando atentamente. De nuevo el intercomunicador le decía todo lo que necesitaba saber.

72

Esterhazy caminaba arriba y abajo por la sala de máquinas, consciente de que la creciente sensación de caos y miedo reflejaba su agitación interior.

¿Cómo demonios lo estaba haciendo Pendergast? Era como si les leyera el pensamiento...

Y entonces, de repente, lo comprendió. «¡Claro!» Era de lo más sencillo... Y eso le dio una idea.

Habló por primera vez a través de su radio portátil.

—Soy Esterhazy. Lleven a la chica a la cubierta de proa. ¿Me oyen? Llévenla rápidamente. Tenemos que deshacernos de ella. Ahora solo es un obstáculo para nosotros.

Apagó el intercomunicador e indicó con un gesto a Falkoner que no utilizara el suyo.

—¿Qué demonios pretende? —preguntó este en voz baja—. ¿A quién le ha dicho eso? No podemos deshacernos de la mujer, ¡perderíamos todo nuestro poder de coacción!

Esterhazy lo interrumpió con otro gesto.

—Pendergast tiene una radio. Así es como ha logrado anticiparse a todos nuestros movimientos. Ese hijo de puta tiene una radio.

El rostro de Falkoner se iluminó.

—Usted y yo iremos arriba. Lo pillaremos por sorpresa cuando vaya a proa a rescatar a la chica. Deprisa. Tenemos que reunir a todos los hombres que podamos.

Salieron de la sala de máquinas y con las armas preparadas, subieron por la escalerilla, cruzaron la cocina y emergieron por una escotilla. Allí los esperaba Schultz con un subfusil.

—Ha habido un tiroteo en la cubierta superior... —empezó a decir, pero Falkoner lo hizo callar con un gesto brusco.

—Venga con nosotros —susurró.

Los tres se dirigieron rápida y silenciosamente hacia la cubierta de proa y se agazaparon tras los contenedores de los salvavidas. Menos de un minuto más tarde, una figura vestida de negro saltó la barandilla del lado de estribor, ágil como un murciélago, y se pegó a la pared de la cabina.

Schultz apuntó.

—Deje que se acerque —susurró Falkoner—. Espere hasta estar seguro.

Sin embargo, no ocurrió nada. Pendergast no se movió de su posición.

—Nos ha visto —murmuró Falkoner.

—No —repuso Esterhazy—. Espere.

Al cabo de unos minutos, de repente la figura salió de su escondite y cruzó a todo correr la cubierta.

Schultz disparó una ráfaga que dio en el muro de la cabina, y la figura se agachó tras un pescante, utilizando el refuerzo de acero para cubrirse.

El juego se había acabado. Falkoner disparó, y sus proyectiles rebotaron ruidosamente en el armazón de acero con una lluvia de chispas.

—¡Lo tenemos inmovilizado! —gritó, disparando de nuevo—. No puede salir de su escondite. Tengan cuidado de a quién disparan.

Un disparo salió de detrás del pescante a modo de respuesta y todos se agacharon. Aprovechando aquella momentánea distracción, la figura de negro salió de donde estaba y voló literalmente por los aires, lanzándose de cabeza por encima de la barandilla y desapareciendo por el otro lado. Falkoner, Schultz y Esterhazy dispararon demasiado tarde.

—Lo tiene claro —dijo Schultz—. Con lo fría que está el agua, en quince minutos estará muerto.

—No esté tan seguro —replicó Esterhazy, acercándose a ellos y mirando hacia popa. El negro mar se extendía en todas direcciones, tumultuoso y frío, la estela del barco se difuminaba hasta la nada—. Volverá a subir a bordo utilizando la plataforma de baño.

Falkoner lo miró fijamente y por primera vez apareció una grieta en su frialdad sobrenatural: a pesar del frío, unas gotas de sudor le perlaban la frente.

—Entonces iremos a popa y nos lo cargaremos cuando suba.

—Demasiado tarde —dijo Esterhazy—. A la velocidad que vamos, ya está a bordo, esperando que hagamos justo eso.

Pendergast se agachó tras la popa y aguardó a que sus atacantes aparecieran. La breve inmersión había estropeado el intercomunicador. Una lástima, pero después de los últimos acontecimientos había dejado de ser útil. Lo arrojó por la borda. El yate seguía navegando y cruzó los Narrows. El puente de Verrazano brillaba cuando pasaron bajo él. Las luces de sus arcos se fueron desvaneciendo a medida que el *Vergeltung* salió de la bahía y se adentró en mar abierto.

Pendergast siguió esperando.

73

Falkoner se volvió hacia Esterhazy.

—Todavía podemos acabar con él —dijo—. Tenemos media docena de hombres armados hasta los dientes. Los reuniremos a todos y haremos un ataque frontal.

—Dudo que le queden tantos hombres. ¿Es que no lo ve? Nos está liquidando uno a uno. Ningún ataque a lo bruto funcionará. Tenemos que ser más listos que él.

Falkoner lo miró fijamente, tenía la respiración agitada.

La verdad era que Esterhazy había estado pensando frenéticamente desde que habían salido de la sala de máquinas. Pero las cosas habían ido demasiado rápido, simplemente no había tiempo. Pendergast y Constance estaban...

«Constance.» Sí..., eso podía funcionar.

Se volvió hacia Falkoner.

—La treta con la mujer le ha hecho salir de su escondite. Ese es su punto vulnerable.

—Pero no volverá a funcionar.

—Sí, funcionará. Esta vez utilizaremos de verdad a la mujer.

Falkoner frunció el entrecejo.

—¿Para qué?

—Conozco a Pendergast. Créame, dará resultado.

Falkoner lo miró y se limpió el sudor de la frente.

—De acuerdo. Vaya a buscar a la mujer. Yo los esperaré aquí, con Schultz.

Un corto pasillo enlazaba la sala de máquinas con la bodega de proa. Esterhazy llegó al final de la escalerilla, corrió por el pasillo, abrió la puerta, entró, la cerró a su espalda y la atrancó. Ninguna ganzúa podría abrirla.

El suelo estaba impoluto tras el asesinato del periodista el día anterior; la lona había desaparecido. Se acercó a la escotilla que había al fondo de la bodega en forma de «V», la desbloqueó y la levantó. El rostro de la joven lo miró desde la penumbra de la sentina: el pelo apelmazado, el rostro sucio de gasoil. Cuando la luz le iluminó los ojos, a Esterhazy le sorprendió una vez más el poderoso odio que vio en ellos. Era una expresión de lo más perturbadora, una expresión que hablaba de una violencia insondable, latente bajo una apariencia de fría calma. Estaba amordazada; Esterhazy se sintió aliviado por el hecho de que no pudiera hablar.

—La voy a sacar. Por favor, no se resista.

Se guardó la pistola en el cinturón, alargó una mano, la agarró del pelo y la cogió por los hombros con la otra. Estaba maniatada y amordazada, pero podía forcejear. Esterhazy consiguió sacarla de la sentina; la torva mirada de Constance seguía clavada en él. La empujó hacia la puerta, se detuvo un momento y aguzó el oído. Luego, usándola como escudo por si acaso se topaba con Pendergast, desatrancó la puerta y la hizo salir fuera clavándole la pistola en la nuca. El pasillo estaba desierto.

—Camine —le ordenó.

Esterhazy la guió hasta la escalerilla de proa. Subieron y salieron a la cubierta. El barco navegaba entre un mar rizado y con fuerte viento de cara. Las luces de Nueva York no eran más que una distante claridad, y las del puente Verrazano se perdían en la oscuridad. Notó el cabeceo del yate. Navegaban en aguas abiertas.

Falkoner estaba aún más pálido que antes.

—Nadie sabe nada de Baumann ni de Eberstark —dijo—.

Y mire lo que le ha pasado a Nast. —Señalaba la barandilla del puente principal, donde un cuerpo colgaba inerte y chorreaba sangre.

—Debemos darnos prisa —repuso Esterhazy—. Sigan mis órdenes.

Falkoner asintió.

—Sujétenla fuerte y tengan mucho cuidado, la voy a desatar.

Los dos hombres agarraron a Constance, que había dejado de resistirse. Esterhazy le cortó las ligaduras de las muñecas y le quitó la cinta adhesiva de la boca.

—Lo mataré por lo que ha hecho —le dijo en el acto la joven.

Esterhazy se volvió hacia Falkoner.

—Vamos a lanzarla por la borda.

Falkoner parecía sorprendido.

—En ese caso nos quedaremos sin nuestra principal ventaja...

—Todo lo contrario.

—¡Es una chiflada! No arriesgará su vida por ella. Dejará que se ahogue.

—Me equivoqué —dijo Esterhazy—. No está loca, en absoluto. Pendergast cuida de ella, y mucho. Diga al capitán que marque un punto de paso en el GPS cuando la tiremos. ¡Deprisa!

Acercaron a Constance a la barandilla. De repente ella soltó un grito y empezó a forcejear con fiereza.

—¡No! —exclamó—. ¡No me tiren! ¡No sé...!

Esterhazy se detuvo.

—¿No sabe qué?

—No sé nadar.

Esterhazy soltó una maldición y se volvió hacia Falkoner.

—¡Un salvavidas!

Falkoner cogió un chaleco inflable del contenedor de cubierta. Esterhazy se lo quitó de las manos y se lo dio a Constance.

—Póngaselo.

Ella intentó abrochárselo. Había recobrado su fría compostura, pero las manos le temblaban y no acertaba con el cierre.

—No puedo...

Esterhazy se acercó, abrochó el cierre y se inclinó para ajustarle la cinta.

Con un rápido movimiento, Constance alzó el puño y le asestó en plena barbilla. Esterhazy trastabilló y vio otra vez que la mujer intentaba arrancarle los ojos con las uñas. Se zafó con un gruñido de dolor y la tiró al suelo. Falkoner le propinó un puntapié en el costado, la agarró por el pelo y tiró de ella para levantarla mientras Schultz le sujetaba los brazos y la obligaba a doblarse encima de la barandilla. Constance gritó, agitó la cabeza e intentó morderles.

—¡Tranquilos! —advirtió Esterhazy—. No le hagan daño o nuestro plan no funcionará.

—¡Levantémosla! —gritó Falkoner—. ¡Ya!

Constance se resistió con una fuerza sorprendente.

—¡Al agua! —ordenó el alemán.

La alzaron por encima de la borda y la lanzaron al océano. Constance se hundió en el agua y un momento después resurgió agitando los brazos. Sus gritos se oyeron por encima del ruido del viento y los motores. Luego, desapareció rápidamente en la oscuridad.

74

Pendergast echó a correr hacia la proa tan pronto como oyó los gritos de Constance. Cuando cruzaba a toda velocidad uno de los pasillos, atisbó un destello blanco en el agua, vio pasar a Constance, y luego desaparecer en la oscuridad tras la estela del barco.

Durante un instante se quedó paralizado por la sorpresa. Entonces lo comprendió.

Oyó una voz procedente de la cubierta de proa: Esterhazy.

—¡Aloysius! —gritó—. ¿Me oyes? Sal con las manos en alto. Ríndete. Si lo haces, daremos media vuelta. De lo contrario, seguiremos navegando. ¡Date prisa!

Pendergast, con su .45 en la mano, no se movió.

—Si quieres que demos la vuelta, sal a donde podamos verte con las manos en alto. Estamos en noviembre..., y sabes mejor que nadie lo fría que está el agua. Le doy quince minutos de vida, veinte como mucho.

Pendergast siguió sin moverse. No podía moverse.

—Tenemos su localización en el GPS —siguió diciendo Esterhazy—. Podemos encontrarla en cuestión de minutos.

Pendergast vaciló durante un último y agónico momento. Casi admiraba el astuto plan de Esterhazy. Entonces levantó las manos y caminó despacio por el costado del barco. Cuando salió a la cubierta de proa, vio a Esterhazy y a los demás de pie con las armas preparadas.

—Camina hacia nosotros, despacio y con las manos por encima de la cabeza.

Obedeció.

Esterhazy se adelantó, le quitó la pistola y se la guardó en el cinturón. Luego lo registró. Fue un registro meticuloso, profesional. Le quitó sus cuchillos, una Walther del .32, paquetes de productos químicos, alambre y varias herramientas. Siguió palpando el forro de la cazadora y encontró más herramientas y objetos cosidos en él.

—Quítatela.

Pendergast obedeció y dejó caer la cazadora en la cubierta.

Esterhazy se volvió hacia los otros.

—Espósenlo, átenlo y amordácenlo. Lo quiero más inmovilizado que una momia.

Uno de los hombres se acercó. Le ató las muñecas a la espalda con una brida de nailon y lo amordazó con cinta americana.

—Túmbese —dijo el otro; hablaba con acento alemán.

Pendergast hizo lo que le decían. Le ataron los tobillos y después le sujetaron con cinta adhesiva las muñecas, los brazos y las piernas, dejándolo boca abajo en la cubierta, incapaz de moverse.

—Muy bien —dijo Esterhazy al alemán—, ahora ordene al capitán que dé media vuelta y recoja a la chica.

—¿Por qué? —objetó el otro—. Ya tenemos lo que queríamos. ¿Qué más nos da?

—Usted quiere que hable, ¿no? ¿Acaso no es esa la razón por la que sigue con vida?

Tras una breve vacilación, el alemán habló con el capitán por el intercomunicador. Al poco, el yate aminoró y empezó a virar.

Esterhazy miró su reloj. Luego se volvió hacia Pendergast.

—Han pasado doce minutos —dijo—. Espero que no hayas gastado demasiado tiempo en decidirte.

75

Esterhazy cogió un cabo del puente.

—Ayúdeme a atarlo a esas bitas —le dijo a Schultz.

Su mente funcionaba a toda velocidad. Había estado fingiendo coraje y dándose aires de mando, pero bajo aquella fachada estaba muerto de miedo. No tenía más remedio que pensar en la manera de salvar su propio pellejo, pero no se le ocurría nada. «¿Qué pasa, Judson?», le había dicho Falkoner, «¿no confía en nosotros? Me sorprende y me ofende.» Sabía que tenía tantas probabilidades de sobrevivir como el mismo Pendergast.

El yate había dado media vuelta y en ese momento había reducido la velocidad porque se acercaban al punto de ruta. Esterhazy se asomó a la proa y buscó a la joven mientras dos reflectores barrían las tumultuosas aguas desde el puente.

—¡Allí! —gritó cuando una de las luces captó un destello de la tela reflectante del salvavidas.

El yate se situó al instante a sotavento de la joven. Esterhazy corrió a popa, cogió las cintas del salvavidas con un bichero y tiró de Constance hacia la popa. Falkoner se acercó y entre los dos la subieron hasta la plataforma de baño. Luego cargaron con ella y la llevaron al salón principal, donde la dejaron tumbada en el suelo de moqueta.

Estaba semiinconsciente pero todavía respiraba. Esterhazy le tomó el pulso. Era lento e irregular.

—Hipotermia —dijo a Falkoner—. Tenemos que subir su temperatura interior. ¿Dónde está la mujer?

—¿Gerta? Se ha encerrado en su camarote.

—Dígale que prepare un baño caliente.

Falkoner desapareció mientras Esterhazy quitaba a Constance el chaleco, el vestido empapado, la ropa interior, y la envolvía en una manta que encontró doblada en una butaca cercana. Luego la maniató con una brida y le ató los tobillos con otra muy poco apretada, lo justo para que no le impidiera caminar.

Instantes después, la mujer llegó con Falkoner. Estaba pálida pero serena.

—La bañera se está llenando.

Llevaron a Constance hasta el baño del camarote de proa y la sumergieron en agua caliente. La joven empezaba a recobrar el sentido y murmuró algo mientras la metían en la bañera.

—Voy fuera a vigilar a Pendergast —dijo Esterhazy.

Falkoner lo miró..., una mirada calculadora, inquisitiva. Luego sonrió torvamente.

—Cuando ella haya recobrado el conocimiento, la llevaré fuera... y la utilizaremos para que Pendergast hable.

Esterhazy se estremeció interiormente.

Encontró a Pendergast donde lo había dejado, vigilado por Schultz. Cogió una de las sillas de cubierta y se sentó frente a él, con la pistola en la mano y mirándolo atentamente. No era la primera vez que estaban cara a cara desde que lo había dejado —gravemente herido y hundiéndose— en una ciénaga del Foulmire. Como de costumbre, los plateados ojos de Pendergast, apenas visibles en la tenue luz, eran inescrutables.

Durante diez minutos Esterhazy repasó todas las alternativas de su situación, todos los planes posibles para escapar del *Vergeltung*..., en vano. Iban a matarlo. Lo había visto en la mirada que Falkoner le había dirigido. Gracias a Pendergast, había causado a la Alianza demasiados problemas a demasiados hombres para seguir con vida.

Oyó voces y vio que Constance se acercaba por el pasillo de babor, empujada por Gerta, la mujer pelirroja, y seguida por los amenazadores murmullos de Falkoner. Enseguida llegaron al puente. Zimmermann se les unió. Constance llevaba un largo albornoz blanco y, encima, una chaqueta de hombre. Falkoner le dio un último empujón, y ella cayó al suelo, enfrente de Pendergast.

—Puta peleona —dijo Falkoner al tiempo que se llevaba una mano a la arañada nariz—. Reanimarla no ha sido problema. Átenla ahí.

Gerta y Schultz la arrastraron hasta la borda y la ataron a un candelero. Constance no se resistió, permanecía extrañamente callada y pasiva.

Falkoner lanzó una mirada de triunfo a Esterhazy.

—Yo me ocuparé de esto —dijo en tono cortante—. Al fin y al cabo, es mi especialidad.

Se agachó y arrancó la cinta que cubría la boca de Pendergast.

—No queremos perdernos una palabra de lo que tenga que decirnos, ¿no es verdad?

Esterhazy alzó la vista y observó el puente; una hilera de ventanas débilmente iluminadas en la cubierta superior y detrás del castillo de proa. Divisó al capitán en el timón, y a Gruber, su ayudante, junto a él. Los dos estaban absortos en su trabajo, no prestaban atención al drama que tenía lugar en cubierta. El yate se dirigía hacia el nordeste, en paralelo a la costa sur de Long Island. Se preguntó adónde iban... Falkoner no había sido nada concreto en ese punto.

—De acuerdo —dijo este adoptando una pose chulesca ante Pendergast. Se guardó la pistola, desenvainó el cuchillo de combate y acarició su doble filo ante los ojos del agente del FBI. Entonces se arrodilló, le clavó la punta del cuchillo en la carne y dibujó una delgada línea en la mejilla. La sangre manó con abundancia—. Ahora ya tiene la cicatriz de duelo de Heidelberg, como mi abuelo. Preciosa.

La mujer pelirroja observaba con expresión de deleite.

—¿Ve lo afilado que está? —continuó Falkoner—. Sin embargo, este filo no es para usted. Es para ella.

Se acercó a Constance y se plantó ante ella, de pie, jugando con el cuchillo y hablándole directamente.

—Si él no responde a mis preguntas, rápida y exhaustivamente, tendré que cortarla. Y le dolerá mucho.

—No le dirá una palabra —replicó Constance con voz baja pero firme.

—Lo hará cuando empecemos a arrojar al mar trozos de su cuerpo.

Constance lo miró fijamente. A Esterhazy le sorprendió el poco miedo que vio en sus ojos. Aquella mujer asustaba.

Falkoner soltó una risita y se volvió hacia Pendergast.

—Su pequeña investigación, de la que nos hemos enterado hace poco, ha resultado de lo más instructiva. Por ejemplo, creíamos que Helen llevaba muerta años.

Esterhazy sintió que se le helaba la sangre.

—¿Verdad, Judson?

—Eso es mentira —replicó este con voz débil.

Falkoner hizo un gesto displicente con la mano, como si la cuestión careciera de importancia.

—En cualquier caso, he aquí la primera pregunta. ¿Qué sabe de nuestra organización y cómo se ha enterado?

Pendergast no respondió. Lo que hizo fue volverse hacia Esterhazy con una mirada extrañamente compasiva.

—Tú serás el siguiente. Lo sabes, ¿verdad?

Falkoner fue hasta Constance, le cogió las manos atadas tras el candelero, y despacio, con parsimonia, le hizo un corte a lo largo del pulgar. Ella ahogó un grito y volvió la cabeza a un lado.

—La próxima vez —dijo Falkoner, mirando al agente del FBI—, míreme a mí y conteste a mis preguntas.

—¡No le digas nada! —gritó Constance—. ¡No le digas nada! ¡Nos matará de todas maneras!

—No es cierto —replicó Falkoner—. Si su amigo habla, la dejaremos con vida en la orilla. Él no saldrá vivo de esta, pero puede salvarla a usted. —Se volvió hacia Pendergast—. Conteste a la pregunta.

El agente especial empezó a hablar. Explicó brevemente cómo había descubierto que el rifle de su mujer estaba cargado con balas de fogueo y había comprendido que había sido asesinada en África doce años atrás. Habló lenta y claramente, en un tono neutro.

—Y entonces fue a África —dijo Falkoner— y descubrió nuestra pequeña conspiración para desembarazarnos de ella.

—¿Su conspiración? —Pendergast pareció sopesar aquel comentario.

—¿Por qué hablas con él? —dijo Constance de repente—. ¿Crees que va a dejarme ir? ¡Claro que no! No le digas más, Aloysius..., nos matará de todos modos.

Con el rostro encendido, Falkoner, excitado, volvió a coger la mano de Constance y a hundirle el cuchillo en el pulgar, ampliando el corte y haciéndolo más profundo. Ella se retorció de dolor pero no gritó.

Con el rabillo del ojo, Esterhazy vio que tanto Schultz como Zimmermann habían enfundado sus armas y estaban disfrutando del espectáculo.

—No siga —advirtió Esterhazy a Falkoner—. Si sigue haciéndole daño, él no le dirá nada más.

—Cállese. Sé lo que hago. Llevo años haciendo esto.

—No lo conoce.

Sin embargo, Falkoner se detuvo. Blandió el ensangrentado cuchillo, lo agitó ante los ojos de Pendergast y lo limpió en los labios del agente especial.

—La próxima vez le cortaré el pulgar. —Sonrió sádicamente—. Usted la quiere, ¿verdad? Supongo que sí, tan joven y bonita..., ¿quién no la querría? —Se levantó y dio una vuelta por cubierta—. Estoy esperando, Pendergast. Siga.

Pero Pendergast no siguió. Miraba fijamente a Esterhazy.

Falkoner se detuvo y ladeó la cabeza.

—Está bien. Yo siempre cumplo mis promesas. Schultz, sujeta la mano de la señorita con fuerza.

El marinero agarró la mano de Constance mientras Falkoner blandía el cuchillo. Esterhazy comprendió que se disponía a cortarle el pulgar. Y que si lo hacía, no habría vuelta atrás para Pendergast ni para él.

76

—Un momento —dijo Esterhazy.

Falkoner se detuvo.

—¿Qué pasa?

Esterhazy se acercó rápidamente a Falkoner y le habló al oído.

—Hay algo que había olvidado decirle —susurró—, algo que debe saber. Es muy importante.

—¡Maldita sea, ahora no!

—Vayamos más allá. Nadie debe oírnos. Le repito que es de la mayor importancia.

—No me gusta que me interrumpan cuando estoy haciendo mi trabajo —masculló Falkoner; su sonrisa de sádico placer había dado paso a una mueca de disgusto.

Esterhazy lo llevó al lado de babor, hacia popa, y miró hacia lo alto. Allí, los otros no podían verlos, y tampoco desde el puente de mando.

—¿Qué problema hay? —quiso saber Falkoner.

Esterhazy se inclinó para hablarle al oído y le puso una mano en el hombro. Entonces, sacó su pistola y le disparó una bala en el cráneo. Un chorro de sangre, de sesos y fragmentos de hueso voló por los aires y salpicó a Esterhazy en pleno rostro.

Falkoner dio una sacudida, con los ojos muy abiertos, y cayó en los brazos de Esterhazy. Este lo cogió rápidamente por las axilas y, con un movimiento brusco, lo arrojó por la borda.

Al oír el disparo, Zimmermann se acercó corriendo, pero Esterhazy le metió una bala entre los ojos.

—¡Schultz! —gritó—. ¡Venga a ayudarnos!

Segundos después, Schultz apareció, pistola en mano, y Esterhazy se lo cargó con otra bala.

A continuación, se limpió las salpicaduras de sangre de la cara con un pañuelo y volvió junto al resto del grupo con la pistola preparada. Gerta lo miró con los ojos como platos, paralizada por la sorpresa.

—Acérquese —le ordenó Esterhazy—, y hágalo despacio o ya puede ir despidiéndose.

La mujer obedeció. Cuando llegó a la altura de la cabina, la amordazó y le ató las muñecas y los tobillos con la misma cinta que habían utilizado para inmovilizar a Pendergast. La dejó en el pasillo de cubierta, donde no podían verla desde el puente de mando, y fue hacia popa, donde Hammar estaba recobrando lentamente la conciencia, farfullando y gruñendo. Lo ató y terminó con un rápido recorrido por el puente superior, donde encontró al malherido Eberstark, al que también maniató. Luego, volvió junto a Constance y Pendergast.

Los miró sin decir nada. Ambos habían sido testigos de lo que había hecho. Constance estaba callada, pero él vio la sangre que manaba del pulgar. Se arrodilló y examinó la herida. El segundo corte, más profundo, había llegado hasta el hueso. Metió la mano en el bolsillo, sacó un pañuelo limpio y le vendó el dedo. Luego se levantó y se encaró con Pendergast. Sus plateados ojos volvían a brillar. A Esterhazy le pareció detectar en ellos una chispa de sorpresa.

—Una vez me preguntaste cómo había podido matar a mi hermana —dijo Esterhazy—. Entonces te dije la verdad. Y ahora volveré a decirte la verdad. No la maté. Helen está viva.

77

Esterhazy hizo una pausa. En los ojos de Pendergast había una mirada nueva, una mirada que no acababa de comprender. Y sin embargo no decía nada.

—Crees que tu lucha solo tiene que ser conmigo —prosiguió rápidamente—. Pero te equivocas. No soy solo yo. No es solo este yate y su tripulación. Lo cierto es que no tienes idea, ni la menor idea, de contra quién te enfrentas.

Pendergast permaneció en silencio.

—Escucha. Falkoner iba a matarme a mí también. En cuanto hubiera acabado contigo, habría hecho exactamente lo mismo conmigo. No lo he comprendido hasta esta noche, en este barco.

—O sea, que lo ha matado para salvarse usted —dijo Constance—. ¿Y supone que con eso se ganará nuestra confianza?

Esterhazy hizo lo posible por hacer caso omiso de aquellas palabras.

—Maldita sea, Aloysius, escúchame: Helen está viva y me necesitas para que te la devuelva. Ahora no tenemos tiempo para hablar de eso. Más tarde te lo explicaré todo. ¿Vas a cooperar conmigo o no?

Constance rió burlona.

Esterhazy clavó la mirada en los fríos e insondables ojos de Pendergast durante largo rato. Luego respiró hondo.

—Está bien, voy a arriesgarme —dijo—. Voy a arriesgarme

a que, en algún rincón de esa extraña cabeza tuya, creas lo que acabo de decirte.

Se agachó, cogió un cuchillo y se inclinó sobre Pendergast para cortarle las ligaduras. No obstante, en el último momento pareció vacilar.

—¿Sabes, Aloysius? —dijo en voz baja—, me he convertido en aquello para lo que nací. Nací en ello..., y eso es algo que escapa a mi control. Si supieras el horror al que Helen y yo nos vimos sometidos, lo comprenderías.

Cortó las ligaduras de Pendergast y lo liberó.

El agente del FBI se puso en pie lentamente, masajeándose los brazos con expresión todavía inescrutable. Esterhazy dudó un momento. Luego le entregó su .45, con la culata por delante. Pendergast cogió la pistola, se la guardó y, sin decir palabra, se acercó a Constance y cortó sus ataduras.

—Vámonos —dijo Esterhazy.

Durante unos segundos nadie se movió.

—Constance —dijo Pendergast—, espéranos junto al bote auxiliar de popa.

—Un momento —replicó ella—. Supongo que no irás a fiarte de...

—Por favor, haz lo que te digo. Nos reuniremos contigo enseguida.

La joven fulminó a Esterhazy con la mirada antes de dar media vuelta y desaparecer en la oscuridad.

—Hay dos hombres en el puente de mando —explicó Esterhazy—. De modo que antes de subir a ese bote, debemos neutralizarlos.

Al ver que Pendergast no decía nada, Esterhazy tomó la delantera, abrió la puerta de la cabina y pasó por encima de un cuerpo inmóvil. Cruzaron el salón principal y subieron por una escalerilla. Cuando llegaron al puente superior, abrió unas puertas correderas y atravesaron la sala hasta la puerta del puente de mando. Pendergast se situó junto a ella y desenfundó su pistola. Esterhazy llamó con los nudillos.

Al cabo de un momento, la voz del capitán sonó a través del intercomunicador.

—¿Quién es? ¿Qué está pasando? ¿Qué han sido esos disparos?

—Soy Judson, capitán —contestó Esterhazy en tono tranquilo—. Todo ha terminado. Falkoner y yo los tenemos inmovilizados en el salón.

—¿Y el resto de la tripulación?

—Ha caído. La mayoría están muertos, otros están heridos o... han caído por la borda. Pero ahora todo está bajo control.

—¡Dios mío!

—Falkoner quiere que Gruber baje un momento.

—Llevo rato intentando contactar con Falkoner por radio.

—Se ha quitado el intercomunicador. Ese Pendergast se había hecho con uno y estaba oyendo nuestras conversaciones. Escuche, capitán, no tenemos mucho tiempo. Falkoner quiere que Gruber baje ahora mismo.

—¿Cuánto rato? Lo necesito en el puente.

—Cinco minutos, como mucho.

Oyó como desatrancaban y abrían la puerta del puente de mando. Pendergast le asestó una fuerte patada y golpeó a Gruber en la cabeza con la culata de su pistola, dejándolo inconsciente, mientras Esterhazy irrumpía en la cabina y clavaba el cañón de su arma en la sien del capitán.

—¡Al suelo! —gritó.

—¡Qué demo...!

Esterhazy desvió la pistola unos centímetros, disparó y volvió a encañonarlo.

—¡Ya me ha oído! ¡Al suelo y con los brazos extendidos!

El capitán obedeció, se puso de rodillas y luego se tumbó en el suelo y separó los brazos. Esterhazy se dio la vuelta y vio que Pendergast estaba maniatando al otro hombre.

Se acercó al puesto de mando, sin dejar de apuntar al capitán, y puso los motores del yate en punto muerto. El barco aminoró la marcha y se detuvo lentamente.

—¿Qué demonios está haciendo? —gritó el capitán—. ¿Dónde está Falkoner?

—Ata también a este —dijo Esterhazy.

Pendergast se acercó y maniató al capitán.

—Es usted hombre muerto —dijo este a Esterhazy—. Puede estar seguro de que lo matarán. Usted debería saberlo mejor que nadie.

Esterhazy vio que Pendergast se inclinaba sobre el tablero de mandos, lo examinaba y levantaba un arco de seguridad que protegía una palanca roja. La empujó. Una sirena empezó a sonar por todo el barco.

—¿Qué es eso? —preguntó Esterhazy, alarmado.

—He activado el EPIRB, el radiofaro localizador de emergencia —explicó Pendergast—. Ahora quiero que bajes, lances al agua el bote auxiliar y me esperes.

—¿Por qué? —Esterhazy estaba desconcertado por la rapidez con la que Pendergast se había hecho con el mando.

—Vamos a abandonar el barco. Haz lo que te digo.

El tono frío y ausente de su voz irritó a Esterhazy. El agente desapareció por la escalerilla que se adentraba en las entrañas del barco. Esterhazy bajó al salón y luego salió a popa, donde encontró a Constance, esperando.

—Abandonamos el barco —dijo Esterhazy. Retiró la lona que cubría la segunda barca auxiliar. Era una Valiant de cinco metros y medio con un fuera borda Honda de setenta y cinco caballos. Abatió el espejo de popa y accionó el chigre de botadura. La lancha se deslizó hacia el agua. La amarró a una bita de popa, subió a bordo y puso el motor en marcha—. Suba —dijo a Constance.

—No hasta que Aloysius haya vuelto —replicó ella. Sus violáceos ojos se posaron en él y al poco volvió a hablar con ese estilo extrañamente arcaico—: Supongo que no ha olvidado lo que le dije hace un rato, doctor Esterhazy, pero permítame que se lo recuerde: en algún momento del futuro, a su debido tiempo, lo mataré.

Esterhazy rió burlonamente.

—No malgaste saliva en vanas amenazas.

—¿Vanas? —dijo ella con una sonrisa agradable—. Es un hecho de la naturaleza tan ineluctable como que la Tierra gire sobre su eje.

78

Esterhazy centró sus pensamientos en Pendergast y en lo que estaría haciendo. La respuesta le llegó cuando oyó una apagada explosión bajo cubierta. El agente especial apareció poco después. Ayudó a Constance a subir al bote y la siguió a bordo mientras una nueva explosión estremecía el yate. El aire se llenó de olor a humo.

—¿Qué has hecho? —preguntó Esterhazy.

—He provocado un incendio en la sala de máquinas. El EPIRB dará una oportunidad de sobrevivir a los que todavía quedan a bordo. Ponte al timón y sácanos de aquí.

Esterhazy alejó el bote del yate. Poco después, una tercera explosión lanzaba una bola de fuego al cielo y una lluvia de fragmentos de madera en llamas y fibra de vidrio cayó alrededor de ellos. Esterhazy hizo girar la barca y aceleró todo lo que el tamaño de las olas se lo permitió. La lancha cabeceaba y se balanceaba mientras el motor rugía.

—Hacia el noroeste —indicó Pendergast.

—¿Adónde vamos? —preguntó Esterhazy, todavía perplejo por su tono de mando.

—Al extremo sur de Fire Island. En esta época del año estará desierto. Es el lugar ideal para desembarcar sin que nos vean.

—¿Y luego?

El bote subía y bajaba al compás de las olas. Pendergast no respondió a la pregunta. El yate desapareció tras ellos, en la oscuridad. Incluso las llamas y la negra nube de humo se tornaron una mancha difusa. Estaban rodeados de una negrura absoluta. Las luces de Nueva York no eran más que un tenue resplandor tras la capa de bruma que cubría las aguas.

—Pon punto muerto —dijo Pendergast.

—¿Para qué?

—Hazlo.

Esterhazy obedeció. Entonces, justo cuando una ola pasó bajo la barca y le hizo perder el equilibrio, Pendergast se lanzó sobre él y lo inmovilizó en el suelo de la embarcación. Esterhazy tuvo una sensación de *déjà vu*, se acordó de que el agente le había hecho lo mismo en Escocia. Sintió el cañón de una pistola en la sien.

—¿Qué haces? —gritó—. ¡Acabo de salvarte la vida!

—Desgraciadamente, no soy un hombre dado a los sentimentalismos —repuso Pendergast en voz baja y amenazadora—. Quiero respuestas, y las quiero ahora. Primera pregunta: ¿por qué lo hiciste? ¿Por qué la sacrificaste?

—¡Pero si yo no sacrifiqué a Helen! ¡Helen está viva! No sería capaz de matarla..., ¡la quiero!

—No me refiero a Helen. Me refiero a su gemela. Esa a la que llamabas Emma Grolier.

La sorpresa que embargó a Esterhazy fue superior a su miedo.

—¿Cómo... cómo lo sabes?

—Pura lógica. Empecé a sospecharlo en cuanto me enteré de que la mujer de Bay Manor era joven. No había otra explicación. Los gemelos tienen idéntico ADN. Así fue como conseguiste que el engaño se mantuviera incluso después de la muerte. Helen tenía unos dientes preciosos, y está claro que su hermana gemela también. Ponerle el mismo empaste debió de ser una obra de arte dental.

—Sí —dijo Esterhazy al cabo de un momento—. Lo fue.

—¿Cómo pudiste hacerlo?

—Era ella o Helen. Emma estaba... muy mal, era profundamente retrasada. La muerte casi fue una liberación. Aloysius, por favor, créeme cuando te digo que no soy el canalla que crees. Por el amor de Dios, si supieras a lo que sobrevivimos Helen y yo verías todo esto bajo una luz totalmente diferente.

El cañón de la pistola se hundió un poco más.

—¿Y cómo es que tú sobreviviste? ¿Por qué organizaste todo este maldito engaño?

—Alguien tenía que morir. ¿Acaso no lo ves? La Alianza quería a Helen muerta. Pensaron que yo la había matado en el ataque de aquel león, pero ahora saben que no fue así, y como consecuencia Helen se encuentra en grave peligro. Tenemos que desaparecer, ¡todos nosotros!

—¿Qué es la Alianza?

Esterhazy notó que el corazón le latía con fuerza.

—¿Cómo puedo hacer para que lo entiendas? ¿Longitude Pharmaceuticals? ¿Charlie Slade? Todo eso no es más que el principio. Lo que viste en Spanish Island era un simple apunte, una nota a pie de página.

Pendergast permaneció callado.

—La Alianza está cerrando su actividad en Nueva York y borrando sus huellas en Estados Unidos. Los peces gordos van a venir a la ciudad para supervisarlo todo. Es posible que incluso ya hayan llegado.

Pendergast siguió sin decir nada.

—¡Por el amor de Dios, tenemos que seguir adelante! Es la única manera de que Helen consiga sobrevivir. Todo lo que he hecho ha sido para que siguiera con vida, porque... —Hizo una pausa—. Incluso sacrifiqué a mi otra hermana, por muy descelebrada que fuera. Tienes que entenderlo. Esto ya no te concierne solo a ti y a Helen. Es algo mucho mayor. Te lo explicaré, pero ahora tenemos que salvar a Helen. —Su voz se convirtió en un sollozo que contuvo rápidamente—. ¿No entiendes que es la única manera?

Pendergast se levantó y apartó la pistola.

Pero Constance, que hasta ese momento había permanecido en silencio, habló:

—No confíes en este hombre, Aloysius.

—Su emoción es genuina. No está mintiendo.

Pendergast se puso al timón, aceleró y tomó rumbo nordeste, hacia Fire Island. Luego se volvió hacia Esterhazy.

—Cuando lleguemos a tierra, me llevarás directamente con Helen.

Esterhazy vaciló.

—No es tan sencillo.

—¿Por qué no?

—Durante todos estos años la he instruido para que tome todo tipo de precauciones. Las mismas precauciones que le salvaron la vida en África. Una llamada telefónica no bastará, y tomarla por sorpresa podría ser demasiado peligroso. Tengo que ir a verla personalmente... y entoces la llevaré hasta ti.

—¿Tienes un plan?

—Todavía no. Debemos encontrar la manera de delatar y destruir a la Alianza. Son ellos o nosotros. Helen y yo sabemos mucho sobre la organización, y tú eres un fenómeno en estrategia. Juntos podemos conseguirlo.

Pendergast pareció meditarlo.

—¿Cuánto tiempo necesitas para llegar hasta ella?

—Dieciséis horas, puede que dieciocho. Deberíamos encontrarnos en un lugar público, donde la Alianza no se atreva a intervenir, y desde allí ocultarnos rápidamente.

—Está mintiendo, Aloysius —murmuró Constance—. Miente para salvar su miserable vida.

Pendergast le acarició una mano.

—Tienes razón en cuanto a que su instinto de supervivencia es excesivo, pero sigo creyendo que dice la verdad.

La joven no dijo nada. Pendergast prosiguió.

—Mi piso del Dakota cuenta con una zona de seguridad y dispone de una puerta trasera secreta por donde se puede entrar y salir sin ser visto. En Central Park, delante del Dakota, hay un espacio público llamado Conservatory Water, es un estanque adonde la gente lleva sus barcos en miniatura. ¿Lo conoces?

Esterhazy asintió.

—No está lejos del zoo —añadió Constance con sarcasmo.

—Estaré esperando delante del Kerbs Boathouse —dijo Pendergast—, mañana a las seis de la tarde. ¿Podrás llevar a Helen a esa hora?

Esterhazy miró su reloj: pasaban de las once.

—Sí.

—El traslado llevará cinco minutos. El Dakota está al otro lado del parque.

Esterhazy vio a lo lejos el débil parpadeo de la luz de Moriches Inlet y el perfil de las Dunas de Cupsogue, blancas como la nieve a la luz de la luna. Pendergast viró el bote en esa dirección.

—Judson... —dijo en voz baja.

Esterhazy se volvió hacia él.

—¿Sí?

—Creo que me has dicho la verdad. Sin embargo, este asunto me afecta tanto que es posible que me equivoque. Constance así lo cree. Llevarás a Helen hasta mí, como hemos planeado, o de lo contrario, parafraseando a Thomas Hobbes, lo que te quede de vida en este mundo será desagradable, brutal y breve.

79

Nueva York

Corrie había pasado buena parte de la tarde ayudando a su nueva amiga a limpiar la casa y a cocinar una bandeja de lasaña, todo ello sin quitar ojo al edificio de al lado. A las ocho y media, Maggie se había ido a trabajar al club de jazz y no volvería hasta las dos de la mañana.

En ese momento era casi medianoche y Corrie estaba apurando su tercera taza de café en la diminuta cocina mientras contemplaba su equipo. Había leído y releído su viejo ejemplar de un clásico de la literatura *underground*, *MIT. Guide to Lock Picking*, pero temía que las cerraduras y candados de la casa tuvieran barriletes de acero y fueran inviolables.

Además, había visto que contaba con un sistema de alarma. Eso significaba que, aunque lograra forzar la cerradura, al abrir la puerta se dispararía la alarma, y lo mismo pasaría con las ventanas. Y para colmo, a pesar del aspecto decrépito de la casa, seguramente había detectores de movimiento repartidos por su interior. O quizá no. No podía saberlo hasta que estuviera dentro.

«¿Dentro?» ¿De verdad iba a hacerlo? Al principio había decidido que se limitaría a realizar un reconocimiento exterior; pero a lo largo de la tarde sus planes habían ido cambiando de manera inconsciente. ¿Por qué? Había prometido a Pendergast que se mantendría apartada del caso, pero lo cierto era que su intuición le decía que el agente del FBI no era consciente de la magnitud del peligro al que se enfrentaba. ¿Acaso sabía lo que esos traficantes de droga habían hecho con el pobre Betterton y con los Brodie? Eran mala gente, muy mala.

En cuanto a ella..., no era ninguna tonta. No haría nada que pudiera ponerla en peligro. La casa del 428 de East End Avenue daba la impresión de hallarse desierta: ni había luz en su interior ni había visto a nadie entrar o salir de ella.

No iba a romper la promesa que le había hecho a Pendergast. No iba a meterse en líos con unos traficantes de droga. Lo único que haría sería meter la nariz en aquella casa, husmear un poco y largarse. A la primera señal de peligro, por insignificante que fuera, pondría los pies en polvorosa. Si encontrara algo importante, se lo llevaría a ese presuntuoso chófer, Proctor, para que se lo hiciera llegar a Pendergast.

Miró el reloj. Las doce de la noche. No tenía sentido esperar más. Recogió su conjunto de ganzúas y lo guardó en la mochila con el resto de sus cosas: un taladro portátil con brocas para vidrio, madera y hormigón, un cortavidrios, ventosas, cables, pelacables, herramientas, un espejo dental, una media para el rostro en caso de que hubiera cámaras, guantes, una cachiporra, aceite para cerraduras, trapos, cinta americana, pintura en espray y dos teléfonos móviles, uno de ellos escondido en su bota.

Sintió cierta emoción. Iba a ser divertido. En Medicine Creek había realizado incursiones similares y no le parecía mala idea practicar un poco para no perder técnica. Por un momento se preguntó si lo suyo era hacer carrera en las fuerzas del orden o al otro lado de la ley... Lo cierto era que muchos de los que trabajaban para las fuerzas del orden sentían una perversa atracción por el mundo del crimen. Pendergast, sin ir más lejos.

Salió al pequeño patio trasero, el cual estaba rodeado por un muro de ladrillo de dos metros y medio de altura. El jardín estaba lleno de malas hierbas, y había unos cuantos muebles de exterior de hierro fundido. Las luces de las ventanas traseras de los edificios arrojaban la claridad suficiente para que pudiera ver sin ser vista.

Escogió el tramo más oscuro del muro que daba al número 428, colocó allí una mesa, trepó a ella, saltó al otro lado y cayó en el jardín de la casa abandonada. Estaba lleno de maleza, con ailantos y zumaques: una cobertura perfecta. Encontró una vieja y tambaleante mesa y la apoyó contra la pared en el punto por donde había entrado. Luego se abrió paso entre la maleza hasta la parte trasera de la casa. Dentro no se veían luces ni se apreciaba actividad alguna.

La puerta del jardín era de hierro y tenía una cerradura relativamente nueva. Fue hasta ella agachada, se arrodilló, eligió una ganzúa y la introdujo en la ranura. La movió dentro del barrilete y enseguida comprendió que iba a ser una cerradura difícil de forzar. Quizá no para Pendergast, pero sí para ella.

Más valía buscar una alternativa.

Avanzó pegada a la pared y espió por las ventanas de la planta baja y los sótanos, hasta que finalmente se decidió por la más próxima. Se arrodilló e iluminó el cristal con la linterna. Era opaco de lo sucio que estaba. Lo limpió con el trapo y pudo ver que por dentro la ventana estaba sellada con cinta metálica: la alarma.

Al menos eso era algo que podía solucionar. Insertó una broca de diamante en el taladro portátil e hizo dos agujeros en el cristal, uno por encima de la cinta metálica y otro por debajo, con cuidado de no romper la cinta y cortar el circuito. A continuación peló un cable de cobre y lo pasó por ambos agujeros; utilizó un fino palillo dental para atarlo a la cinta interior, de ese modo se mantenía el circuito cerrado y se desactivaba la alarma del resto de la ventana.

Luego, utilizando nuevamente el taladro, hizo una serie de agujeros en el cristal, trazando una abertura lo bastante grande para pasar por ella. Después recorrió todos los agujeros con el cortavidrios. Acto seguido aplicó varias ventosas al cristal y le dio un golpe seco. El vidrio se rompió limpiamente por la línea de puntos. Lo quitó y lo dejó a un lado.

Dio un paso atrás y observó las ventanas de los edificios vecinos. Nadie parecía haber visto ni oído nada. Echó una mirada a la casa que se alzaba ante ella. Seguía tan silenciosa y oscura como una tumba.

Volvió su atención a la ventana. No le apetecía toparse con sensores de movimiento, así que iluminó el interior con su linterna. Lo único que vio fueron archivadores y pilas de libros. La cinta metálica era un sistema de alarma rudimentario, y se dijo que si había otro dentro de la casa no sería más sofisticado. Utilizando el espejo dental iluminó las cuatro esquinas de la habitación, pero no vio nada que se pareciera a un detector de movimiento ni a una alarma láser.

Metió el brazo por la ventana y lo movió en todas direcciones, preparada para salir corriendo ante cualquier luz roja que apareciera en la oscuridad.

Nada.

«Vale», se dijo. Pasó una pierna por la abertura de la ventana, se deslizó al interior y tiró de su mochila.

Permaneció un momento agachada en la oscuridad, sin moverse, buscando luces parpadeantes o cualquier otro indicio de un sistema de seguridad activado. Todo estaba en silencio.

Cogió una silla y la colocó bajo la ventana, por si tenía que huir precipitadamente. Miró en derredor. La claridad de la luna le permitía ver el contenido de la habitación. Tal como le había parecido desde fuera, era una especie de almacén, lleno de archivadores metálicos, expedientes amarillentos y montones de libros.

Se acercó a la pila de libros más próxima y levantó el polvoriento plástico que la cubría. Un montón de libros encuadernados en cartoné, todos iguales, quedaron al descubierto. En sus tapas duras lucía una gran esvástica negra dentro de un círculo blanco rodeado de rojo.

El libro era *Mein Kampf*, y su autor era Adolf Hitler.

80

«Nazis», se dijo Corrie, volviendo a cubrir los libros con el plástico y cuidando de no dejarlo arrugado. Un escalofrío le recorrió la espalda y se sintió paralizada. De repente todo lo que Betterton le había contado parecía encajar: aquella casa databa aproximadamente de la Segunda Guerra Mundial; el barrio había sido un antiguo enclave alemán; el asesino de los Brodie tenía acento alemán. Y ahora eso.

No eran traficantes de droga. Eran nazis que debían de llevar operando en aquella casa desde la Segunda Guerra Mundial. Y habían seguido haciéndolo incluso tras la rendición de Alemania, los juicios de Nuremberg, la ocupación soviética de Alemania del Este y la caída del Muro de Berlín. Parecía increíble, imposible. Todos los nazis de la primera época tenían que estar muertos, así que ¿quién era esa gente y a qué se dedicaba tantos años después?

Si Pendergast no sabía nada de todo aquello —y sospechaba que así era—, ella tenía la obligación de enterarse de cuanto pudiera.

Se movió con gran cautela, el corazón le latía con fuerza. A pesar de que no había visto indicios de actividad ni de que nadie entrara o saliera, cabía la posibilidad de que hubiera gente en la casa. No podía estar segura.

En un rincón había una mesa con equipo electrónico cubierto por un plástico mugriento. Levantó una esquina despacio, sin hacer ruido y se vio contemplando una colección de radios antiguas. A continuación examinó las etiquetas de los archivadores. Estaban en alemán, y ella no sabía esa lengua. Tiró de un cajón al azar, pero estaba cerrado. Sacó sus ganzúas y esa vez la cerradura no se le resistió. En menos de un minuto la había forzado y había abierto el cajón. Nada. El cajón estaba vacío. Sin embargo, a juzgar por las líneas de polvo en los bordes superiores, daba la impresión de que había estado lleno hasta hacía poco.

Forzó unos cuantos más, y todos le confirmaron lo mismo: los papeles que albergaban habían desaparecido, pero se los habían llevado recientemente.

Paseó el haz de la linterna por la habitación y examinó las dos puertas. Una de ellas daba a una escalera que subía al piso de arriba. Se acercó a la otra, cogió el picaporte y la abrió con sumo cuidado, intentando que las oxidadas bisagras chirriaran lo mínimo.

La linterna iluminó un cuarto alicatado de blanco desde el suelo hasta el techo. En el centro había una silla de hierro atornillada al suelo y, bajo ella, un desagüe. Unos grilletes para manos y tobillos colgaban de los brazos y las patas de la silla. En un rincón vio una manguera enrollada alrededor de un grifo oxidado.

Dio un paso atrás, sintió ganas de vomitar. Cerró la puerta y se dirigió hacia la que daba a la escalera. Subió y llegó a un pequeño rellano.

Otra puerta. Aguzó el oído y aguardó, luego giró el picaporte y la entreabrió ligeramente. Un rápido examen con la linterna y el espejo dental le reveló que se trataba de una cocina polvorienta. Abrió la puerta del todo, echó un rápido vistazo a la cocina y luego cruzó despacio hasta un comedor y un recargado salón que había más allá. Estaba decorado al estilo bávaro tradicional: grandes muebles de madera maciza, cornamentas en las paredes, cuadros de paisajes con marcos muy trabajados, estantes con antiguos rifles y carabinas. Una polvorienta cabeza de oso, de colmillos amarillentos y feroces ojos de cristal, dominaba la repisa de la chimenea. Examinó rápidamente los libros de las estanterías y algunos armarios. Todos los libros y documentos estaban en alemán.

Salió al pasillo y se quedó allí, de pie, sin apenas respirar, escuchando con atención. Todo estaba en silencio. Al cabo de un momento se decidió a seguir subiendo, peldaño a peldaño, deteniéndose en cada uno para aguzar el oído. Cuando llegó al siguiente piso, aguardó nuevamente y luego examinó las puertas, todas ellas cerradas. Abrió una al azar. Lo que encontró fue un cuarto en el que solo había un somier, una mesa, una silla y una estantería. Una ventana con barrotes daba al patio de atrás; el cristal estaba roto y vio cristales en el alféizar.

Examinó las otras habitaciones del segundo piso. Eran todas iguales —dormitorios sin apenas muebles—, salvo la última, que resultó ser un polvoriento laboratorio fotográfico y una cámara oscura. Vio varias prensas de imprimir y primitivas fotocopiadoras. En un rincón, apoyadas contra la pared, había planchas de imprimir de cobre de todos los tamaños, algunas de ellas tenían grabados sellos y símbolos de aspecto oficial. Al parecer, aquello había sido un antiguo tinglado dedicado a la falsificación de documentos.

Salió al pasillo y subió al último piso. Se encontró en un vasto desván que había sido dividido en dos espacios. El primero —la habitación en la que se hallaba en ese momento— era muy raro. El suelo estaba cubierto por mullidas alfombras persas. Docenas de gruesas velas habían dejado estalactitas de cera solidificada en los candelabros donde descansaban. En las paredes colgaban negros tapices decorados con extraños símbolos dorados y amarillos, algunos bordados y otros confeccionados con algo que parecía fieltro grueso: hexagramas, símbolos astronómicos, ojos sin párpados, triángulos entrelazados y estrellas de cinco y seis puntas. En la base de uno de aquellos tapices se había estampado una palabra ARARITA. En una esquina de la habitación, unos peldaños de mármol conducían a lo que parecía un altar.

Era un lugar espeluznante, de modo que salió. La última habitación y después se marcharía corriendo.

Temblando, abrió la puerta de la segunda habitación del desván. Estaba lleno de estanterías, en su día debía de haber sido una biblioteca o una sala de consulta. Pero en esos momentos los estantes estaban vacíos y las paredes, desnudas, salvo por una raída bandera nazi que colgaba laxa.

En el centro de la estancia vio una gran trituradora industrial de papel de fabricación moderna. Estaba enchufada y parecía extrañamente fuera de lugar en aquel sitio que parecía sacado de un siglo anterior. Apoyados junto a la máquina había docenas de montones de documentos, y al otro lado, varias bolsas de basura de color negro llenas de papel triturado. En la pared del fondo había un gran armario con las puertas abiertas.

Corrie pensó en los archivadores vacíos de la planta baja y en los desiertos dormitorios. Lo que se hubiera hecho en aquella casa ya era historia: estaban vaciando todo el edificio de cualquier rastro inculpatorio.

Comprendió, con un escalofrío, que si ese trabajo todavía no había terminado, podría reanudarse en cualquier momento.

Los documentos que tenía ante sí eran los últimos que quedaban en la casa. Sin duda Pendergast desearía verlos. Se acercó al montón rápida y silenciosamente y empezó a examinarlos. La mayoría llevaban fecha de la Segunda Guerra Mundial y estaban en alemán, con sus esvásticas y sus caracteres góticos. Mientras los repasaba, teniendo cuidado de mantenerlos ordenados y apilados, maldijo su total desconocimiento del idioma alemán.

A medida que iba descendiendo en los montones, levantando papeles y examinando solo un par o tres de cada pila, se dio cuenta de que los de abajo eran de fecha más reciente que los de arriba. Dejó los más antiguos y se concentró en los más recientes. Todos estaban en alemán y le resultaba imposible deducir su significado. No obstante, apartó los que parecían más importantes: los que tenían más sellos y otros que llevaban estampado en grandes letras de color rojo:

Lo que a sus ojos se parecía mucho a un sello de ALTO SE-CRETO.

De repente se fijó en el nombre que figuraba en uno de aquellos papeles: ESTERHAZY. Lo reconoció de inmediato como el apellido de soltera de la difunta esposa de Pendergast, Helen. El nombre aparecía repetido varias veces, y también en las páginas siguientes. Las cogió todas y las metió en su mochila.

Siguió mirando y encontró una serie de documentos que no estaban en alemán, sino en español y —supuso— portugués. Sabía algo de español; la mayoría eran facturas, listas de gastos y reembolsos, junto con una serie de expedientes médicos donde el nombre de los pacientes había sido borrado o sustituido por iniciales. Guardó los que creyó más importantes en su mochila, que parecía a punto de reventar.

Oyó crujir el parquet.

Se quedó muy quieta, una descarga de adrenalina le recorrió el cuerpo. Aguzó el oído. Nada más.

Muy despacio, cerró su mochila y se levantó con cuidado de no hacer ruido. Por la rendija de la puerta, ligeramente entreabierta, se colaba un poco de luz. Aguardó y, al cabo de un momento, oyó otro crujido. Fue apenas audible, como el que haría alguien que caminara con mucho sigilo.

Estaba acorralada en el desván. La única vía de escape era la escalera que llevaba a los pisos inferiores. No había ventanas ni sitio alguno adonde ir. Pero dejarse arrastrar por el pánico sería un error; tal vez todo había sido cosa de su desbordante imaginación. Esperó con todos los sentidos alerta.

Otro crujido, más fuerte y más cerca. De imaginación, nada: había alguien más en la casa... y estaba subiendo la escalera. Con los nervios tras encontrar esos papeles se había olvidado de no hacer ningún ruido. Se preguntó si quien estuviera en la escalera la habría oído.

Cruzó la habitación con mucho cuidado y fue hasta el armario abierto que había al fondo. Logró meterse dentro sin que la madera crujiera, cerró un poco las puertas y permaneció inmóvil en la oscuridad. El corazón le latía tan desbocadamente que temió que el intruso lo oyera.

Otro crujido, y luego un leve gruñido. Alguien estaba abriendo la puerta de esa habitación. Casi sin atreverse a respirar, atisbó fuera del armario. Tras un largo silencio, una figura entró en la habitación.

Corrie contuvo la respiración. Era un hombre vestido de negro, llevaba gafas redondas de cristales ahumados y tenía el rostro en sombras. ¿Un ladrón?

Caminó hasta el centro de la estancia, permaneció muy quieto durante unos segundos y luego sacó una pistola. Se volvió, levantó el arma y apuntó hacia el armario.

Corrie empezó a rebuscar desesperadamente en su mochila.

—Haga el favor de salir —dijo una voz con un acento muy marcado.

Tras unos segundos, Corrie se levantó y abrió las puertas del armario.

El hombre sonrió. Quitó el seguro de la pistola y apuntó.

—*Auf Wiedersehen* —dijo.

81

El agente especial Pendergast estaba sentado en un sofá de cuero del salón de su piso del Dakota. El corte de la mejilla no era más que una delgada línea carmesí. Constance Greene, vestida con un suéter blanco de cachemira y una falda plisada de color coral, estaba sentada a su lado. Los apliques de ágata en forma de concha situados bajo las molduras del techo bañaban la sala con una luz suave. El salón carecía de ventanas. Tres de sus paredes estaban pintadas de color cereza. La cuarta era toda de mármol negro, por el que caía una fina capa de agua que gorgoteaba suavemente en el pequeño estanque de la base, donde flotaban racimos de capullos de loto.

En la mesa de centro, de madera de palo morado de Brasil, había una tetera de hierro y dos tazas medio llenas de un líquido verdoso. Constance y Pendergast conversaban en una voz apenas audible por encima del susurro de la cascada.

—Sigo sin entender por qué anoche lo dejaste ir —decía Constance—. No creo que confíes en él.

—No confío en él —repuso Pendergast—, pero en este asunto sí, le creo. En el Foulmire me dijo la verdad sobre Helen y ahora también me ha dicho la verdad. Además... —Pendergast bajó la voz aún más—, sabe que si no cumple su palabra acabaré con él. De una forma o de otra.

—Si no lo haces tú, lo haré yo —concluyó Constance.

Pendergast observó a su pupila. Una chispa de odio centelleó brevemente en sus ojos. Había visto esa chispa con anterioridad, y comprendió enseguida que iba a suponer un grave problema.

—Son las cinco y media —dijo Constance mirando su reloj—. Dentro de media hora... —Hizo una pausa y añadió—: ¿Cómo te sientes, Aloysius?

Pendergast tardó unos segundos en contestar. Se removió en el sofá.

—Debo confesar que siento una desagradable ansiedad.

Constance lo miró con preocupación.

—Después de doce años..., si resulta que es cierto que tu... tu esposa ha burlado a la muerte, ¿por qué nunca se ha puesto en contacto contigo? Perdóname, Aloysius, ¿por qué este engaño tan largo y monstruoso?

—No lo sé, solo puedo conjeturar que tiene algo que ver con esa Alianza que Judson mencionó.

—Y si sigue con vida... ¿Tú aún estarías enamorado de ella? —Constance se ruborizó ligeramente y bajó la mirada.

—Eso tampoco lo sé. —Pendergast contestó en una voz tan baja que ella apenas lo oyó.

El teléfono que había sobre la mesa sonó, y Pendergast lo cogió.

—Diga...

Escuchó un momento, luego volvió a colgar el auricular y se volvió hacia Constance.

—El teniente D'Agosta está subiendo en el ascensor. —Hizo una pausa antes de continuar—. Constance, tengo que pedirte algo: si en algún momento sientes desconfianza o no soportas estar más tiempo encerrada, házmelo saber y yo iré a buscar al niño y aclararé todo este asunto. No estamos obligados a... seguir el plan.

Ella lo hizo callar con un gesto cariñoso; su rostro se suavizó.

—Tenemos que seguir el plan. Además, me alegra volver a Mount Mercy. Es curioso pero me siento cómoda allí. A salvo de las incertidumbres y del barullo del mundo exterior. Pero te diré una cosa: ahora me doy cuenta de que me equivoqué..., me equivoqué al considerar al niño como al hijo de tu hermano. Desde el primer momento tendría que haber pensado en él como en el sobrino de mi... mi muy querido tutor —añadió dándole un cariñoso apretón en la mano.

Sonó el timbre. Pendergast se levantó y fue a abrir. D'Agosta estaba en la puerta con rostro demacrado.

—Gracias por venir, Vincent. ¿Está todo preparado?

El policía asintió.

—El coche espera abajo. He avisado al doctor Ostrom de que Constance está en camino. Un poco más y el cabrón se desmaya de puro alivio.

Pendergast sacó un abrigo de vicuña de un armario y se lo puso. Luego ayudó a Constance a ponerse su abrigo.

—Vincent, te ruego que te asegures de que el doctor Ostrom ha comprendido que Constance regresa por voluntad propia y que su salida del hospital no fue una huida sino un secuestro perpetrado por ese impostor de Poole, al que seguimos buscando aunque con pocas esperanzas.

D'Agosta asintió.

—Me ocuparé de que lo entienda.

Salieron del piso y entraron en el ascensor que los esperaba.

—Cuando lleguéis a Mount Mercy —prosiguió Pendergast—, comprueba que le asignan su antigua habitación y que le devuelven todos sus libros, muebles y pertenencias. Si no, protesta airadamente.

—No te preocupes, montaré la de Dios.

—Gracias, mi querido Vincent.

—Pero escucha, ¿no crees que debería acompañarte? Aunque solo sea por precaución...

Pendergast meneó la cabeza.

—En cualquier otra circunstancia aceptaría tu ayuda, Vincent, pero la seguridad de Constance es demasiado importante. Supongo que vas armado, ¿verdad?

—Por supuesto.

El ascensor llegó a la planta baja y las puertas se abrieron con un siseo. Salieron al vestíbulo del lado sudoeste y atravesaron el patio interior.

D'Agosta frunció el entrecejo.

—Esterhazy puede haberte tendido una trampa.

—Lo dudo, pero he tomado precauciones por si alguien intentara interrumpirnos.

Pasaron bajo el arco de entrada y salieron a la calle Setenta y dos. Un coche sin distintivos esperaba con el motor en marcha junto a la garita del portero. Al volante iba un policía de uniforme. D'Agosta miró la calle en ambas direcciones y después abrió la puerta de atrás para Constance.

La joven se volvió hacia Pendergast y lo besó suavemente en la mejilla.

—Cuídate, Aloysius —susurró.

—Iré a verte en cuanto pueda —le dijo él.

Constance le dio un último apretón en la mano y subió al asiento trasero del coche.

D'Agosta cerró la puerta y, antes de subir por el otro lado, lazó una mirada a Pendergast.

—Cuida tu culo, socio.

—Haré todo lo posible por seguir tu consejo, en sentido metafórico, desde luego.

D'Agosta subió al coche y este se mezcló con el tráfico.

Pendergast lo observó alejarse con las últimas luces del atardecer. Luego metió la mano en el bolsillo de su americana, sacó un intercomunicador Bluetooth y se lo colocó en el oído. Tras hundir las manos en los bolsillos del abrigo, cruzó la calle, entró en Central Park y se internó en el sendero que conducía a Conservatory Water.

82

A las seis menos cinco de la tarde, Central Park parecía envuelto en el embriagador hechizo de una pintura de Magritte: el cielo era pura luz, mientras que los árboles y los senderos estaban sumidos en las sombras del crepúsculo. El pulso de la ciudad había aminorado con la llegada del atardecer. Los taxis corrían por la Quinta Avenida, demasiado perezosos incluso para hacer sonar el claxon.

El Kerbs Memorial Boathouse se alzaba con su combinación de ladrillo rojo y cobre verdegrís junto al Conservatory Water, cuya superficie estaba lisa como un espejo. Más allá, tras una hilera de árboles adornados con los colores del otoño, se extendía la monolítica Quinta Avenida, cuyas fachadas de piedra teñía de rosa el resplandor del atardecer.

El agente especial Pendergast caminó entre los cerezos de Pilgrim Hill y se detuvo un momento al amparo de su sombra para contemplar el cobertizo para botes y sus alrededores. Era una tarde de otoño inusualmente cálida. El ovalado estanque estaba en calma, su superficie reflejaba los tonos bermellones y carmesíes del cielo. El café contiguo al embarcadero ya había cerrado sus puertas; allí solo quedaban unos pocos aprendices de capitán de yate que, arrodillados junto al agua, dirigían sus barcos en miniatura. A su lado, unos cuantos niños, sentados o tumbados, agitaban el agua con las manos mientras miraban los barquitos.

Pendergast rodeó lentamente el estanque, dejó atrás la estatua de *Alicia en el país de las maravillas* y se acercó al cobertizo para botes. Junto al pretil de piedra que rodeaba el estanque, un violinista, con la caja del instrumento abierta a sus pies, tocaba *Cuentos de los bosques de Viena* con más *rubato* del que convenía a esa música. Sentada en uno de los bancos próximos al cobertizo, una joven pareja, cogida de las manos, hablaba en susurros y se hacía carantoñas; había dos mochilas idénticas junto a ellos. En el banco siguiente estaba Proctor, vestido con un traje gris y aparentemente enfrascado en la lectura de *The Wall Street Journal*. Un vendedor de castañas y *pretzels* recogía su carrito, y a la sombra de unos rododendros, más allá del cobertizo, un mendigo se preparaba para pasar la noche en su caja de cartón. Algunos peatones caminaban por los senderos que llevaban a la Quinta Avenida.

Pendergast tocó el intercomunicador que llevaba en el oído.

—Proctor...

—¿Sí, señor?

—¿Has visto algo raro?

—No, señor. Todo está tranquilo. Un par de tortolitos de lo más acaramelados. Un mendigo que ha rebañado un cubo de basura en busca de su cena y que se dispone a pasar la noche en compañía de una botella. Unos alumnos de arte han estado pintando el lago, pero ya hace un cuarto de hora que se marcharon. Los últimos aficionados a los barquitos están recogiendo los bártulos. Parece que todo el mundo se marcha.

—Muy bien.

Mientras hablaban, Pendergast había cerrado involuntariamente las manos. Las abrió, flexionó los dedos y logró reducir el ritmo de sus latidos cardíacos a un nivel normal. Respiró hondo, salió al descubierto y se encaminó hacia el pretil que rodeaba Conservatory Water.

Miró la hora: las seis en punto. Echó un vistazo alrededor... y de pronto se quedó muy quieto.

Dos figuras se acercaban desde la fuente de Bethesda, irreconocibles bajo la oscura bóveda de los árboles. Mientras las miraba fijamente, cruzaron el East Drive y siguieron acercándose, dejando atrás Trefoil Arch y la estatua de Hans Christian Andersen. Él aguardó; las manos en los costados; sus movimientos, lentos y naturales. Cerca de él, un niño rió con alegría cuando dos veleros que regresaban a la orilla chocaron.

Las figuras, recortadas contra el cielo del atardecer, se detuvieron en la otra punta de Conservatory Water, miraban hacia donde él estaba. Una era un hombre; la otra, una mujer. Cuando empezaron a caminar de nuevo, rodeando el lago en su dirección, Pendergast apreció algo en la forma de moverse de la mujer —su porte, el movimiento de sus miembros al caminar— que casi le paralizó el corazón. Todo a su alrededor —la pareja de novios, los niños y los barcos, el violinista, el mendigo, todo— se esfumó mientras la miraba. Cuando giraron en el extremo del estanque y atravesaron una zona bañada por el sol del atardecer, las facciones de la mujer quedaron claramente a la vista.

El tiempo pareció detenerse bruscamente. Pendergast no podía moverse. Ella, tras un instante de pausa, se separó del hombre y se acercó a él con paso vacilante.

¿Era realmente Helen? El abundante cabello castaño era el mismo... más corto pero tan lustroso como él lo recordaba. Estaba tan delgada como cuando la había visto por primera vez, quizá un poco más incluso, y se movía con la misma gracia de antaño. Pero a medida que se acercaba apreció algunos cambios. Patas de gallo en las comisuras de sus ojos azul-violeta; ojos que lo habían mirado sin vida aquel terrible día entre los árboles de quinina. Su piel, siempre broncínea y ligeramente pecosa, se había tornado pálida, casi macilenta. Y la autoconfianza que siempre había irradiado como si fuera el mismísimo sol había sido reemplazada por la actitud cautelosa de quien ha sufrido los embates de la vida.

La mujer se detuvo a un par de pasos de Pendergast y ambos se miraron a los ojos.

—¿De verdad eres tú? —preguntó él con voz ronca.

La mujer intentó sonreír, pero fue una sonrisa melancólica, casi triste.

—Lo siento, Aloysius. No sabes cuánto lo siento.

Cuando la oyó hablar, cuando escuchó aquella voz que solo rescataba en sus sueños, Pendergast experimentó una nueva sacudida interior. Por primera vez en su vida perdió el dominio de sí mismo; era incapaz de pensar, incapaz de articular palabra.

Ella se acercó y con la punta de un dedo le acarició el corte de la mejilla. Luego miró por encima de su hombro, hacia el este, y señaló.

Pendergast se volvió en la dirección del gesto: hacia los árboles y la Quinta Avenida. Allí, enmarcada por los imponentes edificios, se alzaba una luna redonda y amarilla.

—Mira —susurró ella—, después de tantos años, seguimos teniendo nuestro amanecer de luna llena.

Ese había sido siempre su secreto: se habían conocido bajo la luna llena y, en los breves años que siguieron, asumieron como deber inexcusable estar juntos, los dos solos, una vez al mes, para contemplar la salida de la luna llena.

Aquello bastó para convencer a Pendergast de lo que su corazón ya sabía: era Helen.

83

Judson Esterhazy se había mantenido a una prudente distancia de la pareja, se situó bajo el alero del cobertizo para botes y esperó, con las manos en los bolsillos de su chaqueta, mientras observaba la tranquila escena. El violinista acabó el vals y empezó a tocar una versión sentimental de «Moon River».

Su miedo hacia la Alianza había cedido ligeramente. Ahora sabían que Helen estaba viva y eran muy poderosos; pero él había encontrado en Pendergast un poderoso aliado. A partir de ese instante todo iría bien.

A unos metros de distancia, el último navegante que quedaba había sacado su barco del agua y lo estaba desmontando, guardando las distintas piezas en una maleta de aluminio con compartimientos de espuma recortada. Esterhazy observó a Pendergast y a Helen caminar por la orilla del lago y, por primera vez en su vida, experimentó una sensación de alivio inmensa: por fin había hallado una salida al laberinto de maldad en el que se había visto atrapado desde niño. Todo había ocurrido tan deprisa que le costaba creerlo. Casi se sentía renacer.

Sin embargo, a pesar de la bucólica escena, no podía quitarse de encima su viejo y eterno temor. No habría sabido decir por qué..., no había ningún motivo para preocuparse. Era imposible que la Alianza se hubiera enterado del lugar de la cita. Se dijo que su inquietud se había convertido en un hábito.

Empezó a caminar a cierta distancia de la pareja, dejándoles que disfrutaran de aquel breve momento de intimidad. El Dakota estaba cerca del parque, un paseo por caminos conocidos y frecuentados. El murmullo de sus voces le llegó como un susurro a medida que rodeaban el lago.

Cuando se aproximaron nuevamente al cobertizo, Pendergast metió la mano en el bolsillo de su chaqueta. Sacó un anillo: un anillo de oro con un zafiro en forma de estrella.

—¿Lo reconoces? —preguntó.

El rubor cubrió las facciones de Helen.

—Nunca pensé que volvería a verlo.

—Y yo nunca creí que volvería a tener la oportunidad de volver a ponértelo en el dedo. Hasta que Judson me dijo que estabas viva. Yo lo sabía, sabía que me había dicho la verdad..., a pesar de que nadie me creyera.

Alargó el brazo para cogerle la mano izquierda, dispuesto a a ponerle el anillo con dedos temblorosos.

Pero cuando alzó el brazo de Helen, se detuvo en seco. Le faltaba la mano izquierda. En su lugar no había más que un muñón surcado por una fea cicatriz.

—Pero ¿por qué tu mano? Pensé que tu hermana...

—Todo salió mal. Fue un desastre horrible, demasiado complicado para explicártelo ahora.

Pendergast la miró.

—Helen, ¿por qué te embarcaste en ese plan asesino? ¿Por qué me ocultaste todas esas cosas... el Black Frame, Audubon, la familia Doane y todo lo demás? ¿Por qué no...?

Ella bajó el brazo.

—Por favor, no hablemos de eso. Ahora no. Más tarde tendremos tiempo, todo el tiempo del mundo.

—Pero Emma, tu hermana gemela, ¿sabías que sería sacrificada?

Helen se puso muy pálida.

—Me enteré... después.

—Pero tú nunca te pusiste en contacto conmigo, nunca. ¿Cómo puedo...?

Ella lo hizo callar apoyándole un dedo en los labios.

—Basta, Aloysius. Había razones para todo. Es una historia terrible, absolutamente terrible. Te la explicaré, te lo contaré todo, pero no en este lugar ni en este momento. Vámonos, por favor. —Intentó sonreír, pero estaba muy pálida.

Alzó la mano derecha y, sin decir palabra, Pendergast le deslizó el anillo en el dedo anular. Luego contempló la escena que los rodeaba. Nada había cambiado. A lo lejos, dos personas se acercaban al estanque haciendo jogging. Un niño lloraba porque se había quedado enredado en la correa de su terrier. El violinista seguía tocando.

Su mirada se posó en el último aficionado a los barcos que seguía desmontando el suyo y guardándolo torpemente en la maleta. Le temblaban las manos y, a pesar del fresco que hacía, Pendergast se dio cuenta de que tenía la frente perlada de sudor.

En una fracción de segundo una docena de pensamientos cruzaron la mente de Pendergast: evaluación, comprensión y toma de decisión.

Sin hacer el menor aspaviento y manteniendo la calma, se volvió hacia Esterhazy y le hizo un gesto para que se les acercara.

—Judson —susurró—, llévate a Helen de aquí. Hazlo tranquilamente pero sin perder un segundo.

Ella lo miró desconcertada.

—Aloysius, pero si...

Pendergast la hizo callar con un gesto rápido con la cabeza y se volvió hacia Esterhazy.

—Llévatela al Dakota. Nos encontraremos allí. Por favor, marchaos. Ya.

Cuando comenzaron a alejarse, Pendergast miró a Proctor, que seguía sentado en el banco a cien metros de distancia.

—Tenemos un problema —murmuró a través del intercomunicador. Luego echó a andar hacia el borde del lago y el aficionado a los barcos, que seguía forcejeando con su maqueta. Al pasar junto a él, se detuvo sin apartar la vista de Helen y Esterhazy, que se alejaban por el camino.

—Bonito barco —dijo—. ¿Es una goleta o un queche?

—Bueno —repuso el hombre con aire azorado—, la verdad es que acabo de empezar en esto y no sabría decirle.

Con un movimiento rápido y fluido, Pendergast sacó su .45 y apuntó al hombre.

—Levántese despacio, con las manos donde pueda verlas —ordenó.

El otro lo miró con una expresión extrañamente vacía.

—¿Está loco o qué?

—Haga lo que le digo.

El hombre empezó a incorporarse y entonces, con la rapidez del rayo, sacó una pistola de su cazadora. Pendergast lo abatió con un solo disparo. El estruendo del .45 desgarró el silencio de la tarde.

—¡Corred! —gritó a Helen y a Esterhazy.

En ese instante se desató el infierno. La pareja de tortolitos se levantaron de un salto, sacaron sendas TEC-9 de sus mochilas y abrieron fuego contra Esterhazy, que había echado a correr tirando de Helen. Los disparos de las armas automáticas lo segaron por la mitad. Esterhazy alzó las manos al aire y cayó al suelo con un grito.

Helen se detuvo y se volvió.

—¡Judson! —gritó por encima del tumulto.

—¡Sigue corriendo! —exclamó Esterhazy entre estertores—. Sigue...

Otra ráfaga lo alcanzó de lleno y lo volteó sobre la espalda.

Había gente corriendo y gritando por todas partes. Pendergast mató a uno de los jóvenes con un disparo de su .45 cuando corría hacia Helen. Proctor se había puesto en pie y con una Beretta 93R que había aparecido repentinamente en su mano disparó contra el otro, que se había refugiado tras el banco, utilizando a su compañera caída como escudo. Cuando Pendergast se disponía a apuntar para meterle una bala en la cabeza, vio con

el rabillo del ojo que el mendigo salía de su caja de cartón aferrando una escopeta de cañones recortados.

—¡Proctor! —gritó—. ¡El mendigo!

Pero apenas había acabado de hablar cuando el mendigo disparó. Proctor, que estaba dándose la vuelta, recibió el impacto
de lleno y cayó violentamente de espaldas; la Beretta se estrelló
contra el suelo. Su cuerpo se estremeció con un espasmo antes
de quedar inerte.

Antes de que el mendigo tuviera tiempo de volverse y disparar contra Pendergast, el agente especial lo mató de un disparo
que le atravesó el pecho y lo arrojó contra un seto.

Pendergast dio media vuelta y vio a Helen a un centenar de
metros, una figura agachada rodeada de gente que corría en todas direcciones. Seguía inclinada sobre su hermano caído, lloraba desesperada mientras le acunaba la cabeza con su única
mano.

—¡Helen! —gritó corriendo hacia ella—. ¡A la Quinta Avenida! ¡Corre a la Quinta Avenida!

Un disparo sonó detrás del banco y Pendergast sintió un terrible martillazo en la espalda. La bala de grueso calibre lo lanzó de bruces al suelo, aturdiéndolo y dejándolo sin respiración,
pero el chaleco antibalas evitó lo peor. Rodó, jadeando, y tumbado boca abajo abrió fuego contra el tirador escondido tras el
banco. Helen por fin se había levantado y corría hacia la avenida. Pendergast se dijo que si lograba cubrir su huida con fuego de
cobertura, quizá tuviera una oportunidad.

El mercenario del banco disparó de nuevo contra él, y la bala
levantó una nube de polvo a escasos centímetros de su rostro.
Devolvió el fuego, pero sus proyectiles rebotaron en el armazón del banco. Otro disparo salió de entre las tablas del respaldo. Pendergast notó que la bala pasaba con un siseo junto a su
mejilla y le atravesaba la pantorrilla. Haciendo caso omiso del
intenso dolor, respiró hondo, apuntó con cuidado y disparó. Su
bala pasó entre los listones del respaldo y reventó la cara del
mercenario, que cayó hacia atrás con los brazos extendidos.

El tiroteo cesó.

Pendergast se levantó y contempló la carnicería. Siete cuerpos yacían en el parque: la pareja de jóvenes, el falso aficionado a los barcos, el mendigo, Proctor y Esterhazy. El resto de la gente había huido chillando y llorando. A lo lejos, distinguió a Helen: seguía corriendo hacia la salida de la Quinta Avenida. Oyó el aullido de las sirenas. Se levantó para ir tras Helen, cojeando con su pierna herida.

Entonces vio algo más: los dos corredores, que se habían detenido y que cuando empezó el tiroteo habían cambiado de rumbo, se dirigían directamente hacia Helen. Y ya no trotaban. Corrían a toda velocidad.

—¡Helen! —gritó con todas sus fuerzas mientras se alejaba del cobertizo cojeando y dejando un rastro de sangre—. ¡Cuidado! ¡A tu izquierda!

Sin dejar de correr, Helen se volvió en la oscuridad que reinaba bajo los árboles y, al ver que los corredores se disponían a cortarle el paso en la salida, se desvió fuera del camino, hacia un bosquecillo.

Los corredores fueron hacia ella. Pendergast comprendió que no podría alcanzarla, de modo que hincó en tierra su pierna sana, apuntó con su .45 y disparó una vez. Pero su objetivo se encontraba a unos noventa metros de distancia y se desplazaba muy rápido. Era una diana imposible. Volvió a disparar, falló nuevamente y acabó vaciando el cargador con rabia y frustración. Helen corría hacia un grupo de sicomoros próximo al muro de Central Park. Con un gesto de furia, Pendergast sacó el cargador vacío y metió uno lleno.

Oyó un grito cuando los dos corredores atraparon a Helen. Uno de ellos la arrojó al suelo y entre los dos la cogieron por los brazos y la pusieron en pie.

—¡Aloysius! —la oyó gritar—. ¡Ayúdame! ¡Sé quiénes son! ¡Son del *Bund*, de la Alianza! ¡Me matarán! ¡Ayúdame!

Se la llevaron a rastras hacia la salida de la Quinta Avenida. Pendergast se incorporó con un rugido de furia y, haciendo acopio de toda su energía, se obligó a permanecer en pie. La herida de la pierna sangraba profusamente, pero él hizo caso omiso y avanzó cojeando.

Enseguida vio adónde se dirigían: un taxi esperaba junto a la acera de la Quinta Avenida. Comprendió que no podría alcanzarlos a tiempo, pero al menos el vehículo era un buen blanco. Se arrodilló de nuevo, mareado, y abrió fuego. La bala impactó contra la ventanilla delantera con un golpe sordo y rebotó. Blindada. Apuntó más abajo, a los neumáticos, y disparó dos veces, pero los proyectiles rebotaron inofensivamente en los tapacubos blindados.

—¡Aloysius! —gritó Helen justo antes de que sus captores la metieran a la fuerza en el asiento trasero del taxi y subieran tras ella.

—*Los, verschwinden wir hier!* —oyó que gritaba uno de ellos—. *Gib Gas!*

Las puertas del coche se cerraron. Pendergast volvió a apuntar con cuidado, disparó nuevamente contra los neumáticos, pero el coche arrancó a toda velocidad y su bala se perdió en el vacío.

—¡Helen! —gritó—. ¡No!

Lo último que vio, antes de que una negra bruma le nublara la visión, fue el taxi desaparecer entre un mar de taxis idénticos que se desplazaban en dirección sur por la Quinta Avenida. Mientras la oscuridad lo embargaba, en medio del ruido y el estruendo de las sirenas, susurró una vez más:

—Helen...

Había encontrado a Helen Esterhazy Pendergast... solo para volver a perderla.

Nota de los autores

Aunque la mayoría de las ciudades y localizaciones de *Sangre fría* son imaginarias, en algunos casos hemos empleado nuestra propia versión de lugares reales como Escocia, Nueva York, Nueva Orleans o Baton Rouge. En esos casos no hemos dudado en alterar su geografía, topología e historia para que encajara en el propósito de nuestro relato.

Todas las personas, lugares, departamentos de policía, corporaciones, instituciones, museos y agencias gubernamentales mencionadas en esta novela son ficticias o han sido utilizadas de manera ficticia.

Querido lector:

Desde 2011 estamos escribiendo una nueva serie de aventuras protagonizada por un agente poco corriente llamado Gideon Crew. El primer libro, titulado *Venganza*, se publicó en Plaza & Janés en noviembre de 2011.

Queremos que sepas que nuestra devoción por el agente Pendergast permanece intacta y que seguiremos publicando novelas acerca del más enigmático de los agentes del FBI con la misma frecuencia que hasta ahora. La serie iniciada con *Pantano de sangre*, publicada por Plaza & Janés en septiembre de 2010, sigue con la actual entrega *Sangre fría* y culminará con la próxima publicación titulada *Dos tumbas*.

Gracias una vez más por tu interés y apoyo.

Saludos cordiales,

DOUGLAS PRESTON & LINCOLN CHILD